合肥工业大学史
（2015—2025）

———————● 严福平　主编 ●———————

合肥工业大学出版社

图书在版编目（CIP）数据

合肥工业大学史：2015—2025/严福平主编 . ——合肥：合肥工业大学出版社，2025.9. —— ISBN 978 - 7 - 5650 - 7339 - 7

Ⅰ. G649.285.41

中国国家版本馆CIP数据核字第2025EM3692号

合肥工业大学史（2015—2025）

严福平　主编

责 任 编 辑	孙南洋　张　慧　王钱超　郭娟娟	
出　　　版	合肥工业大学出版社	
地　　　址	（230009）合肥市屯溪路193号	
网　　　址	press.hfut.edu.cn	
电　　　话	人文社科出版中心：0551—62903200	
	营销与储运管理中心：0551—62903198	
开　　　本	710毫米×1010毫米　1/16	
印　　　张	18.25　　**彩插**　2印张	
字　　　数	385千字	
版　　　次	2025年9月第1版	
印　　　次	2025年9月第1次印刷	
印　　　刷	安徽联众印刷有限公司	
发　　　行	全国新华书店	
书　　　号	ISBN 978 - 7 - 5650 - 7339 - 7	
定　　　价	80.00元	

如果有影响阅读的印装质量问题，请与出版社营销与储运管理中心联系调换

厚德　笃学　崇实　尚新

2017 年 4 月，学校收到中共中央政治局原常委、国务院原副总理李岚清惠赠的校训印章

2017 年 5 月 6 日，教育部党组书记、部长陈宝生来校调研

2025 年 6 月 24 日，教育部党组书记、部长怀进鹏来校调研

2018 年 5 月 3 日，安徽省委书记李锦斌来校调研

2019 年 2 月 18 日，安徽省委副书记、省长李国英来校调研

2021 年 11 月 21 日，安徽省委副书记、省长王清宪来校调研

2022 年 4 月 13 日，安徽省委书记郑栅洁来校调研

2023 年 6 月 8 日，安徽省委书记韩俊来校调研

2025 年 4 月 2 日，安徽省委书记梁言顺来校调研

2025 年 9 月 5 日，教育部党组成员、副部长、人事司司长徐青森来校调研

2025 年 9 月 9 日，教育部党组成员、
中央纪委国家监委驻教育部纪检监察组组长王承文来校调研

2017 年 7 月 12—13 日，中国共产党合肥工业大学第八次代表大会胜利召开

2024 年 7 月 21—23 日，中国共产党合肥工业大学第九次代表大会胜利召开

教育部 财政部 国家发展改革委
关于公布世界一流大学和一流学科建设高校及建设学科名单的通知

教研函〔2017〕2号

各省、自治区、直辖市人民政府，新疆生产建设兵团，国务院各部委、各直属机构，中央军委训练管理部：

根据国务院《统筹推进世界一流大学和一流学科建设总体方案》以及教育部等三部委《统筹推进世界一流大学和一流学科建设实施办法（暂行）》，经专家委员会遴选认定，教育部、财政部、国家发展改革委研究并报国务院批准，现公布世界一流大学和一流学科（简称"双一流"）建设高校及建设学科名单。

各单位要全面贯彻习近平总书记系列重要讲话精神和全国高校思想政治工作会议精神，按照党中央、国务院关于建设世界一流大学和一流学科的决策部署，以马克思主义为指导，加强党对高校的领导，坚持社会主义办学方向，坚持中国特色、世界一流，坚持内涵建设，采取有力措施，支持推动建设高校及建设学科加快发展，取得更大进展成效。

特此通知。

附件：1."双一流"建设高校名单
2."双一流"建设学科名单

教育部 财政部 国家发展改革委
2017年9月20日

附件2

"双一流"建设学科名单
（按学校代码排序）

中国科学技术大学：数学、物理学、化学、天文学、地球物理学、生物学、科学技术史、材料科学与工程、计算机科学与技术、核科学与技术、安全科学与工程

合肥工业大学：管理科学与工程（自定）

厦门大学：化学、海洋科学、生物学、生态学、统计学

福州大学：化学（自定）

南昌大学：材料科学与工程

山东大学：数学、化学

中国海洋大学：海洋科学、水产

中国石油大学（华东）：石油与天然气工程、地质资源与地质工程

郑州大学：临床医学（自定）、材料科学与工程（自定）、化学（自定）

河南大学：生物学

武汉大学：理论经济学、法学、马克思主义理论、化学、地球物理学、生物学、测绘科学与技术、矿业工程、口腔医学、图书情报与档案管理

华中科技大学：机械工程、光学工程、材料科学与工程、动力工程及工程热物理、电气工程、计算机科学与技术、基

2017年9月20日，学校成为国家"双一流"建设高校

教育部 财政部 国家发展改革委
关于公布第二轮"双一流"建设高校及建设学科名单的通知

教研函〔2022〕1号

各省、自治区、直辖市人民政府，国务院各部委、各直属机构，中央军委训练管理部：

根据国务院《统筹推进世界一流大学和一流学科建设总体方案》以及教育部、财政部、国家发展改革委《关于深入推进世界一流大学和一流学科建设的若干意见》和《统筹推进世界一流大学和一流学科建设实施办法（暂行）》，经专家委员会认定，教育部、财政部、国家发展改革委研究并报国务院批准，现公布第二轮"双一流"建设高校及建设学科名单（见附件1）和给予公开警示（含撤销）的首轮建设学科名单（见附件2）。

北京大学、清华大学在第二轮"双一流"建设中自主确定建设学科并自行公布。给予公开警示的首轮建设学科，应按程度，2023年接受评价。

各单位要全面贯彻习近平总书记系列重要讲话精神和中央人才工作会议精神，按照党中央、国务院关于"双一流"建设的决策部署，坚持以马克思主义为指导，坚持社会主义办学方向，坚持中国特色社会主义教育发展道路，全面加强党对高校的领导，立足新发展阶段，贯彻新发展理念、服务构建新发展格局，落实立德树人根本任务，突出"双一流"建设培养一流人才、服务国家战略精准需求、争创世界一流的导向，深化体制机制改革，不断提高建设水平，更好发挥高等教育内涵式发展反引领作用，为建设世界重要人才中心和创新高地提供有力支撑。

特此通知。

附件：1.第二轮"双一流"建设高校及建设学科名单
2.给予公开警示（含撤销）的首轮建设学科名单

教育部 财政部 国家发展改革委
2022年2月9日

附件1

第二轮"双一流"建设高校及建设学科名单
（按学校代码排序）

中国科学技术大学：数学、物理学、化学、天文学、地球物理学、生物学、科学技术史、材料科学与工程、计算机科学与技术、核科学与技术、安全科学与工程

合肥工业大学：管理科学与工程

厦门大学：教育学、化学、海洋科学、生物学、生态学、统计学

福州大学：化学

南昌大学：材料科学与工程

山东大学：中国语言文学、数学、化学、临床医学

中国海洋大学：海洋科学、水产

中国石油大学（华东）：地质资源与地质工程、石油与天然气工程

郑州大学：化学、材料科学与工程、临床医学

河南大学：生物学

武汉大学：理论经济学、法学、马克思主义理论、化学、地球物理学、生物学、土木工程、水利工程、测绘科学与技术、口腔医学、图书情报与档案管理

2022年2月9日，学校成为国家第二轮"双一流"建设高校

2022 年 4 月 2 日，学校牵头的"智能互联系统的系统工程理论及应用"国家自然科学基金基础科学中心项目正式立项，是安徽省首个获批主持的基础科学中心项目

2023 年 3 月，电能高效高质转化全国重点实验室 （共建） 获科技部批准建设

2022 年 11 月 8 日，梁樑教授获安徽省重大科学成就奖

2018 年 1 月 3 日，决策科学与信息系统技术教师团队
入选全国高校黄大年式教师团队

2022 年 1 月 27 日，新能源电力系统科学与技术教师团队
入选全国高校黄大年式教师团队

2025 年 9 月 5 日，动物源食品智能制造与品质调控教师团队
入选全国高校黄大年式教师团队

2022 年 11 月 13 日，学校首次斩获中国国际"互联网 +"大学生创新创业大赛金奖

2024 年 11 月 2 日，学校斩获第十四届"挑战杯"中国大学生创业计划竞赛金奖

2025 年 4 月 28 日，阳光电源股份有限公司董事长曹仁贤向学校捐赠人民币 1 亿元

2022 年 6 月 7 日，学校与白俄罗斯国立技术大学首届 "2+2" 学生联合培养项目学生毕业典礼

校园十景　　黉宇巍巍

　　主教学楼是合肥工业大学最具标志性的建筑。她巍峨矗立在屯溪路校区中轴线最北端。这栋跨度 500 米、高 7 层的恢宏建筑是上世纪 50 年代学校迁址到省会合肥办学时，由苏联专家设计，师生自己测绘、肩挑背扛参与建设的，一砖一瓦间凝铸着合肥工大人自强不息的精神和团结拼搏的记忆，被评为安徽省重点保护文物。一届届学子的青春在这里被奋斗照亮，接过"工业报国"的接力棒，他们从这里启航，奔赴祖国的四面八方。

校园十景　　斛兵春晓

　　位于屯溪路校区东南隅的斛兵塘，距今已有 1800 余年历史。"斛"是一种量器，据清代嘉庆《庐州府志》载："三国时合肥属魏，为重镇。"传说建安十三年，曹操率军南下，屯兵合肥，在此挖塘量兵，"斛兵"之名便随三国风云流传下来。2002 年 8 月，斛兵塘入选市级历史文化遗迹。紧邻塘畔的斛兵礼堂也由此得名，作为举办各类会议和活动的重要场所，如歌的岁月里，她和千年斛兵塘一起见证了学校发展和学子成长的重要时刻。

校园十景　　弦歌一路

　　徜徉在美丽的屯溪路校区，中兴路、明德路、至善路、春华路……一条条宽阔整洁的道路犹如动脉将整个校园有机连接。高大的梧桐、茂密的香樟，春夏浓绿成荫，秋冬素裹金黄，月季、蔷薇、紫荆，依时绽放，走在路上，你就能感受到合肥工大的淳美与底蕴。路是连接时空的线索，回望来时路，学校筚路蓝缕、以启山林，放眼新征程，师生在建设特色鲜明的世界一流大学新征程上携手奋进，弦歌不辍，一路向前。

校园十景　　**流芳史馆**

　　校史馆毗邻校内三国历史文化遗迹斛兵塘，占地 6000 余平方米。这里，曾是刘少奇、朱德、邓小平、陈毅等老一辈党和国家领导人视察学校时参观过的科技展览厅；这里，红砖素瓦、梅园掩映、岁月流芳。驻足馆内，凝视一代代合肥工大人服务国家战略和区域经济社会发展的生动实践，感悟忠诚热烈的工业报国精神，激励后学鉴往知来，赓续新篇。

校园十景　　　红墙玉兰

　　三月春雨如酥，工会俱乐部的红墙边，数株高大玉兰傲然绽放。雪白花瓣衬着淡粉花蕊，甜香四溢，与红墙交相辉映，绘就校园初春最美的风景，被誉为"最出圈的招生简章"。玉兰以幽香回报红墙深情，恰如合肥工大八十载"工业报国"的赤子丹心，在岁月深处静默吐露芬芳，于无声处传承砥砺奋进、追求卓越的永恒精神。

校园十景　　**亭池印月**

　　六安路校区的六角亭与"娘娘池"历史悠久。20 世纪 60 年代，师生自力更生将其改造成露天游泳池，后在其旁建六角亭。池水东岸苍劲高大的雪松和绿草如茵的草坪，形成一面翠绿的屏风；西岸笔直挺拔的水杉昂首云天、端庄肃穆；一弯拱桥连接水中小岛，岛上碎石铺成花径，曲径通幽，成为师生晨读、研学、交流、休憩的佳处。

校园十景　　**风劲扬帆**

　　励人湖畔白色鼓胀的风帆造型引人注目，这里是校园露天音乐广场，下沉式的台阶，延伸至水面的同心圆式舞台空间，"向水而生"的布局，既保留了露天空间的开阔，又借水面形成天然声场，匠心与灵气兼具。作为翡翠湖校区校园文化生活最活跃的场所之一，年轻的激情在这里释放，青春的梦想从这里启航。

校园十景　　**湖韵书苑**

　　宣城校区图书馆临水而建，既保留了徽州传统文化元素，又注入了现代设计活力，其标志性的螺旋上升造型，托举着象征探索与指引的"灯塔"穹顶；外立面如错落摆放的书籍，昭示"书籍是人类进步的阶梯"；内部以"回"字形布局呼应"回归阅读"的时代呼唤。这栋别具一格的图书馆静静屹立在景明湖畔，凭窗远眺，校区四季流转如画：天鹅翩跹、牡丹竞艳、金叶铺路、雪映欢颜，为刻苦求学的时光增添一份诗情和惬意。

校园十景　　鹭桥云影

　　翡翠湖校区的励人湖上，静卧湖面的白鹭桥自西向东，一头挽住图书馆的沉静，一头牵起教学楼的清朗，在粼粼水面上弯成一道青黛的弧光。桥下的黑天鹅舒展羽翼，桥洞里偶有白鹭惊起，翅尖的雪白划破水面。白天，手抱书本的学子们踏过青石板，总会为倒映的云影驻足。夜晚，当桥灯次第亮起时，暖黄的光晕漫过石栏，又将团团云影浸成靛蓝色的绒，这一抹温柔便是学子们最偏爱的静谧时光。

校园十景　　春和景明

　　景明湖坐落在宣城校区景明生态谷的中心位置，"景明"二字源自范仲淹的"春和景明"，不仅是对自然美景的由衷赞颂，更是对学府精神的深刻寄托，助力青年学子在这里习得注重涵养、积极乐观、宠辱不惊的品质。"白鸟翩翩临水舞，惊起涟漪入诗画"，景明湖畔是学习、交流和休憩的重要场所，旖旎的自然风光与置身其中的学子融为一体，构成温馨和谐、充满生机的校园美景。

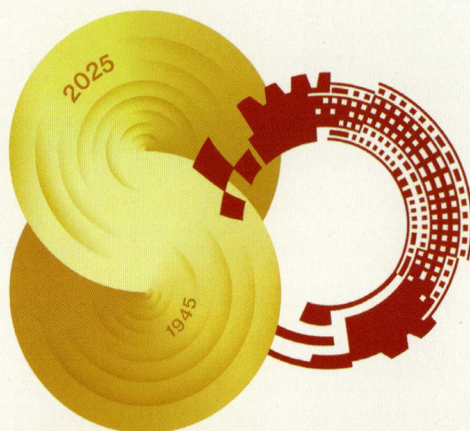

合肥工業大學 八十周年

80TH ANNIVERSARY

Hefei University of Technology 1945-2025

合肥工业大学史编委会

主　　任：于祥成　郑　磊
委　　员：于祥成　郑　磊　施永红　严福平
　　　　　胡笑旋　季益洪　丁立健　汪　萌
　　　　　吴华清　康　宇

主　　编：严福平
副 主 编：（以姓氏笔画为序）
　　　　　王　建　叶　兵　李丽鹏　徐财松
编写人员：（以姓氏笔画为序）
　　　　　马贤峰　王　建　叶　兵　叶青青
　　　　　朱玟雅　刘开阳　刘海龙　刘雯雯
　　　　　安广哲　孙　根　李丽鹏　吴泽城
　　　　　余　琛　张　栋　钟　敏　类　超
　　　　　徐财松

序　言 XUYAN

HEFEI GONGYE DAXUE SHI

江淮奔涌，岁月如歌。当历史的车轮驶入 2025 年，合肥工业大学迎来了建校 80 周年的重要时刻。翻开八十载奋斗画卷，学校始终以服务国家重大战略需求和区域经济社会发展为己任。从蚌埠黄庄的事业初创到扎根合肥的快速发展，从建国初期的筚路蓝缕到改革年代的跨越腾飞，学校坚持植根江淮大地，服务强国建设，沿着"工业救国""工业兴国""工业强国"的道路孜孜求索、砥砺奋进。进入新时代，学校坚定不移以习近平新时代中国特色社会主义思想为指导，牢牢把握教育的政治属性、人民属性、战略属性，以改革创新精神贯彻实施教育强国建设规划纲要，一体推进教育科技人才事业发展，以八秩积淀为基，以十年跨越为阶，书写了高质量发展的精彩答卷。

过去十年，学校全面加强党的领导，牢牢把握社会主义办学方向，秉承"以生为本、以师为尊、以学术为理想、以报国为责任"的办学理念，锚定"德才兼备、能力卓越，自觉服务国家的骨干与领军人才"的人才培养总目标，胜利召开第八次、第九次党代会，科学制定并实施"十三五""十四五"事业发展规划，持续深化教育教学改革，不断完善人才培养体系。在全体师生员工的共同努力下，学校勇担"为党育人、为国育才"使命，以改革破局，以创新赋能，成功跻身国家"双一流"建设高校行列。在服务国家重大战略需求的实践中，在应对全球教育、科技竞争的大考中，在推进中国式现代化的征程中，书写了"教育强国，工大有为"新篇章。

从"工业报国"的初心如磐，到"双一流"建设的使命在肩，合肥工业大学的成长轨迹不仅镌刻着一所高校的奋进年轮，更书写着一部与国家发展同频共振、与时代浪潮同向同行的育人长歌。在波澜壮阔、砥砺奋进

1

的发展历程中，学校形成了厚重的历史文化底蕴、鲜明的工业报国底色、坚实的创新人才培养底气。始终与社会同进，以民族振兴和社会进步为己任，铸就了厚重的历史文化底蕴；始终与国家同行，发扬工科优势特色，造就了鲜明的工业报国底色；始终与时代同频，坚持"工程基础厚、工作作风实、创业能力强"的人才培养特色，成就了坚实的创新人才培养底气。"底蕴"涵养精神根系，"底色"熔铸价值追求，"底气"锻造创新英才，共同汇聚成驱动学校高质量发展的强劲引擎。

为铭记薪火相传的奋斗历程，弘扬历久弥新的工大精神，开创与时俱进的崭新篇章。值此建校 80 周年之际，我们在《合肥工业大学校史（1945－2005）》《合肥工业大学校史（2005－2015）》的基础上续编校史，以"深厚文化传承、工业强国担当、卓越人才培养"为主线，全景展示十年来学校在人才培养、科学研究、社会服务、文化传承创新和国际交流合作等领域的创新探索与显著成就。这既是对过往岁月的深情礼赞，更是对工业报国精神的传承与升华。

学校今日之成就，凝聚着历代工大人薪火相传的奋斗足迹，更离不开社会各界的鼎力支持。值此八秩华诞，谨以此书献给用青春注解使命的教职员工，礼赞以奋斗定义年华的工大学子，感恩将母校精神传扬四海的优秀校友，也致敬所有关心支持学校事业发展的各界同仁。

以史为鉴，向新而行。当斛兵塘的碧波映照主楼书声，当娘娘池的泉脉滋养匠心芳华，当励人湖的晨曦点亮创新星火，当景明湖的涟漪激荡求知热忱，一个更具高远使命、更有开放胸襟、更显卓越风范的合肥工业大学必将以昂扬奋进的姿态、全力以赴的状态，加快特色鲜明的世界一流大学建设步伐，为以中国式现代化全面推进强国建设、民族复兴伟业贡献工大力量。

合肥工业大学党委书记

2025 年 9 月

目　　录 MULU

第二编　底色：工业强国担当

第三编　底气：卓越人才培养

奋楫扬帆、争创一流的十年

八秩春秋砥砺行，薪火相传谱华章。

从蚌埠黄庄的救国火种，到扎根江淮大地的强国担当，合肥工业大学的八十年，是一部与国家工业化、现代化同呼吸、共命运的奋斗史诗。1945 年抗战胜利，江淮大地一批有识之士怀着"工业救国""教育救国"的理想，在蚌埠黄庄组建成立安徽省立蚌埠工业职业学校。1946 年 9 月，学校改建为安徽省立蚌埠高级工业职业学校，1947 年迁址淮南洞山，创建为安徽省立工业专科学校，1955 年发展为合肥矿业学院。1956 年夏天，学校迁址合肥，1958 年定名为合肥工业大学，1960 年被批准为全国重点高等学校，1979 年邓小平同志亲笔题写校名。学校 2005 年成为国家"211 工程"重点建设高校，2009 年成为国家"985工程"优势学科创新平台建设高校，2017 年进入国家"双一流"建设高校行列。

学校始终坚持服务国家工业发展所需，主动布局学科专业，初创时期以土木、纺织专业为主，后逐渐以土木、机械、电机等学科为根基，努力培养国家亟需的工业人才。改革开放后，学科布局向工业自动化、计算机应用等拓展，形成"工科为主、多科协同"的发展格局。进入新时代，学校坚持以国家重大战略需求为导向，聚焦高端装备、智能网联汽车、深空探测等战略领域，智能微创诊疗装备系统、飞机雷电防护关键技术、跨流态内外环境仿真设计、全构型钻进装置复合载荷分离与在线检测、非接触式智能生理检测装置等多项技术被成功应用到辽宁号航母、国产大飞机、天问一号、嫦娥五号、中国空间站等国家重大工程。

八十载风雨兼程，八十载弦歌励耘，这是勇担使命、奋勇前行的 80 年，也是在全体工大人共同努力下攻坚克难、追求卓越的 80 年。学校始终将"工业报国"精神熔铸于血脉，在与国家同行、与社会同进、与时代同频的壮阔征程中，积淀形成了厚重的历史文化底蕴、鲜明的工业报国底色、坚实的创新人才培养底气，为党和国家培养了 50 余万名各类人才，铸就了"底蕴·底色·底气"交融的精神丰碑，谱写出"工业救国""工业兴国""工业强国"的恢宏篇章。

2015—2025 年，是学校锚定"双一流"建设目标、服务国家战略需求、深化内涵式发展的关键十年。学校"管理科学与工程"学科跻身世界一流前列，12 个学科进入 ESI 全球排名前 1‰，其中工程学学科进入 ESI 全球排名前 1‰。人才培养质量持续提高，"千人一领军"已成为创新人才培养的响亮品牌，形成独具特色的创新人才培养密码。政产学研用"合工大模式"结出硕果，服务企业超 3900 家，成为推动区域经济社会发展的创新引擎。这十年，合肥工大人始终扎根江淮大地，以"底蕴·底色·底气"为根基，以"双一流"建设为牵引，秉承"以生为本、以师为尊、以学术为理想、以报国为责任"办学理念，在人才培养、科学研究、社会服务等领域交出了一份厚重答卷。

站在建校 80 周年的历史节点回望，合肥工大人以"工业报国"的如椽笔，在共和国工业史上写下浓墨重彩的篇章。新征程上，合肥工业大学正以更坚定的文化自信、更鲜明的学科特色、更高远的使命担当，向着特色鲜明的世界一流大学阔步迈进。合肥工大人必将以"底蕴"铸魂、以"底色"立身、以"底气"致远，在强国建设、民族复兴的壮阔航程中续写工业报国的新篇章！

第一编 底蕴：深厚文化传承

　　2015—2025 年是学校传承创新、继往开来的关键十年。学校始终坚持以习近平新时代中国特色社会主义思想为指导，深入贯彻党的教育方针，在新时代高等教育改革浪潮中坚守育人初心、强化政治担当、厚植文化根基，为加快建设特色鲜明的世界一流大学奠定坚实基础。

　　学校党委坚持以习近平新时代中国特色社会主义思想为指导，以党的政治建设为统领，坚定社会主义办学方向，牢牢把握立德树人根本任务，坚持和加强党对学校的全面领导。学校党委坚持以高质量党建引领高质量发展，构建了"政治领航、思想强基、组织创优、干部锻造、廉洁清风、同心聚力"的党建工作新格局，切实将党的政治优势转化为发展优势，为事业发展提供了坚强政治保障。

　　全面落实第七次、第八次、第九次党代会精神，科学制定并实施"十三五""十四五"事业发展规划，确保规划的科学性、连续性、稳定性，构建了科学的战略规划目标任务。通过加强与国防科工局共建、深化省部合作等举措，进一步拓展了办学资源和发展空间，为推进学校"双一流"建设注入了强劲动力。对标《加快建设教育强国三年行动计划（2025—2027 年）》，聚焦改革发展目标任务，全力推进九项发展行动，持续深化五项改革任务，为深入推进高质量发展指明了方向、赢得了主动。

　　深怀"工业报国"之志，弘扬"工业报国"精神，形成了特色鲜明的文化育人体系，从搭建校史馆、工程认知博物馆等场馆育人平台，到创新开展"一封家书""红色金融"等品牌活动，文化浸润贯穿人才培养全过程。广大教师大力弘扬教育家精神，以科教报国为己任，潜心三尺讲台育桃李；莘莘学子不断追求卓越，勇攀高峰，在创新创业的道路上扬起青春梦想；众多校友坚持实业报国，攻克关键技术，在各行各业书写传奇……这些工业报国的生动实践，彰显了"为党育人、为国育才"的使命担当。

这十年的发展历程充分证明，深厚的文化底蕴是合肥工业大学最宝贵的精神财富，也是推动学校持续发展的不竭动力。站在新的历史起点上，学校将继续传承创新，加快推进特色鲜明的世界一流大学建设。

第一章　加强党对学校的全面领导

推进学校事业发展，关键在党，关键在人。十年来，学校党委坚持和加强党的全面领导，深刻领悟"两个确立"的决定性意义，增强"四个意识"、坚定"四个自信"、做到"两个维护"，贯彻落实新时代党的建设总要求和新时代党的组织路线，坚持用改革精神和严的标准管党治党，以高质量党建引领高质量发展，推进政治领航、思想强基、组织创优、干部锻造、廉洁清风、同心聚力"六大工程"，把党员组织起来，把人才凝聚起来，把师生动员起来，团结一致、齐心协力，不断增强创造力、凝聚力、战斗力，共同谱写特色鲜明的世界一流大学建设新篇章。

第一节　坚持政治领航

学校党委深入贯彻习近平新时代中国特色社会主义思想特别是习近平总书记关于教育的重要论述，以及党中央关于高等教育的决策部署，切实加强党对学校的全面领导，全面贯彻党的教育方针，坚持社会主义办学方向，确保学校各项事业始终沿着正确的政治方向前进。

一、坚定执行党的政治路线

学校党委不断加强政治领导，落实政治责任，提高政治能力，强化政治担当，健全完善议事决策机制，确保学校事业发展沿着正确方向行稳致远。

（一）贯彻上级关于加强党的政治建设的重大部署

学校党委坚决贯彻习近平总书记关于高校党建工作的重要论述和上级相关政

策制度，不断加强政治建设，涵养办学治校良好政治生态，确保党的路线方针政策在学校不折不扣得到贯彻落实。

持续强化党的政治建设　2019年1月，《中共中央关于加强党的政治建设的意见》印发后，学校党委高度重视，积极谋划部署全校学习宣传贯彻工作。坚持党对学校的全面领导，牢固树立共产主义远大理想和中国特色社会主义共同理想，全面贯彻党的教育方针，坚定执行党的政治路线，在培养社会主义建设者和接班人上站稳立场、把牢方向，引导学校师生员工始终同以习近平同志为核心的党中央保持高度一致，确保学校始终成为坚持党的领导的坚强阵地。

推动《中国共产党普通高等学校基层组织工作条例》精神贯彻落实　2021年4月，《中国共产党普通高等学校基层组织工作条例》印发后，学校采取多种形式抓好《中国共产党普通高等学校基层组织工作条例》学习。紧密结合学习《中国共产党普通高等学校基层组织工作条例》精神，坚持边学习、边建设、边加强，采取有力有效措施，健全完善学校组织体系、制度体系和工作机制，不断提升广大党员干部和师生员工政治判断力、政治领悟力、政治执行力，推动学校党建与事业发展深度融合，以高质量党建引领学校高质量发展。

坚持和完善党委领导下的校长负责制　学校认真贯彻落实《中共中央办公厅关于坚持和完善普通高等学校党委领导下的校长负责制的实施意见》（中办发〔2014〕55号），始终坚持党委的领导核心作用，总揽学校改革发展稳定的全局，尊重和支持校长独立负责地开展工作；进一步明确党委和校长的职责，建立健全党委统一领导、党政分工合作、部门协调运行的工作机制。认真贯彻执行民主集中制，按照"集体领导、民主集中、个别酝酿、会议决定"的原则，重大事项由集体讨论决定。坚持集体领导和个人分工负责相结合，集体研究决定的事项，领导班子成员严格按照分工落实，各负其责。

（二）完善议事决策、分工协调和监督制约机制

学校党委坚持总揽全局、协调各方，把坚持和完善党委领导下的校长负责制作为加强学校党的建设和完善中国特色现代大学制度的重要举措，建立健全党委统一领导、党政分工合作、协调运行的工作决策机制。

不断完善学校议事决策程序　党委全委会、党委常委会、校长办公会是学校重要的决策机构，承担着办学治校重要决策功能。学校根据上级部门要求，结合学校发展需要，不断完善议事决策程序，先后于2015年、2018年、2024年三次修订完善《中共合肥工业大学委员会全体会议议事规则》《中共合肥工业大学委员会常务委员会会议议事规则》和《合肥工业大学校长办公会议议事规则》，严格执行《合肥工业大学关于贯彻落实"三重一大"决策制度的实施办法》（合工

大党发〔2016〕133号）。进一步规范"三重一大"议事决策程序，明晰党委全委会、党委常委会和校长办公会议事范围、决策程序等，充分发挥党委把方向、管大局、作决策、抓班子、带队伍、保落实的重要作用，支持校长依法独立负责地行使职权，不断提升学校治理体系和治理能力现代化水平。

严格执行议事规则和决策程序　学校严格按照党委全委会、党委常委会和校长办公会议事权限和决策程序对事关学校改革建设发展的重大问题进行集体决策，内容涉及党的建设、全面从严治党工作、思想政治工作、干部队伍、人才培养、学科建设、科学研究、后勤管理、校园建设、制度建设、大额经费使用等方方面面的工作，每一个议题都切实做到了讨论充分、记录完整、纪要明晰，除涉及需要保密的议题全部主动公开，接受监督。对党委全委会、党委常委会和校长办公会决定的事情，各分管领导各负其责地带领分管部门和单位执行落实，并根据《合肥工业大学督查督办工作办法》（合工大党发〔2018〕98号），定期开展督查督办，加强对决议事项的督促检查，确保各项决策事项的落实，以强有力的措施推动学校高质量发展。

二、坚持社会主义办学方向

学校党委始终坚持正确的办学方向，牢牢掌握意识形态工作领导权管理权话语权，把思想政治工作贯穿教育教学全过程，筑牢校园意识形态和安全稳定防线。

（一）严格落实意识形态工作责任制

学校党委贯彻落实中共中央办公厅、教育部党组等关于意识形态工作的决策部署，促使意识形态工作责任体系更加健全，意识形态工作管理链条进一步完善。

构建完善制度体系　2016年，学校党委制定意识形态工作责任制实施细则，初步构建了学校意识形态工作制度体系，明晰了意识形态工作的责任体系。2018年8月，学校党委修订贯彻落实意识形态工作责任制实施细则，对学校意识形态工作提出新要求。2021年10月，根据中共中央办公厅、教育部党组关于意识形态工作相关文件要求，学校党委及时印发贯彻落实意识形态工作责任制、网络意识形态工作责任制和意识形态工作责任追究办法等相关文件，推动完善预警预防、有效管控、问责追责等工作机制，构建起科学规范的意识形态工作制度体系。

不断优化工作机制　2015年以来，学校党委常委会坚持每年定期研究意识形态工作，每半年向教育部党组、安徽省委教育工委汇报意识形态工作责任制落实情况。2016 年 6 月，校党委领导班子与二级党组织、职能部门签署《合肥工业大学党委意识形态工作责任书》，推动意识形态工作链条全面向基层延伸。2018 年起，要求二级党组织做好意识形态工作专题报告、风险隐患排查、阵地管理自查，将意识形态工作纳入校内巡察、基层党建重点任务督查等，推动意识形态工作责任制落实落地。2019 年 4 月，教育部党组启动建立直属高校党建工作联系机制，由教育部教师工作司联系学校意识形态工作。学校根据教育部党组的统一要求，通过现场汇报、提交报告等形式，定期向联系司局汇报学校意识形态工作开展情况。

加强阵地建设管理　2016 年，建立哲学社会科学报告会、论坛与讲坛"一会一报"、新闻发布和新闻宣传管理、校园新媒体建设与管理、课堂讲授纪律管理、突发事件预警与危机应对处置五项制度。2017 年，强化"大格局""大阵地"的工作思路，强调意识形态工作要牢牢把握课堂、教材、教师三个关键环节，落实教师课堂管理责任制，组织开展原版进口教材、哲学社会科学教材的全面审查工作，全力推进马工程教材普遍使用。2018 年 8 月，印发《关于进一步加强校内哲学社会科学报告会、研讨会、讲座、论坛等管理的意见（修订稿）》（合工大党发〔2018〕96 号），对学校意识形态相关领域作进一步规定和要求。2022 年 4 月，为积极应对网络信息日趋严峻复杂的形势，研究制定《合肥工业大学网络舆情监管处置工作办法》（合工大党发〔2022〕23 号），进一步明晰网络舆情分类处置办法和联动工作机制，提升学校防范化解网络风险和应急处突能力。2023 年 11 月，上线报告会、研讨会、讲座、论坛网上审批备案平台，持续健全备案、发布、报销联动机制，实现报告会应报尽报。

学校党委始终落实党管意识形态的要求，坚持定期分析研判、部署落实意识形态领域工作，逐级压实意识形态工作责任，为学校事业发展营造良好舆论氛围和安全稳定环境。2019—2024 年，学校连续 6 年获评高校网络舆情工作机制优秀单位。

（二）加强和改进学校思想政治工作

学校党委始终把思想政治工作作为一项固本工程、铸魂工程，久久为功、常抓不懈，牢牢把握好高校思想政治工作这条"生命线"。

深入实施"五大工程"　2016 年 12 月，全国高校思想政治工作会议召开，学校通过召开党委常委会、理论学习中心组（扩大）会议等方式积极学习贯彻落实会议精神。学校印发《关于学习贯彻全国高校思想政治工作会议精神的通知》（合工大党发〔2016〕182 号），部署学习宣传贯彻会议精神。2017 年 3 月，学校印发《关于加强和改进新形势下思想政治工作的实施意见》（合工大党发〔2017〕5号），提出加强和改进学校思想政治工作的"五大工程"（铸魂工程、核心价值观践行工程、校园文化引领工程、队伍与阵地建设工程、党建统领工程）和46条具体举措。召开学校思想政治工作会议，成立师生思想政治教育工作领导小组，全面部署推动全国高校思政工作会议精神的贯彻落实工作，推动形成党委统一领导、党委宣传部组织协调、党政群团齐抓共管、全校各单位积极参与的思想政治工作大格局。中共安徽省委《学习贯彻高校思想政治工作会议精神工作简报》第2期、第9期和第10期先后刊发学校贯彻落实会议精神情况。

落实"十大育人"工作任务　2018年5月，学校在深入实施"五大工程"的基础上，印发《合肥工业大学思想政治工作质量提升工程任务分解书》（合工大党发〔2018〕46号），落实课程、科研、实践、文化、网络、心理、管理、服务、资助、组织等"十大育人"工作任务，构建提升学校思想政治工作质量的长效机制。进一步落实"院（系）党组织书记和院长（系主任）每学期至少为学生讲一次思想政治理论课"制度、领导干部深入课堂听思想政治理论课制度。

制定贯彻落实《关于加快构建高校思想政治工作体系的意见》工作台账2020年4月，教育部等八部委印发《关于加快构建高校思想政治工作体系的意见》。2021年7月，中共中央、国务院印发《关于新时代加强和改进思想政治工作的意见》。学校制定贯彻落实的工作台账，明确8大部分102项具体举措，集结相关工作力量，高质量高效率完成台账工作任务。

实施"时代新人铸魂工程"　2023年7月，印发《合肥工业大学"时代新人铸魂工程"落实方案》（合工大党发〔2023〕67号），从实施"大思政课"建设工程、"大先生"培育提升行动、基层党组织高质量引领行动、校园文化提能增效行动、健康心态和积极心理品质培育行动、"小我融入大我"社会实践育人行动等十个方面进行谋划部署，分季度上报工作进展和典型经验成效。

推进新时代立德树人工程　2025年1月，中共中央、国务院印发《教育强国建设规划纲要（2024—2035年）》。学校坚持把推进落实新时代立德树人工程置于事业发展大局中整体谋划，健全学校"大思政课"工作体系，加强体育、美育、劳动教育和心理健康教育，将新时代伟大实践融入思政教育等，锻造强大思政引领力，确保系列工作落地见效。

学校党委始终坚持以习近平新时代中国特色社会主义思想为指导，全面贯彻党的教育方针，落实立德树人根本任务，扎实推进思想政治工作守正创新，积累了丰富的加强和改进学校思想政治工作的创新实践和成功经验，形成了一批可示范、可引领、可辐射、可推广的思想政治工作品牌，共计有10个项目入选教育部思想政治工作精品项目，有力地推动了学校思想政治工作创新发展。

表 1-1　2015—2025 年学校入选教育部思想政治工作立项项目一览表

序号	立项年份	项目类别	项目名称/立项人
1	2016 年	高校辅导员工作精品项目	少数民族大学生思想教育引领工程
2	2021 年	高校思想政治工作精品项目	合肥工业大学"工大青年先锋行"助力乡村振兴实践育人项目
3	2023 年	高校思想政治工作中青年骨干	武国剑
4	2024 年	高校思想政治工作精品项目	三下乡、返家乡、社区实践"三位一体"协同实践育人机制的探索
5	2024 年	高校场馆育人作用开发	学科牵引，协同融合——新时代高校地学博物馆育人创新路径的实践探索
6	2025 年	高校思想政治工作精品	同向、同建、同行、同构：工业报国精神融入工科高校"大思政"育人体系的探索与实践
7	2025 年	新时代伟大变革融入高校思想政治教育典型案例	思想铸魂、文化润心、网络聚力、实践赋能——用新时代伟大变革感召激励青年学生挺膺担当的探索与实践
8	2025 年	高校学生心理健康教育指导典型案例	基于多维感知的心理危机智能预警工作模式探索
9	2025 年	学生综合素质训练基地	翡翠"斛心"五育赋能成长基地
10	2025 年	全国高校示范"一站式"学生社区	合肥工业大学

（三）维护校园安全和谐稳定

学校党委始终将校园安全稳定工作作为保障教育教学秩序、维护师生安全、促进校园和谐的重要抓手，构建起全方位、多层次、立体化的校园安全防控体系。

制定执行校园安全防范工作体系　为建立健全各类安全防范体系，增强应急预案的针对性、实用性和可操作性，2016 年，学校在《合肥工业大学突发公共事件应急预案》（党办字〔2007〕29 号）基础上，编制了事故灾难类、社会稳定类、公共卫生类、自然灾害类、网络和信息安全类、民族和涉外类等 6 个专项工作预案，建立健全应急机制，提高快速反应和应急处理能力，确保学校师生员工的生命与财产安全，保证正常的教学生活秩序，维护学校安全稳定。2019 年 1月，印发《合肥工业大学安全防范工作体系》（合工大政发〔2019〕9 号），构建涵盖意识形态安全、学生安全、消防安全、治安安全、网络与信息安全、校园建设安全、食品安全、实验室安全、突发卫生公共事件安全、附属中学校园安全、学前教育服务中心安全共计 11 个安全防范体系，构筑起全方位的校园安全工作制度体系。2019 年 3 月，印发《合肥工业大学维护安全稳定工作实施方案》（合工大党发〔2019〕16 号）及实施细则，成立维护安全稳定和突发公共事件应急处置工作领导小组、专项安全管理领导小组，各学院、各单位成立工作组，建立健全了学校安全稳定工作领导体制和工作机制。

做好新冠肺炎疫情防控和抗疫工作　2020—2022 年，面对新型冠状病毒感染的肺炎疫情，学校积极开展防疫抗疫工作，成立疫情防控领导小组，制定并持续优化学校疫情防控应急处置预案和疫情防控工作方案，召开多次专题会议研究部署疫情防控工作。严格落实各项防疫措施，坚持疫情监测"日报告""零报告"，认真做好防疫物资储备、防疫知识宣讲、隔离场所准备、公共场所消杀、核酸检测等工作，精心组织疫情期间的返校复学、校门管控等工作，形成疫情防控闭环管理。全体党员冲锋在前，克服困难为因疫情而封控管理的学生发放一日三餐、搬运防疫物资、辅助核酸检测，确保研究生招生考点各项考务和防疫工作，共同书写了勠力同心、可歌可泣的抗疫故事。

三、坚决扛起重大政治责任

学校党委坚决落实上级有关决策部署，提高政治站位，强化责任落实，以高度自觉抓好定点扶贫（帮扶）、支援西部等工作，为打赢脱贫攻坚战、推进乡村振兴贡献合肥工大力量。

（一）坚决扛起定点扶贫（帮扶）政治任务

根据教育部和安徽省安排，学校定点帮扶宿州市灵璧县（2012 年 11 月）、亳州市利辛县（2015 年 4 月）和六安市金安区（2017 年 4 月）（以下简称"两县一区"）。2015 年，学校成立以书记、校长为双组长的扶贫工作领导小组，由定点扶贫工作办公室（挂靠学校工会）具体负责学校扶贫工作。2021 年 4 月，为适应打赢脱贫攻坚战后帮扶工作新要求，学校八届党委常委会第 127 次会议研究决定，将扶贫工作办公室更名为定点帮扶办公室，为学校独立正处级建制。2024年 9 月，因学校机构设置调整，定点帮扶办公室挂靠发展联络处。

选优配强帮扶干部　学校选派李宏国等担任灵璧县副县长、李笛等担任灵璧县砂坝村驻村第一书记、李金华等担任利辛县副县长、凌美松等担任利辛县陈营村驻村第一书记、游庆国等担任金安区崔店村驻村工作队干部，并做好扶贫干部的工作、生活、待遇、安全等方面的条件保障。建立基层党组织开展定点帮扶工作机制，健全帮扶工作活动报备制度、联络员制度和定期通报制度，形成全校"党建引领、全面推进"的定点帮扶大格局。

表 1-2　2015—2025 年学校选派扶贫（帮扶）干部情况一览表

序号	选派岗位	人员
1	灵璧县副县长	李宏国（2016 年 9 月—2018 年 9 月、2020 年 5 月—2021 年 5 月） 叶绍灿（2018 年 9 月—2020 年 11 月） 陈卫平（2021 年 4 月—2023 年 2 月） 何庆领（2022 年 11 月—2024 年 12 月） 谢宜兵（2024 年 12 月至今）
2	灵璧县砂坝村驻村第一书记	李　笛（2015 年 10 月—2018 年 6 月） 朱泉清（2018 年 6 月—2021 年 5 月） 俞晓平（2021 年 5 月—2023 年 7 月） 万代林（2023 年 7 月—2025 年 8 月） 李　祥（2025 年 8 月至今）
3	利辛县副县长	李金华（2013 年 5 月—2015 年 5 月） 张文成（2024 年 3 月至今）
4	利辛县陈营村驻村第一书记	凌美松（2014 年 11 月—2016 年 7 月） 申　军（2016 年 7 月—2018 年 4 月） 汪朝杰（2018 年 4 月—2020 年 5 月、2020 年 8 月—2021 年 2 月） 王良平（2020 年 5 月—2020 年 8 月） 蒯　定（2021 年 3 月—2024 年 6 月） 宋军华（2024 年 6 月至今）
5	金安区崔店村驻村工作队干部	游庆国（2017 年 5 月—2021 年 6 月，任崔店村驻村扶贫工作队队长兼村党支部第一书记） 郑兴国（2017 年 5 月—2021 年 5 月，任崔店村驻村扶贫工作队副队长） 郑宏生（2017 年 5 月—2021 年 5 月，任崔店村驻村扶贫工作队扶贫专干） 李　澍（2021 年 6 月—2024 年 6 月，任崔店村第一书记） 蒋明权（2024 年 6 月至今，任崔店村第一书记）

巩固拓展脱贫攻坚成果与全面推进乡村振兴　在打赢脱贫攻坚战和巩固拓展脱贫攻坚成果过渡期内，学校持续保持资金投入力度，通过划拨专项帮扶资金、划转技师学院灵璧分院办学经费等方式向灵璧县直接投入 3192.89 万元，动员校内外资源引进各类帮扶资金（物资）2800 余万元用于灵璧县、利辛县和金安区

崔店村和美乡村建设、职业教育发展、义务教育条件改善等。持续加大人才培训力度，发挥学科和培训优势，先后通过线上教学、现场授课等形式面向"两县一区"的技师学院学生、基层医务工作者、乡村致富带头人等开展培训，累计培训2.8万余人次。持续加大消费帮扶力度，通过学校食堂直接采购，工会福利采购、常态化组织帮扶地区农产品进校园、教职工连续8年（每人1000元/年）在"斛兵商城"电商平台以购代捐、校友企业采购、消费帮扶专柜等方式购买脱贫地区农产品7562.09万元。此外，学校注重发挥教育优势，2019年5月，同灵璧县委、县政府共建合肥工业大学技师学院灵璧分院，形成了"学院办在县城里、技能送到家门口"的职业教育帮扶模式，实现灵璧县职业教育跨越发展弯道超车，成为皖北地区技能型人才的培养高地。2021年5月，合肥工业大学技师学院灵璧分院获"安徽省脱贫攻坚先进集体"称号。

学校定点扶贫（帮扶）工作成效显著　2020—2023年，学校连续4年在全国中央单位定点帮扶工作考核中获得"好"的评价（最高等级），始终在安徽省省直单位定点帮扶考核评价中获得"好"。2021年10月，获批"教育部直属高校服务乡村振兴创新试验培育项目"2项。2023年4月，"合肥工业大学技师学院灵璧分院高质量发展"项目获批教育部直属高校第七届精准帮扶典型项目，"村学＋"教育振兴乡村帮扶模式项目获批教育部直属高校第八届精准帮扶典型项目。学校获教育部"直属高校定点帮扶成效显著单位"，教育部给予正向激励，2022—2023年，获专项奖励博士招生指标15个、硕士招生指标15个，并且纳入学校博士和硕士招生的基数，同时，教育部奖励学校800万元建设经费。2024年7月，"构建产销供全链条消费帮扶新模式"项目获批教育部直属高校第九届精准帮扶典型项目。

学校定点扶贫（帮扶）工作受到上级领导和社会各界的广泛关注，相关工作先后被教育部网站、人民网、新华网、安徽日报等多次报道。2023年2月，学校定点帮扶利辛县工作获得时任安徽省委常委、省委政法委书记、省委秘书长张韵声的亲笔批示。学校先后在教育部直属高校定点扶贫工作总结会、教育部高校消费扶贫推进会、教育部直属高校精准扶贫典型项目交流会、安徽省高校消费扶贫总结会、教育部直属高校定点帮扶工作推进会等各类会议上作典型经验交流。

（二）持续深化对口支援西部高校工作

为响应教育部对口支援西部地区高等学校计划，学校自2011年7月对口支援北方民族大学以来，持续推进支援工作。2020年1月与新疆农业大学、2023年3月与兰州工业学院、2023年10月与新疆师范大学分别签署对口支援合作协议，对口支援高校拓展至4所。2015年以来，学校坚持建机制、搭平台、多交流、同发展的共建思路，立足受援高校实际需求，充分发挥自身优势，在人才培养、师资建设、学科发展、科研创新等领域开展高质量深度合作，实现共建共赢。

共同推进人才培养质量提高　学校通过接收学生访学、联合培养等方式，累计为受援高校培养 1100 余名本科生和研究生。选派专家指导受援高校本科专业评估与人才培养方案制定，有效提升受援高校育人水平。2019 年 7 月，北方民族大学联合培养班学生获全国大学生水利创新大赛一等奖。在 2024 年"正大杯"全国大学生市场调查与分析大赛中，新疆师范大学参赛队首获国家级奖项。北方民族大学联合培养本科生考研录取率高出普通生近 15.96 个百分点。

共同推进师资队伍水平提升　面向北方民族大学、新疆农业大学、兰州工业学院实施定向培养计划，累计招收 100 余名教师攻读博士学位，其中北方民族大学已有 39 名教师通过该计划获得博士学位。接收受援高校干部 230 余人次、教师 370 余人次来校交流学习，选派 150 余人次专家赴受援高校开展教学能力培训。

共同推进学科专业建设提质　累计聘任受援高校 14 名教授为兼职博导，接收 60 余人次教师参与工程教育专业认证培训，联合举办 10 余次高层次学术会议。重点支持新疆农业大学共建农业装备工程学科，协助兰州工业学院推进专业认证。十年支援建设，北方民族大学从仅有 10 个二级学科硕士点，发展到拥有 2 个博士点、1 个博士后流动站、13 个一级学科硕士点、14 个专业硕士点的高校。

共同推进科研创新能力提效　与受援高校联合共建科研平台，其中与北方民族大学共建的自治区级"风光发电及自动化技术"协同创新中心成效显著。两校组建的 12 人科研团队在生态学、食品科学领域联合发表高水平论文 80 余篇，出版专著 8 本，获批科研项目 7 项。学校援疆干部以新疆农业大学为单位成功申报自治区自然科学基金重点项目，实现该校水利与土木学院此类项目零的突破。

（三）积极推进银龄教师支援西部计划

学校注重发挥退休教师的政治优势、专业优势和经验优势，为推进新时代西部高等教育全面振兴贡献力量。

稳步推进银龄教师支援西部工作　2021 年 8 月，学校被教育部列为第二批支援高校，参与对口支援广西河池学院工作。自 2021 年开始对口支援河池学院以来，学校坚持优中选优，选派科研能力强、教学水平高、专业契合度好的退休教师参加银龄教师支援西部计划。学校银龄教师积极响应号召，退休不褪色，离岗不离教，积极投身于边疆民族地区的教育事业。截至目前，学校已选派银龄教师 26 人次赴河池学院开展支教、支研工作，其中，2025 年有 14 名银龄教师（线下3名、线上11名）在岗工作，有力带动河池学院立德树人、师资队伍建设、科研创新能力水平全面提升。

学校对口支援河池学院工作获得教育部党组的充分肯定，得到受援学校的高度评价，2022年在教育部"高校银龄教师支援西部计划"座谈会上作典型发言。2022年"高校银龄教师支援西部计划"教师团队被中宣部、教育部评为"最美教师团队"，学校退休教师张利作为"高校银龄教师支援西部计划"团队代表参加"闪亮的名字——2022最美教师发布仪式"录制，并现场接受表彰。

第二节　突出思想强基

学校党委紧跟党的理论创新步伐，积极弘扬马克思主义学风，坚持不懈用习近平新时代中国特色社会主义思想武装头脑、指导实践、推动工作，切实将学习成果转化为强化责任担当、增强工作本领、推动实际工作的强大动力。

一、提高站位抓好跟进学习

学校党委始终把学习贯彻习近平新时代中国特色社会主义思想作为首要政治任务，深入学习贯彻习近平总书记关于教育的重要论述，精心组织开展党内集中学习教育，为学校事业发展夯实思想根基。

（一）推动党的创新理论入脑入心

学校党委深入学习贯彻党的十九大、二十大等重要会议精神，跟进学习领会、贯彻落实党和国家事业发展的目标任务和大政方针，深刻认识高等教育发展的历史方位、时代责任，坚定不移推动党中央决策部署在学校落实落细、落地见效。

学习贯彻党的十八届五中、六中全会精神　2015年至2017年，学校党委印发学习贯彻党的十八届五中全会、六中全会精神的通知，对全校学习贯彻工作作出全面部署。成立党的十八届五中、六中全会精神宣讲团，开设学校专题网站，开辟校报"大家谈"栏目等，大力宣传党的十八届五中、六中全会精神，扩大学习宣传的覆盖面。同时，将学习贯彻党的十八届五中、六中全会精神与谋划推进学校"十三五"规划相结合，扎实推动学校改革发展。

学习贯彻党的十九大和十九届历次全会精神　2017年10月，党的十九大隆重召开。召开期间，学校组织师生分校区、多场馆收听收看党的十九大盛况，召开传达学习党的十九大精神专题大会，印发《关于认真学习宣传贯彻党的十九大精神的通知》（合工大党发〔2017〕55 号），向全校共产党员发出学习贯彻党的十九大精神总动员。成立学习贯彻党的十九大精神宣讲团，赴全校师生员工中开展宣讲 60 多场。成立习近平新时代中国特色社会主义思想研究院，推动习近平新时代中国特色社会主义思想和党的十九大精神进教材、进课堂、进头脑。学校党委始终把学习宣传贯彻习近平新时代中国特色社会主义思想和党的十九大精神作为首要政治任务，印发《深入学习贯彻习近平新时代中国特色社会主义思想若干规定》（合工大党发〔2018〕95 号），认真组织"学习新思想千万师生同上一堂课"活动，对全校副处以上干部开展专题培训，持续推进新思想入脑入心。2018 年至 2021 年，推进党的十九届历次全会精神的学习贯彻落实工作，结合学校工作实际，推进学校治理体系现代化和学校"十四五"规划建设工作等。

学习贯彻党的二十大和二十届历次全会精神　2022 年 10 月，党的二十大胜利召开。召开前，学校印发《合肥工业大学迎接学习宣传贯彻党的二十大工作方案》（合工大党发〔2022〕55 号），营造浓厚的学习贯彻氛围。召开期间，组织全校干部师生通过电视、网络、手机等收听收看党的二十大开幕会，召开师生座谈会，迅速掀起学习热潮。闭幕后，印发《合肥工业大学学习宣传贯彻党的二十大精神工作方案》（合工大党发〔2022〕71 号）与任务清单，召开学习贯彻党的二十大精神宣讲工作布置会，就全校学习宣传贯彻工作作出全面部署。2023 年至 2025 年，推进党的二十届二中、三中全会精神学习贯彻落实工作，贯彻落实习近平总书记关于教育科技人才的重要论述，紧密围绕推进中国式现代化建设这一主题，一体化推进教育评价、科技创新、人才培养等改革工作。

（二）深入开展党内集中学习教育

学校党委根据党中央统一部署，系统谋划、精心组织，面向全体党员先后组织开展了"三严三实"专题教育、"两学一做"学习教育、"不忘初心、牢记使命"主题教育、党史学习教育、学习贯彻习近平新时代中国特色社会主义思想主题教育、党纪学习教育以及深入贯彻中央八项规定精神学习教育等 7 次党内集中学习教育。

"三严三实"专题教育　2015 年 5 月，印发《中共合肥工业大学委员会关于在全校中层及以上领导干部中开展"三严三实"专题教育的实施方案》（合工大党发〔2015〕19 号），在全校范围内广泛开展调研，坚持问题导向，做到即知即改。为全校所有处级领导干部发放"三严三实"专题教育学习用书 350 套，扎实开展"三严三实"专题党课，学校领导班子成员、全校各基层单位书记均讲授党课。认真组织"规定动作"中的三个专题学习，严肃认真组织开展专题民主生活会，全校所有党支部均组织召开了专题组织生活会。通过专题教育，学校领导干部增强了思想自觉和行动自觉，做到心中有党、心中有民、心中有责、心中有戒，守纪律、讲规矩，切实推动学校改革建设发展取得实效。

"两学一做"学习教育 2016年3月，印发《关于在全校党员中开展"学党章党规、学系列讲话，做合格党员"学习教育实施方案》（合工大党发〔2016〕28号），召开"两学一做"动员部署大会，成立"两学一做"学习教育协调小组等，部署推动学校相关工作。组织召开党委常委会、理论学习中心组会议开展专题学习讨论，挖掘利用安徽地方红色文化资源，引导全校师生在继承和发扬优良传统中增强政治意识、大局意识、核心意识、看齐意识。坚持学用结合，以学促做，对全校24个基层党委、党总支、直属党支部和500多个党支部开展换届工作；全面开展党员组织关系排查工作等。2017年5月，印发《中共合肥工业大学委员会推进"两学一做"学习教育常态化制度化实施方案》（合工大党发〔2017〕18号），重点在"学、做、改、融、建"等方面精准发力，确保实施方案落细落实。

"不忘初心、牢记使命"主题教育 2019年7月，成立"不忘初心、牢记使命"主题教育领导小组。2019年9月，印发《中共合肥工业大学委员会关于开展"不忘初心、牢记使命"主题教育的实施方案》（合工大党发〔2019〕64号），实施台账管理，对账销号。聚焦主题主线，用习近平新时代中国特色社会主义思想武装头脑，编印各类学习资料3万余册，在开展"大学习、大讨论、大落实"中追寻教育初心。坚持以问题为导向，认真开展调查研究，深入基层摸实情、谋实招、解难题，校领导班子成员确定12个调研题目并扎实开展调研，形成12篇、近9万字的高质量调研报告，全校处级干部在深入调研的基础上撰写调查报告268份。通过调研，形成了学校重要改革方案4份、学院深化改革方案22份。学校主题教育得到《中国教育报》《光明日报》《中国青年报》等主流媒体关注，10余篇文章在"学习强国"推送。

党史学习教育 2021年3月，成立党史学习教育领导小组和专项工作组，印发《合肥工业大学党史学习教育实施方案》（合工大党发〔2021〕15号）及工作台账，策划组织专题读书班，开展党员处级干部集中学习研讨近200次、联学导学500余场。扎实推进"我为师生办实事"实践活动，校领导牵头负责16项"干实事、解难事、谋大事、创新事、长本事"工作任务，解决了一批制约学校发展的难点问题。形成党员处级干部任务清单466项、党员师生任务清单9040项，解决了一批师生关切的现实问题。在中央党史学习教育官网等平台刊发宣传报道70余篇，教育部党史学习教育简报多次刊登学校党史学习教育工作特色经验。《安徽日报》整版刊发学校系列理论研究成果。2022年10月，印发《合肥工业大学关于推动党史学习教育常态化长效化的实施方案》（合工大党发〔2022〕56号），持续激发全校干部师生从党的历史中汲取智慧和力量。

学习贯彻习近平新时代中国特色社会主义思想主题教育　2023年4月，印发《中共合肥工业大学委员会学习贯彻习近平新时代中国特色社会主义思想主题教育实施方案》（合工大党发〔2023〕22号），制定读书班实施方案，完成校读书班七天学习任务。开展调查研究和走访调研，校领导班子成员牵头11个调研课题，全校处级领导干部结合工作实际确定286项调研课题。紧盯影响制约高质量发展的问题短板及其根源，校领导班子成员共梳理并完成问题整改31项；处级干部梳理并完成重点解决的问题清单915项。召开校院两级领导班子专题民主生活会和基层党组织组织生活会。《教育部主题教育简报》《光明日报》《中国青年报》《安徽日报》等媒体多次刊发学校主题教育成效。

党纪学习教育　2024年4月，在全校发布开展党纪学习教育的通知，成立党纪学习教育工作专班，召开动员部署大会、工作推进会、工作专班例会等，全面推动党纪学习教育有序开展。围绕习近平总书记关于全面加强党的纪律建设的重要论述和《中国共产党纪律处分条例》，校院党委理论学习中心组开展专题学习62次，基层党支部组织集中学习研讨460余次等。坚持正面引导与反面警示相结合，深入开展案例警示教育，强化专项警示教育，深入开展廉洁文化教育等，征集各类廉洁文化作品964件，参与师生逾15000人次。加强系统培训，落实专家辅导报告10余场，针对不同人群分类组织系统培训，全覆盖组织专题党课，进一步增强党员干部学纪、知纪、明纪、守纪的政治自觉。

深入贯彻中央八项规定精神学习教育　2025年3月，印发《中共合肥工业大学委员会关于在全校开展深入贯彻中央八项规定精神学习教育的实施方案》（合工大党发〔2025〕4号），成立学习教育专班。截至2025年9月，党委常委会先后6次研究学习教育工作，学校学习教育专班召开工作例会13次，推动学习教育有序开展。坚持深学细悟，学校党委完成3天读书班集中学习，发布学习提示20余次；发布学习内容31篇（章），设置相应研讨专题30个，开展警示教育8批次等。各级领导干部、支部书记完成专题党课近900次；开展查摆整治，学校层面形成清单问题23个，二级党组织查摆形成清单问题154个，整改整治工作正持续有力推进。

（三）学习贯彻习近平总书记关于教育的重要论述

学校党委始终深刻领会习近平总书记关于教育的重要论述的核心思想和精髓要义，将其作为推动学校事业改革发展的强大思想武器。

2018年9月10日，全国教育大会召开。当日下午，学校召开教师节表彰大会，第一时间传达全国教育大会主要精神。9 月 26 日，设立分会场，组织学校主要领导干部参加教育系统学习贯彻全国教育大会精神视频会议。举办全国教育大会精神学习培训班，印发学习贯彻通知，成立全国教育大会精神宣讲团等，掀起全校学习贯彻大会精神的热潮。

2020 年 7 月，《习近平总书记教育重要论述讲义》出版发行。学校依托教育部开展的使用培训，组织思政理论课教师、相关管理干部约 50 人参加学习教育培训。之后，学校将深入学习贯彻习近平总书记关于教育的重要讲话、回信贺信、指示精神等作为理论武装内容的重要组成部分，并将其作为推动学校"双一流"建设的根本遵循。

2023 年 5 月，中共中央政治局就建设教育强国进行第五次集体学习，习近平总书记发表重要讲话。学校党委准确把握习近平总书记关于建设教育强国所提出的主攻方向和重点任务，及时组织党委常委会第一议题、党委理论学习中心组专题学习研讨，全面纳入师生日常理论学习，更好地指导推动学校人才培养、科学研究、学科建设等工作，坚定不移把习近平总书记重要讲话精神转化为推进学校改革发展、加快建设教育强国的生动实践。

2024 年 7 月，党的二十届三中全会召开。学校准确把握全会关于教育综合改革的重要部署，统筹推进育人方式、办学模式、管理体制、保障机制改革。9 月，第二次全国教育大会召开。学校党委印发《关于认真学习贯彻全国教育大会精神和习近平同志〈论教育〉的通知》（合工大党发〔2024〕86 号），全覆盖组织干部师生学习，加强宣传阐释工作，与学校第九次党代会所确立的目标任务有机统一、同步推进，努力在高质量完成教育强国建设的各项任务、服务和支撑中国式现代化建设中取得更大突破、展现更大作为。

二、全面提升理论学习质效

学校党委加强部署谋划，创新工作方法，采取有力措施，分层分类、多种方式推进全校干部师生理论武装工作，不断提升理论学习的针对性实效性。

（一）全面落实党委常委会"第一议题"制度

学校党委始终把学习贯彻习近平新时代中国特色社会主义思想作为重中之重，跟进学习贯彻习近平总书记最新重要讲话、重要文章、重要回信和重要指示批示精神，作为党委常委会首要议题。2023 年，学校党委常委会落实首要议题学习 8 次。

2024 年起，根据《中国共产党章程》《中共中央办公厅关于巩固拓展学习贯彻习近平新时代中国特色社会主义思想主题教育成果的意见》等有关党内法规和最新工作要求，学校党委持续推进党委常委会"第一议题"制度化规范化，并将"第一议题"作为常委会会议讨论决策事项、研究部署工作的思想指南和首要内容。2024年以来，落实党委常委会"第一议题"学习33次。

（二）抓好党委理论学习中心组学习

2015年以来，学校进一步加强和改进党委（党组）中心组学习制度，不断丰富学习内容，创新学习方式，规范学习管理，提高学习效果。

2015年5月，印发《合肥工业大学校、院两级理论学习中心组学习制度实施细则》（合工大党发〔2015〕18号），要求注重发挥党委理论学习中心组的示范带动作用，定期发布理论学习计划，严格落实每月一次理论学习制度，进一步加强和规范中心组学习。2020年，学校党委加强对二级党委理论学习中心组的督促检查，要求二级党委每半年上报中心组学习开展情况。

按照《中国共产党党委（党组）理论学习中心组学习规则》要求，2024年3月，印发《关于调整校党委理论学习中心组成员的通知》（合工大党发〔2024〕13号），明确学校党委理论学习中心组成员由学校领导、党委常委、校长助理，以及党政办公室、纪委办公室、党委组织部、党委宣传部、党委统战部主要负责人组成。同年5月，印发《合肥工业大学党委理论学习中心组学习细则》（合工大党发〔2024〕41号），不断提升学校党委理论学习中心组学习研讨的频次和质量，进一步提升学校党委理论学习中心组学习质量和水平。同时，印发《合肥工业大学二级党组织理论学习中心组学习巡听旁听工作实施方案》（合工大宣函〔2024〕1号），加强对二级党组织理论学习中心组理论学习的督查，提升学习效果。

2015年以来，学校党委理论学习中心组已成为干部理论学习的重要平台，举办了多场高质量的主题报告。时任国务院研究室信息研究司司长刘应杰、教育部高等教育司司长吴岩、教育部科技司司长雷朝滋、中国教育学会原会长钟秉林教授、中央党校施红教授、中央马克思主义理论研究和建设工程首席专家顾海良教授、清华大学孙茂松教授等干部专家学者来校作专题辅导报告。2015年以来，学校共组织校党委理论学习中心组学习近130次。各二级党组织理论学习中心组每年开展集中学习研讨300次以上。

（三）认真组织师生政治理论学习

学校党委严格对标上级理论学习相关要求，每年度发布理论学习安排，统筹指导全校理论武装工作。各二级党组织制定学习计划并报党委宣传部备案，同时结合师生特点，分层分类开展政治理论学习。

　　组织实施教职工理论学习　2018年8月，印发《合肥工业大学教职工双周三政治理论学习实施细则》（合工大党发〔2018〕94号），教职工双周三政治理论学习制度日趋规范。指导党委宣传部编印《时政教育文选》，征订发放党报党刊、辅导书籍等，为全校理论学习提供权威辅导和日常指导。督促各二级党组织定期组织开展教职工政治理论学习，引导广大教师坚定理想信念，学为人师，行为世范，做学生健康成长的指导者和引路人。

　　组织实施学生理论学习　在不断提升思政课堂获得感的同时，通过小班辅导、主题班会、党团课、第二课堂、社会实践等方式，与第一课堂形成有效互动互补，深化思想理论辨析引导，教育引导青年学生将坚定理想信念与学知识长才干相结合，立志成为德智体美劳全面发展的社会主义建设者和接班人。

三、巩固壮大主流思想舆论

　　学校党委坚持在高质量、高平台上下功夫，深入开展文明创建，积极推进媒体融合，讲好工大故事，发出工大强音，为学校事业发展营造良好舆论氛围。

（一）持续推进校园文化浸润

　　2015年以来，学校紧紧围绕立德树人根本任务，将文化传承创新作为学校的重要使命，将大学文化与大学精神作为"双一流"建设的重要支撑力量，传承"厚德、笃学、崇实、尚新"的校训精神，逐步形成"爱国爱校、笃学问道、团结合作、尽己奉献、追求一流"的校园文化。

　　持续推进校园文明创建工作　2015年，以创建"全国文明单位"为目标，广泛开展"讲文明、树新风"活动，学校顺利通过安徽省教育厅检查验收并获安徽省第一届教育系统文明单位称号，学校还相继获安徽省第十届文明单位荣誉称号、第四届全国文明单位荣誉称号。2016年11月，学校制定实施《合肥工业大学文明校园创建活动实施办法》（合工大党发〔2016〕164号），推动学校文明校园创建工作制度化、常态化。2017年，按照文明校园创建"六个好"标准（思想道德建设好、领导班子建设好、教师队伍建设好、校园文化建设好、校园环境建设好、活动阵地建设好），持续推动文明校园创建走向深入，获首届全国文明校园、第十一届安徽省文明单位荣誉称号。2020年，全国文明校园创建成果进一步巩固，获安徽省第十二届文明单位。2021年，经复查认定学校继续保留全国文明校园荣誉称号。

　　积极打造校园精品文化产品　为迎接建校70周年华诞，学校组织续编《合肥工业大学校史（2005—2015）》，出版建校70周年校园文化丛书《工业报国别样情》等，编印《建校70周年纪念画册》等，制作上线建校70周年中英文高清形象宣传片。重新布展校史展览馆，更新修缮安徽省爱国主义教育基地"工程认知博物馆"。75周年校庆前后，完成校史馆的新址建设和内部布展，策划设计制作校庆75周年校史册，深受广大校友和师生好评。2021年，制作上线VR网上校史馆，制作发布专题片《工业报国别样情》并在央视播出，讲好学校工业报国史。2022年10月，发布上线学校形象宣传片《追梦之光》，向广大师生、校友和社会各界全方位展示学校七十余载为党育人、为国育才的生动实践。2024年至今，学校积极推出"校园十景"评选活动，深入挖掘校园重要景观的历史背景、人文特色、校园故事、美育功能、教育意义等，以高品质文化助力学校高质量发展。

（二）推动校内媒体融合发展

长期以来，学校依托新闻文化网、新媒体平台、校报、广播电视台等校内宣传阵地，广泛宣传学校在人才培养、科学研究、社会服务、文化传承创新、国际交流合作等方面的思路举措和工作成效，展现全校师生员工团结奋进、昂扬向上的精神风貌。

校内各宣传平台稳步发展时期（2015—2018年）　《合肥工大报》每年出版正刊在25期以上。校电视台全年拍摄新闻在130条以上，广播电视节目内容丰富，辐射受众范围广。2016年10月，承办第十五届全国高校广播（电视）宣传工作研讨会。新闻文化网稿件发布数量稳中有升，构建起新闻文化网、二级单位网站和学子门户网站一体两翼网络阵地格局。学校官方微信、官方微博平台迅猛发展，新媒体联盟成立，官方微博拥有粉丝数从2015年的4.2万上升至71万；官方微信关注人数从2015年的近4.7万上升至13万。在此期间，学校获中国新媒体百强之优胜高校称号，明理苑入选首批教育部大学生网络文化工作室。

新媒体平台快速发展时期（2019—2021年）　2019年起，学校将宣传平台重心从传统媒体更多转向新媒体平台，开始打造全媒体中心。《合肥工大报》以"办精选精编精"为宗旨，不断提高办报质量。2020年，学校新闻文化网改版上线，学习强国号建设取得重要进展，官方Bilibili账号于4月上线，校园新媒体发展欣欣向荣，通过图解、动漫、音频、视频、H5等形式，推出了一系列优秀活动策划和传播作品，其中《74岁生日｜合肥工业大学，认识您真好，祝您生日快乐!》单篇浏览量22万余人次。官方微信被教育部推选为首批高校思政类公众号重点建设名单，被中国青年报评选为中国大学官微百强。

持续推进媒体深度融合发展（2022年至今）　2022年，学校强化全媒体中心内部建设和运营管理，融媒体建设步伐加大，探索构建起"一次采集、多次生成、多元发布"的校园媒体工作机制。同时，密切与校友自媒体账号、校外优质官方新媒体账号的互动共创。学校融媒体建设成果获教育媒体融合优秀典型案例，学校获中国大学生在线2023年度校园新媒体融合共建四十强。官微入围全国思政类重点建设公众号"思政育人影响力排行榜"TOP30。学校新闻文化网、校报等平台继续围绕学校中心工作，积极展现学校建设发展新进展新成效。学校融媒体矩阵日趋成熟与完善。

（三）凝聚校外宣传媒体资源

学校持续深化与中央及省级主流媒体合作，讲好工大故事，传播工大声音，及时向权威媒体推介学校改革建设发展等方面的办学成就和先进师生典型。

展现党建思政成效　2017年，党的十九大召开后，《光明日报》整版报道学校学习贯彻党的十九大精神践行"工业报国"理想；中央电视台《新闻联播》《新闻30分》连续报道学校师生学习贯彻党的十九大精神情况。新华网连续四天持续刊发学校党委铸魂强基落实从严管党治党系列报道，《中国教育报》头版头条位置以"合肥工业大学从严治党狠抓落实，为发展铸魂强基——党建成为学校发展源头动力"为题报道学校党建工作成效。2021年，在建党百年之际，新华网《新华访谈》栏目以"高质量党建引领高水平大学建设"为题刊发学校党委书记专访。《光明日报》《中国青年报》等中央主流媒体持续关注报道学校党建与思政建设成效经验。

讲好工业报国故事　学校党委书记接受新华社《瞭望》周刊专访、校长登上中央广播电视总台《百家讲坛》名牌栏目，倾情讲述学校以民族复兴为己任，与时代同频共振矢志工业报国的发展历史；先后在《人民日报》《经济日报》《中国高等教育》《新型工业化》等权威报刊发表署名文章，介绍学校推进教育科技人才一体化发展的先进理念和丰硕成果。

凸显人才培养特色　2017—2019年，聚集深化教育体制改革、建设一流本科、推动创新创业教育、第二课堂成绩单建设取得的显著成果，在《光明日报》《中国教育报》《中国青年报》《中国科学报》等主流媒体发表"合肥工业大学：'以本为本'培育一流人才""合肥工大：探路'三位一体'人才培养""连续5年实现第二课堂成绩全员达标""合肥工业大学'双创'教育贯通课堂内外"等报道。2023年以来，《人民日报》、新华社、《科技日报》《中国科学报》《中国青年报》相继刊发"合肥工业大学探索人才培养新模式：产教零距离　创新增活力""求解'合工大'模式背后的人才培养密码""合肥工业大学：培育电子信息材料'领跑者'"等，持续推动学校"千人一领军"创新人才培养的响亮品牌深入人心、广泛传播。

宣传科技创新成果　十年来，《科技日报》多次在其报眼品牌栏目"最新发现与创新"报道学校科技成果。新华社、《中国科学报》等主流科技媒体围绕学校科研团队取得的重要进展及其在应用中取得的显著经济社会效益，以及学校在成果转化"共生"新模式方面的积极探索和实际成效，持续报道学校科技创新成果以及服务国家战略需求和经济社会发展的生动实践。《安徽日报》在头版显著位置报道学校服务安徽建设所作出的突出贡献。

打造重大宣传典型　2016年，安徽省委宣传部将学校仪器科学与光电工程学院已故教授费业泰作为全省重大典型进行集中宣传报道，组织采写的稿件在人民网、新华网等中央级网络媒体，安徽日报等省直新闻媒体上进行集中报道。2020年，杨善林院士被安徽省委宣传部列为重大典型宣传，央视《开讲啦》《朝闻天下》专门报道杨善林院士科研成果应用于抗疫一线的情况。

表1-3　2015—2025年学校对外宣传重点稿件统计一览表

序号	篇名	发表情况	
1	合肥工大：股份制共建新型研发平台	《科技日报》	2015年6月15日
2	我们拥有共同的事业——合肥工业大学管理学科发展纪实	《中国科学报》	2015年9月29日
3	紧扣产业脉搏　培育创新动能——合肥工业大学服务地方经济发展纪实	《安徽日报》	2015年10月6日头版
4	合肥工大："工科男"新车发布会献礼校庆	《中国青年报》	2015年10月8日
5	国产大客机防雷系统合工大造	《安徽日报》	2015年11月4日
6	矢志追求"人生精度"——追记我国现代精度理论及工程应用的奠基人费业泰	《安徽日报》	2016年4月24日头版
7	新型复合材料可高效清除持久性水污染物	《科技日报》	2016年6月10日头版
8	合肥工业大学研发出高性能深紫外光电探测器	《中国科学报》	2016年10月27日
9	合肥工大党建述职测评"动真碰硬"	《中国教育报》	2017年1月13日头版
10	远古爬行动物也会"下崽"——我首次发现初龙型动物胎生证据	《科技日报》	2017年2月15日头版

（续表）

序号	篇名	发表情况	
11	合肥工业大学从严治党狠抓落实，为发展铸魂强基——党建成为学校发展源头动力	《中国教育报》	2017年7月8日头版头条
12	大学里的"暖心食堂"：想吃家乡菜？请给大师傅留言	中央电视台新闻频道	2017年11月13日
13	站在新时代　谋求新作为——合肥工业大学学习贯彻十九大精神践行"工业报国"理想	《光明日报》	2017年12月1日
14	"双一流"背景下大学教学怎么改——来自合肥工业大学的探索	《中国教育报》	2017年12月11日
15	晒成绩摆问题　师生期末同"赶考"——合肥工业大学实现基层党建述职评议考核全覆盖	《光明日报》	2018年2月6日
16	合肥工业大学：立德树人　涵养文明校园	安徽卫视《安徽新闻联播》	2018年3月31日
17	"三位一体"锻造校园文明	《安徽日报》	2018年4月2日
18	合肥工大：探路"三位一体"人才培养	《中国科学报》	2018年5月15日
19	合肥工大基层党组织连续10年开展特色活动——从"按要求干"到"想着法子干"	《中国教育报》	2018年7月14日头版
20	"三位一体"锻造一流人才	《中国教育报》	2018年10月22日
21	合肥工大：让教师队伍强起来	《中国教育报》	2018年11月5日
22	合肥工业大学："以本为本"培育一流人才	《光明日报》	2018年11月22日
23	为工科人才插上美育"翅膀"	《安徽日报》	2018年12月11日
24	本科教育　如何"根深"又"叶茂"	《安徽日报》	2019年3月22日
25	有意义，更要有意思——合肥工业大学把思政课办"活"	《光明日报》	2019年4月4日

（续表）

序号	篇名	发表情况	
26	合肥工业大学：立工业报国之志　建高水平研究型大学	安徽卫视《安徽新闻联播》	2019年9月28日
27	合肥工业大学用创新理念涵养文明之风	安徽卫视《安徽新闻联播》	2019年10月13日
28	高校如何当好地方"点金手"	《安徽日报》	2019年11月15日
29	合肥工业大学：建强党支部　讲好思政课	《光明日报》	2019年12月31日
30	用品质服务打造温馨校园营造育人氛围	《安徽日报》	2020年1月9日
31	追赶时间的"拼命三郎"——访中国工程院院士、合肥工业大学教授杨善林	《光明日报》	2020年2月16日头版
32	中国工程院院士杨善林　把科研成果应用到国家最需要的地方	中央电视台《朝闻天下》	2020年4月25日
33	安徽灵璧：581名农村青年在家门口上"大学"	《中国青年报》	2020年6月3日头版
34	校企合作解难题，创新发展增动力	《安徽日报》	2020年10月3日头版
35	为新时代教育评价改革"破题"	《中国教育报》	2021年4月19日
36	高质量党建引领高水平大学建设	新华网《新华访谈》栏目	2021年7月7日
37	"我们的大学"合肥工业大学专题	央视《百家讲坛》	2021年9月9日
38	合肥工业大学："一站式"社区把实事办到学生心里	中国教育网	2022年4月28日
39	"临时搭档"成了"长期伙伴"——合肥工大探索成果转化"共生"新模式	《科技日报》	2022年8月25日
40	锻造防雷"金钟罩"	《安徽日报》	2022年10月18日
41	合肥工业大学：找准真问题　推动新发展	学习强国	2023年6月5日

（续表）

序号	篇名	发表情况	
42	合肥工业大学：厚植沃土助青年人才脱颖而出	《中国青年报》	2023 年 6 月 15 日
43	合肥工业大学紧盯汽车产业升级需求——新赛道上，引导智能网联汽车安全飞驰	《安徽日报》	2023 年 6 月 19 日
44	为助推区域经济高质量发展贡献高校智慧	《中国教育报》	2023 年 6 月 26 日
45	践行"工业报国"为新时代安徽高质量发展贡献更大力量——访合肥工业大学党委书记于祥成	《安徽日报》	2023 年 8 月 10 日
46	"教育强国，工大何为"——合肥工业大学交出高质量内涵式发展答卷	新华网	2023 年 10 月 4 日
47	合肥工业大学：全过程创新讲好"大思政课"	新华网	2024 年 3 月 16 日
48	合肥工业大学：人才培养紧盯重大需求风向标	新华网	2024 年 3 月 22 日
49	科技成果从"实验室"走向"应用场"——合肥工业大学智能制造技术研究院探索校企"共生"新模式	《科技日报》	2024 年 4 月 30 日头版
50	合肥工业大学：党建引领有力推动"一融双高"	新华社安徽频道	2024 年 6 月 17 日
51	从实验室走向"应用场"——校企"共生"加速推动科技成果转化	《中国青年报》	2024 年 7 月 29 日头版
52	"前店后坊"打开科技成果转化新天地	《中国教育报》	2024 年 8 月 13 日头版
53	破解"人才供需"难题	《光明日报》	2025 年 6 月 7 日
54	合肥工业大学：校企合作增强就业核心竞争力	《科技日报》	2025 年 6 月 10 日
55	合肥工业大学探索深化产教融合	《人民日报》	2025 年 6 月 11 日
56	贯通校企协同育人链	《经济日报》	2025 年 7 月 28 日

第三节　推动组织创优

学校党委贯彻落实新时代党的建设总要求和新时代党的组织路线，坚持和加强党对学校的全面领导，把基层党组织建设成为有效实现党的领导的坚强战斗堡垒，激励党员发挥先锋模范作用，为全方位推动学校高质量发展提供坚强的组织保障。

一、打造坚强组织体系

学校党委牢固树立"大抓基层"的鲜明导向，全面提升基层党建水平，推动基层党组织全面进步、全面过硬，为基层发展提供坚强的组织保障。

（一）加强党的基层组织建设

学校党委围绕基层党建"抓什么、怎么抓、抓到什么标准"的问题，建立管根本、可考量的指标体系，配套制定标准化建设指标、星级管理、常态整顿、制度激励机制，把学校基层党组织建设成为实现党的全面领导的坚强战斗堡垒。

健全基层组织体系　围绕"学习型、服务型、创新型"三位一体的二级党组织内涵建设目标，及时调整二级党组织设置，定期进行二级党组织换届选举。2018年8月，印发《合肥工业大学学院党政联席会议议事规则》（合工大党发〔2018〕99号），进一步健全学院集体领导、党政分工合作、协调运行的工作机制，提高决策的民主化、科学化、规范化水平。重点加强教师党支部建设，印发《中共合肥工业大学委员会关于加强新形势下教师党支部建设的实施意见》（合工大党发〔2018〕101号），明确加强教师党支部建设的总体要求、主要任务和保障机制。优化学生党支部设置，根据工科院校特点，倡导支部建在专业上，推动形成以纵为主、以横为辅的党建新格局，努力将学生党支部建设为助力学生成长成才的战斗堡垒。

推进党组织标准化建设　2015年9月，印发《中共合肥工业大学委员会基层党支部工作考评实施办法》（合工大党发〔2015〕37号），规定要围绕"五好"标准，对基层党支部开展考评工作，充分发挥基层党支部在推动发展、服务师生、凝聚人心、促进和谐中的作用。2018年6月，印发《关于开展基层党组织标准化建设检查验收工作的通知》，制定二级党组织、教师党支部和学生党支部建设标准，开展基层党组织标准化建设自查。2019年，制定基层党组织建设标准，召开基层党组织标准化建设验收工作布置暨培训会。组建督查组，深入各二级党组织进行专项督查，推进优秀党支部达标创优、后进党支部转化提升。2021年，组织开展基层党建"找差距、抓落实、提质量"工作，持续深化中央及省委巡视反馈有关党建问题整改工作，压实党建工作主体责任，推动全面从严治党向基层延伸。2022年，组建专项督查组，围绕《中国共产党普通高等学校基层组织工作条例》、党的基层组织建设等10个方面重点任务，面向全校各二级党组织开展基层党组织标准化及党建工作重点任务落实情况专项督查。2023年2—3月，印发《合肥工业大学党的基层组织建设"强基础、提质量、创品牌"三年行动计划（2023—2025年）》（合工大党发〔2023〕16号）、《合肥工业大学星级党支部评定办法》（合工大组函〔2023〕3号），对全校党支部进行等级评定，评定3星及以上支部146个，其中获评安徽省四星级、五星级党支部共12个。2024年5月，印发《合肥工业大学省级党建工作"示范高校"建设方案》（合工大党发〔2024〕43号），明确创建任务、责任单位、工作要求。开展2024年星级党支部评定，评定三星及以上支部174个，其中安徽省四星级、五星级党支部12个。

加强党建经费管理　学校党委把党费收缴、使用和管理工作作为增强党性意识、强化党性观念、加强党的建设的有力抓手。2016年11月，印发《合肥工业大学党建工作经费使用管理暂行办法》（合工大党发〔2016〕161号），进一步规范党建工作经费使用范围，提高经费使用效率。2019年9月，印发《合肥工业大学党建工作经费使用暂行办法（修订稿）》（合工大党发〔2019〕66号），对党建工作所包含的开支项目和开支标准等作了进一步的规定和说明，更加科学地支持基层党组织的工作运转、党支部规范化建设等。

（二）抓好基层党建述职评议

为贯彻党要管党、从严治党要求，从严从实推动党建各项工作在基层党组织落地见效，学校党委持续推进党建述职评议工作，努力交出党建工作"高分卷"。

2016年制定院级党组织书记抓基层党建述职评议考核工作实施方案，开始启动党组织书记抓基层党建述职评议考核工作，要求基层党组织书记从履行党建责任情况、基层党建所获成效、思想政治工作情况等方面述职。2017年，全面开展二级党组织书记抓基层党建述职评议考核工作，并指导、督促36个二级党组织完成各基层党支部书记抓党建述职评议考核工作，形成了分层负责、上下联动、齐抓共管的党建工作格局。2018—2019年，学校实现二级党组织书记和基层党支部书记抓党建工作述职两个全覆盖。2020年之后，学校以现场述职和书面述职相结合的方式，组织二级党组织书记抓基层党建述职评议考核工作，二级党组织结合单位实际，组织好基层党支部书记述职工作，切实提高基层党组织书记履行管党治党主体责任意识。

《中国教育报》头版头条以"合肥工业大学从严治党狠抓落实，为发展铸魂强基——党建成为学校发展源头动力"为题，《光明日报》以"合肥工业大学实现基层党建述职评议考核全覆盖"为题进行了深入报道。

二、做好党建示范创建

学校党委选树党建示范先进单位，总结凝练典型经验和工作成效，培育形成可复制推广的党建经验模式，积极发挥党建示范引领作用。

（一）推进党建"双创"工作

学校党委聚焦"一融双高"，持续深入开展党建示范创建和质量创优工作，推动形成"全国—安徽省—学校"三级立项培育体系。

全国党建"双创"项目获批情况　2018 年 7 月，教育部启动新时代高校党建示范创建和质量创优工作（简称党建"双创"），面向全国高校分阶段培育创建一批党建工作示范高校、标杆院系和样板支部，通过以点带面发挥示范引领作用。该年度，学校获批"首批全国高校'双带头人'教师党支部书记工作室"1项，"首批'全国党建工作标杆院系'培育创建单位"1项，"首批'全国党建工作样板支部'培育创建单位"2项。2019年，获批"第二批'全国党建工作样板支部'培育创建单位"2项。2022年，获批"第三批'全国党建工作样板支部'培育创建单位"2项。2024年，获批"第三批高校'双带头人'教师党支部书记工作室"1项，"第四批'全国党建工作样板支部'培育创建单位"2项、"全国高校'双带头人'教师党支部书记'强国行'专项行动团队"6项，入选数量居全国前列。

表 1-4　国家级党建"双创"项目立项情况一览表

序号	立项年份	单位名称	党支部	立项情况
1	2018 年	资源与环境工程学院	资源科学与工程系教师党支部	首批全国高校"双带头人"教师党支部书记工作室
2	2018 年	仪器科学与光电工程学院党委	/	首批"全国党建工作标杆院系"培育创建单位
3	2018 年	计算机与信息学院	信号与信息处理研究所党支部	首批"全国党建工作样板支部"培育创建单位

（续表）

序号	立项年份	单位名称	党支部	立项情况
4	2018 年	宣城校区	机械工程系学生第一党支部	首批"全国党建工作样板支部"培育创建单位
5	2019 年	马克思主义学院	中国近现代史纲要教研部党支部	第二批"全国党建工作样板支部"培育创建单位
6	2019 年	土木与水利工程学院	本科生第五党支部	第二批"全国党建工作样板支部"培育创建单位
7	2022 年	化学与化工学院	化工技术中心教工党支部	第三批"全国党建工作样板支部"培育创建单位
8	2022 年	微电子学院	集成电路设计与集成系统本科生党支部	第三批"全国党建工作样板支部"培育创建单位
9	2024 年	电气与自动化工程学院	电力电子教研室党支部	第三批高校"双带头人"教师党支部书记工作室
10	2024 年	材料科学与工程学院	本科生第二党支部	第四批"全国党建工作样板支部"培育创建单位
11	2024 年	食品与生物工程学院	食品科学与工程系党支部	第四批"全国党建工作样板支部"培育创建单位
12	2024 年	计算机与信息学院	信息与通信工程系第一党支部	全国高校"双带头人"教师党支部书记"强国行"专项行动团队
13	2024 年	食品与生物工程学院	食品科学与工程系党支部	全国高校"双带头人"教师党支部书记"强国行"专项行动团队
14	2024 年	化学与化工学院	化工技术中心教工党支部	全国高校"双带头人"教师党支部书记"强国行"专项行动团队
15	2024 年	资源与环境工程学院	资源科学与工程系教师党支部	全国高校"双带头人"教师党支部书记"强国行"专项行动团队
16	2024 年	马克思主义学院	中国近现代史纲要教研部党支部	全国高校"双带头人"教师党支部书记"强国行"专项行动团队
17	2024 年	电气与自动化工程学院	电力电子教研室党支部	全国高校"双带头人"教师党支部书记"强国行"专项行动团队

　　省级党建"双创"项目获批情况　2019 年，安徽省组织开展了首批省级高校党建示范创建和质量创优工作。该年度，学校获批"首批'全省党建工作样板

支部'培育创建单位"3 项。2022 年，获批"首批全省高校'双带头人'教师党支部书记工作室立项建设"1 项。2023 年，学校获批"第二批'全省党建工作示范高校'培育创建单位"，"第二批'全省党建工作标杆院系'培育创建单位"1 项，"第二批'全省党建工作样板支部'培育创建单位"20 项，第二批"全省党建工作研究生样板支部"培育创建单位 3 项。2024 年，获批"第二批全省高校'双带头人'教师党支部书记工作室立项建设"1 项，"全省高校'双带头人'教师党支部书记'强国行'专项行动团队"2 项。2025 年，获批"第三批全省高校'双带头人'教师党支部书记工作室立项建设"1 项。

表 1-5　省级党建"双创"项目立项情况一览表

序号	立项年份	单位名称	党支部	立项情况
1	2019 年	马克思主义学院	中国近现代史纲要教研部党支部	首批"全省党建工作样板支部"培育创建单位
2	2019 年	管理学院	会计系教工党支部	首批"全省党建工作样板支部"培育创建单位
3	2019 年	土木与水利工程学院	本科生第一党支部	首批"全省党建工作样板支部"培育创建单位
4	2022 年	材料科学与工程学院	材料物理与新能源材料系党支部	首批全省高校"双带头人"教师党支部书记工作室
5	2023 年	合肥工业大学党委	/	第二批"全省党建工作示范高校"培育创建单位
6	2023 年	材料科学与工程学院党委	/	第二批"全省党建工作标杆院系"培育创建单位
7	2023 年	文法学院	法学系党支部	第二批"全省党建工作样板支部"培育创建单位
8	2023 年	管理学院	信息管理系党支部	第二批"全省党建工作样板支部"培育创建单位
9	2023 年	土木与水利工程学院	建工系党支部	第二批"全省党建工作样板支部"培育创建单位
10	2023 年	仪器科学与光电工程学院	测控系党支部	第二批"全省党建工作样板支部"培育创建单位
11	2023 年	机械工程学院	机械设计系教工党支部	第二批"全省党建工作样板支部"培育创建单位
12	2023 年	材料科学与工程学院	金属材料工程系党支部	第二批"全省党建工作样板支部"培育创建单位

（续表）

序号	立项年份	单位名称	党支部	立项情况
13	2023 年	食品与生物工程学院	食品科学与工程系党支部	第二批"全省党建工作样板支部"培育创建单位
14	2023 年	资源与环境工程学院	环境科学与工程系教工党支部	第二批"全省党建工作样板支部"培育创建单位
15	2023 年	马克思主义学院	马克思主义基本原理概论教研部党支部	第二批"全省党建工作样板支部"培育创建单位
16	2023 年	宣城校区	工程素质教育中心党支部	第二批"全省党建工作样板支部"培育创建单位
17	2023 年	宣城校区	国旗护卫队党支部	第二批"全省党建工作样板支部"培育创建单位
18	2023 年	机械工程学院	本科生第一党支部	第二批"全省党建工作样板支部"培育创建单位
19	2023 年	计算机与信息学院	本科生第一党支部	第二批"全省党建工作样板支部"培育创建单位
20	2023 年	物理学院	应用物理学本科生党支部	第二批"全省党建工作样板支部"培育创建单位
21	2023 年	食品与生物工程学院	本科生第一党支部	第二批"全省党建工作样板支部"培育创建单位
22	2023 年	管理学院	本科生第一党支部	第二批"全省党建工作样板支部"培育创建单位
23	2023 年	资源与环境工程学院	本科生第一党支部	第二批"全省党建工作样板支部"培育创建单位
24	2023 年	材料科学与工程学院	本科生第二党支部	第二批"全省党建工作样板支部"培育创建单位
25	2023 年	微电子学院	微电子科学与工程本科生党支部	第二批"全省党建工作样板支部"培育创建单位
26	2023 年	土木与水利工程学院	本科生第四党支部	第二批"全省党建工作样板支部"培育创建单位
27	2023 年	电气与自动化工程学院	研究生电力系统及其自动化专业党支部	第二批"全省党建工作研究生样板支部"培育创建单位

序号	立项年份	单位名称	党支部	立项情况
28	2023 年	建筑与艺术学院	研究生第一党支部	第二批"全省党建工作研究生样板支部"培育创建单位
29	2023 年	马克思主义学院	博士生党支部	第二批"全省党建工作研究生样板支部"培育创建单位
30	2024 年	电气与自动化工程学院	电力电子教研室党支部	第二批全省高校"双带头人"教师党支部书记工作室
31	2024 年	材料科学与工程学院	材料物理与新能源材料系党支部	全省高校"双带头人"教师党支部书记"强国行"专项行动团队
32	2024 年	宣城校区	工程素质教育中心党支部	全省高校"双带头人"教师党支部书记"强国行"专项行动团队
32	2024 年	宣城校区	工程素质教育中心党支部	全省高校"双带头人"教师党支部书记"强国行"专项行动团队
33	2025 年	食品与生物工程学院	食品质量与安全系党支部	第三批全省高校"双带头人"教师党支部书记工作室

积极做好党建"双创"项目培育和建设管理工作 2019 年，先后召开 3 次党建"双创"工作研讨交流会，投入 18.5 万元专项资金，积极遴选、培育新的"标杆院系"和"样板支部"，共培育标杆院系 3 个、样板支部 18 个。2020 年，积极推进教师党支部书记"双带头人"培育工程，实现具有博士学位或具有副高以上职称的学院教师担任党支部书记全覆盖。2021 年，召开党建"双创"工作交流推进会，编印《党建示范创建和质量创优工作实践创新案例》。2022 年，加强对学校党建"双创"工作支持力度，对 60 项特色项目进行结项验收，新立项 43 个项目进行培育建设。2024 年，召开学校全国党建"双创"项目启动交流会和党建引领"一融双高"工作论坛，开展"双创"经验做法交流研讨。2025 年 5 月，召开 2025 年度二级党组织党建品牌建设项目申报评审会，5 个二级党组织获批学校二级党组织党建品牌建设项目，10 个党支部获批学校党支部书记"双带头人"培育项目。

人民网、新华网、学习强国、教育部网站、全国高校思政网、《光明日报》、《中国教育报》等媒体先后以"合肥工业大学：探索党建与业务工作深度融合""以更强的使命担当履行好强基固本政治责任""多维度精准发力提升党员干部教育培训实效""合肥工大党建'双创'引领学校事业高质量发展""合肥工业大学发挥党支部政治功能推进课程思政建设"等为题深入报道学校党建工作典型经验做法 20 余篇。杨善林院士领衔主讲的示范微党课"胸怀国之大者 担当强国使命"入选 2023 年高校党组织示范微党课，在新华网、光明网、央视网等近 20 个平台播出，收到良好的社会反响。

(二) 积极开展支部特色活动和党建研究

按照学校党支部特色活动工作相关要求，依据"项目化申请、过程化管理、规范化建设"原则，按照年度开展党支部特色活动的立项、结项等工作。同时，根据实际工作需求，适时开展党建工作专项课题研究，重点围绕基层组织建设亟须解决的重点、难点、热点问题，征集党建研究课题，深入开展党建研究。

2015 年以来，学校选树了一批主题明确、内容丰富、形式新颖、成效显著的活动案例，实现了党建工作"一学院一品牌""一支部一特色"。《中国教育报》《安徽日报》对学校特色党支部建设情况进行了报道。在第二届全国高校"两学一做"支部风采展示评选中，学校组织报送党支部作品获奖数量位列全国高校第三 (并列)。

三、加强党员教育管理

学校党委抓实抓好党员发展、日常管理、教育培训等工作，努力实现党员发展标准化、日常管理科学化、教育培训常态化。

(一) 扎实做好党员发展和管理工作

学校党委实施党员发展教育管理质量工程，进一步规范党员发展工作程序，加强党员教育培训，不断提升党员队伍整体素质，夯实学校党建工作基础。

做好党员发展工作 2015 年 4 月，印发《中共合肥工业大学委员会发展党员工作实施办法》(合工大党发〔2015〕10 号)，坚持发展党员"三答辩三投票三公示一承诺"制度，严格贯彻执行发展党员票决制、预审制和责任追究制。重视发展优秀青年教师、学科带头人入党，落实党员校院领导联系优秀青年教师制度，进一步加强在优秀青年教师中发展党员力度。加强对学院发展党员工作的检查与指导，2015—2019 年通过配备兼职党建组织员，2020 年起配备专职处级组织员，确保发展党员质量。2019 年，全国高校思政网、安徽先锋网以"合肥工大坚持'三抓三严'切实提升党员发展质量"为题对学校发展党员工作进行报道。

加强党员信息管理 加强学校党组织和党员信息库的维护与管理，全面推进党员统计信息网络化，进一步完善各单位党组织和党员信息库建设，力争做到"底数清、数据新、资料实"，进一步提高党员信息管理科学化水平。2017年，根据中组部、安徽省委组织部有关文件要求，印发《关于开展党组织和党员基本信息采集工作的通知》，召开党统工作布置暨培训会，对二级党组织相关工作人员开展业务培训指导，圆满完成所有党组织和党员的信息采集工作，完成全国党员管理信息系统信息维护和36张数据报表等基础数据统计填报。

做好党员材料审查　重点围绕新生党员（含本科生、研究生）、毕业生党员和新入职教职工党员，做好入党材料审查、组织关系转接等工作。系统梳理排查学校流动党员情况，加强对流动党员的教育管理。2018年，印发《关于开展引进教师党员组织关系排查工作的通知》，对136名引进教师党员组织关系进行排查，发现问题并及时处理。

规范党费收缴工作　2016年，根据安徽省委组织部和安徽省委教育工委有关文件要求，及时对2008年4月以来党费自查及补交工作进行动员部署。下发《关于党费补交问题的说明》，对党员缴纳党费的基数、比例及有关补交党费的要求进行说明，全面完成党费补缴工作。2018年起，按要求上报有关党费使用报告、数据，定期公示学校党费收缴使用情况，在党费中专门划拨近3万元支持脱贫攻坚。2020年，积极组织党员开展防疫捐款，并从党费中专门划拨11.2万元，支持基层党组织开展疫情防控工作。2021年，主动适应信息时代新形势和党员队伍新变化，打造机关党委亮点创新项目——智慧党建之"互联网＋党费管理平台"。目前，通过微信小程序缴纳党费已在学校部分二级党组织推广使用。

（二）精心组织党员教育培训

充分发挥党校培训阵地作用，强化各类人员的培训工作，常态化组织大学生党员、入党积极分子培训班和教工入党积极分子班工作。2016年12月，印发《中共合肥工业大学委员会分党校工作实施办法》（合工大党发〔2016〕184号），推进党校工作的科学化、规范化、制度化建设。健全党校组织体系，在尚未成立分党校的学院成立分党校，实现党校工作的全覆盖，建立健全校党委党校和各分党校校务委员会领导体制，落实党校工作责任，建立起校院两级党校联动的党员教育培训体系。同时，根据基层党支部书记、组织员、"双带头人"教师党支部书记、党务秘书等不同类别、层级、岗位的培训需求，线上与线下培训相结合，推动全体党员坚定理想信念、增强党性观念、强化宗旨意识、提升素质能力，不断提升教育培训质效。

第四节　从严干部锻造

学校党委聚焦忠诚干净担当，打造一支政治过硬、专业过硬、吃苦耐劳、富有开拓创新精神的干部队伍；聚焦科学选人用人，坚持德配其位、才适其岗，选准用好干部；聚焦队伍结构优化，健全常态化培养选拔优秀年轻干部的工作机制；聚焦能力素质提升，健全源头培养、跟踪培养、全程培养的贯通体系；聚焦干部管理监督，健全管思想、管工作、管作风、管纪律的从严管理体系；聚焦提振干事创业精气神，完善干部考核评价机制，激励广大干部新时代新担当新作为，为学校建设特色鲜明的世界一流大学提供强力支撑和坚强保证。

一、选优配强干部队伍

教育部党组高度重视学校领导班子建设，根据《高等学校领导人员管理暂行办法》（中组发〔2017〕2号）要求，从增强班子整体功能出发，着力优化学校领导班子配备，为学校高质量发展提供坚实保障。学校持续加强中层干部队伍建设，完善常态化考察识别干部工作机制，坚持人岗相适、人事相宜的原则，选优配强中层领导班子。

（一）校级领导班子成员调整

2015年7月31日，学校召开教师干部大会。受教育部委派，时任教育部党组成员、中纪委驻教育部纪检组组长王立英同志代表教育部党组宣读了《教育部关于梁樑、徐枞巍职务任免的通知》和《中共教育部党组关于徐枞巍同志免职的通知》：任命梁樑同志为合肥工业大学校长。因工作调动，免去徐枞巍同志的合肥工业大学校长职务及中共合肥工业大学委员会常委、委员职务。

徐枞巍，男，汉族，1956年10月生，中共党员，辽宁大连人，教授，博士生导师。1974年7月高中毕业后先后上山下乡、当工人、服兵役。1978年5月至2003年12月，先后在黑龙江省牡丹江税务局、北京航空学院、北京航空航天大学学习工作。1994年12月至2003年12月，任北京航空航天大学副校长、党委常委。2003年12月至2015年7月，任合肥工业大学校长、党委常委。

梁樑，男，汉族，1962年4月生，中共党员，安徽肥东人，教授，博士生导师。1978年9月至2013年12月，先后在安徽工学院、合肥工业大学、东南大学、中国科学技术大学学习工作。2013年12月至2015年7月，任合肥工业大学党委常委、副校长；2015年7月至2017年4月，任合肥工业大学校长、党委常委；2017年4月至2022年7月，任合肥工业大学党委副书记、校长。

2016年4月1日，学校召开全校干部会议，时任学校党委书记袁自煌宣读了《中共教育部党组关于陆林、周军同志职务任免的通知》：陆林同志任中共合肥工业大学委员会委员、常委、副书记、纪律检查委员会书记；免去周军同志的中共合肥工业大学纪律检查委员会书记职务。

2019年1月12日，学校召开干部教师大会，宣布教育部党组关于合肥工业大学党委书记任免的决定。时任教育部人事司司长张东刚同志、时任安徽省委教育工委副书记王佩刚同志以及教育部人事司、安徽省委教育工委相关负责同志出席会议。张东刚同志宣读了《中共教育部党组关于余其俊、袁自煌同志职务任免的通知》：余其俊同志任中共合肥工业大学委员会委员、常委、书记；免去袁自煌同志的中共合肥工业大学委员会书记、常委、委员职务。

袁自煌，男，汉族，1961年2月生，中共党员，安徽金寨人，副研究员。1979年9月至2014年5月，先后在华东师范大学、国家教育行政学院、教育部政策法规司学习工作。2003年11月至2014年4月，历任教育部政策法规司副司长、驻大阪总领馆教育组参赞衔领事（副司级）、教育部政策法规司副司级干部。2014年4月至2019年1月，任合肥工业大学党委书记。

余其俊，男，汉族，1962年11月生，中共党员，安徽桐城人，教授，博士生导师。1979年9月至2019年11月，先后在山东建筑材料工业学院、武汉工业大学、武汉理工大学、日本八户工业大学、日本新泻大学、华南理工大学学习工作。2013年6月至2019年11月，任华南理工大学党委副书记。2019年1月至2023年5月，任合肥工业大学党委书记。

2020年1月7日，学校召开干部大会，时任学校党委书记余其俊宣读了《教育部关于梁樑等职务任免的通知》和《中共教育部党组关于陈鸿海、闫平同志职务任免的通知》：任命梁樑同志为合肥工业大学校长，刘晓平同志、刘志峰同志、李建东同志、季益洪同志为合肥工业大学副校长，郑磊同志为合肥工业大学副校长（试用期一年）；陈鸿海同志任中共合肥工业大学委员会副书记，免去陈鸿海同志的合肥工业大学副校长职务；免去闫平同志的合肥工业大学总会计师职务，中共合肥工业大学委员会常委、委员职务。

2020年12月22日，经教育部党组和教育部研究决定：吴玉程同志任中共合肥工业大学委员会委员、常委，合肥工业大学副校长（正厅级）。

2022年5月10日，经教育部研究决定：任命丁立健同志为合肥工业大学副校长（试用期一年）。

2022 年 8 月 17 日，学校召开干部教师大会，时任教育部人事司司长何光彩同志宣读了《教育部关于郑磊、梁樑职务任免的通知》和《中共教育部党组关于梁樑同志免职的通知》：任命郑磊同志为合肥工业大学校长（试用期一年）；免去梁樑同志的合肥工业大学校长职务，中共合肥工业大学委员会副书记、常委职务。时任教育部人事司副司长王磊同志、安徽省委教育工委书记钱桂仑同志出席会议。

郑磊，男，汉族，1975 年 1 月生，无党派人士，安徽合肥人，教授，博士生导师。1991 年 9 月至 2011 年 5 月，先后在中国科学技术大学、南京大学、弗吉尼亚大学、剑桥大学、谢菲尔德大学、牛津大学学习工作。2011 年 5 月任合肥工业大学黄山学者特聘教授；2011 年 3 月至 2020 年 4 月，历任合肥工业大学生物与食品工程学院副院长、医学工程学院院长、科研院院长；2019 年 12 月至 2022 年 7 月，任合肥工业大学副校长；2022 年 7 月至 2025 年 8 月，任合肥工业大学校长。

2022 年 10 月 13 日，经教育部党组研究决定：施永红同志任中共合肥工业大学委员会委员、常委、副书记、纪律检查委员会书记，免去陆林同志的中共合肥工业大学委员会副书记、常委、委员、纪律检查委员会书记职务。

2023 年 7 月 12 日，教育部人事司在合肥工业大学宣读了《中共教育部党组关于于祥成、余其俊同志职务任免的通知》《中共教育部党组关于严福平等同志职务任免的通知》《教育部关于汪萌等职务任免的通知》：于祥成同志任中共合肥工业大学委员会委员、常委、书记，免去余其俊同志的中共合肥工业大学委员会书记、常委、委员职务。严福平同志任中共合肥工业大学委员会委员、常委、副书记，汪萌同志、吴华清同志任中共合肥工业大学委员会委员、常委，合肥工业大学副校长（试用期一年）；免去陈鸿海同志的中共合肥工业大学委员会副书记、常委、委员职务；免去吴玉程同志的中共合肥工业大学委员会常委、委员职务，合肥工业大学副校长职务。

于祥成，男，汉族，1970 年 5 月生，中共党员，山东巨野人，研究员，博士生导师。1993 年 6 月至 2023 年 5 月，在湖南大学学习、工作。2017 年 7 月至 2023 年 5 月，任湖南大学党委副书记（2020 年 1 月至 2023 年 7 月援疆，任新疆师范大学党委副书记、副校长）。2023 年 5 月，任合肥工业大学党委书记。

2024 年 6 月 4 日，经教育部党组研究决定：胡笑旋同志任中共合肥工业大学委员会委员、常委、副书记；康宇同志任中共合肥工业大学委员会委员、常委，合肥工业大学副校长（试用期一年）；免去陈刚同志的中共合肥工业大学委员会副书记、常委、委员职务；免去刘晓平同志、刘志峰同志的中共合肥工业大学委员会常委、委员职务，合肥工业大学副校长职务。

2025年9月5日，学校召开干部教师大会，教育部党组成员、副部长、人事司司长徐青森同志宣读了《教育部关于汪萌、郑磊职务任免的通知》《中共教育部党组关于汪萌同志任职的通知》：经教育部党组和教育部研究决定：汪萌同志任合肥工业大学校长（试用期一年）、中共合肥工业大学委员会副书记，免去郑磊同志的合肥工业大学校长职务。安徽省委教育工委书记、省教育厅厅长钱桂仑同志，安徽省委组织部副部长季星同志出席会议。

汪萌，男，汉族，1984年12月生，中共党员，湖北监利人，教授，博士生导师。1999年9月至2011年8月，先后在中国科学技术大学、微软亚洲研究院、新加坡国立大学学习工作。2011年8月，任合肥工业大学黄山学者特聘教授，2016年1月至2023年6月，历任合肥工业大学计算机与信息学院（人工智能学院）副院长、执行院长、院长及软件学院院长；2019年12月兼任合肥综合性国家科学与中心人工智能研究院副院长；2023年6月至2025年8月，任合肥工业大学党委常委、副校长；2025年8月至今，任合肥工业大学党委副书记、校长。

2015年至2025年，教育部党组和教育部先后调整配备学校领导班子正职7人、副职22人。

表 1-6　2015—2025 年学校历任领导班子成员一览表

姓　名	职　务	任　期
徐枞巍	党委常委、校长	2003.12—2015.07
赵　韩	副校长	2006.05—2017.06
周　军	党委常委、副校长	2006.05—2011.05
	党委副书记、纪委书记	2011.05—2016.03
	党委副书记	2016.03—2017.06
吴玉程	党委常委、副校长	2008.07—2017.07
	副校长	2017.07—2017.11
	党委常委、副校长（正厅级）	2020.12—2023.06
张效英	党委副书记	2008.07—2017.06
刘晓平	党委常委、副校长	2012.06—2024.06
刘志峰	党委常委、副校长	2012.06—2024.06

（续表）

姓　名	职　务	任　期
朱大勇	党委常委、副校长	2012.06—2013.12
	党委副书记、副校长	2013.12—2017.07
	副校长	2017.07—2017.11
闫　平	党委常委、总会计师（副厅级）	2013.08—2019.12
梁　樑	党委常委、副校长	2013.12—2015.07
	党委常委、校长	2015.07—2017.04
	党委副书记、校长	2017.04—2022.07
袁自煌	党委书记	2014.05—2019.01
陆　林	党委副书记、纪委书记	2016.03—2022.10
陈　刚	党委副书记	2017.06—2024.06
季益洪	党委常委、副校长	2017.06—
陈鸿海	党委常委、副校长	2017.06—2019.12
	党委副书记	2019.12—2023.06
余其俊	党委书记	2019.01—2023.05
李建东	党委常委、副校长	2019.05—2020.07
郑　磊	副校长	2019.12—2022.07
	校长	2022.07—2025.08
丁立健	副校长	2022.05—
施永红	党委副书记、纪委书记	2022.10—
于祥成	党委书记	2023.05—
严福平	党委副书记	2023.06—
汪　萌	党委常委、副校长	2023.06—2025.08
	党委副书记、校长	2025.08—
吴华清	党委常委、副校长	2023.06—
胡笑旋	党委副书记	2024.06—
康　宇	党委常委、副校长	2024.06—

（二）中层干部调整

学校党委充分发挥选人用人的风向标作用，强化重实干重实绩的导向，围绕推动学校高质量发展选优配强中层领导班子，2015 年、2020 年和 2024 年分别进行了三次大规模的干部调整配备。

第五轮干部换届　根据《合肥工业大学 2015 年中层领导班子和中层领导干部换届工作实施方案》（合工大党发〔2015〕42 号）、《合肥工业大学 2016 年选拔、竞聘科级领导干部实施方案》（合工大党发〔2016〕19 号），2016 年学校调整配备中层领导干部 103 人，其中提拔正处级领导干部 20 人、副处级领导干部 60 人、平级调整 23 人，完成 307 名科级领导干部选拔竞聘工作，其中提拔 96 人（正科级领导干部 25 人、副科级领导干部 71 人）。

2017 年调整配备中层领导干部 17 人，其中平调 16 人、提拔副处级领导干部 1 人；2018 年调整配备中层领导干部 87 人，其中平调 82 人，提拔正处级领导干部 3 人、副处级领导干部 2 人；2019 年调整配备中层领导干部 18 人，其中平调 7 人，提拔正处级领导干部 5 人、副处级领导干部 6 人。

第六轮干部换届　2020 年 4 月，印发《合肥工业大学科级干部选拔任用工作实施办法》（合工大党发〔2020〕17 号）和《合肥工业大学中层领导干部选拔任用工作实施办法》（合工大党发〔2020〕31 号），树立了重政治、重担当、重实绩的鲜明导向，形成了有效管用、有利于优秀管理人才脱颖而出的选人用人机制。

根据《合肥工业大学 2020 年中层领导班子和中层领导干部换届工作实施方案》（合工大党发〔2020〕29 号）、《合肥工业大学中层机构及中层领导干部岗位职数调整设置方案》（合工大党发〔2020〕31 号），按照人岗相适、注重实绩的原则做好第六轮干部换届。全年共提拔中层领导干部 110 人，其中提拔正处级领导干部 33 人、副处级领导干部 77 人，轮岗交流中层领导干部 107 人。调整配备科级领导干部 418 人次，其中提拔科级领导干部 207 人。本轮换届后，中层领导干部平均年龄较换届前下降了 3 岁。

2021 年调整配备中层领导干部 18 人，其中平调 9 人，提拔正处级领导干部 4 人、副处级领导干部 5 人；2022 年调整配备中层领导干部 35 人，其中平调 15 人，提拔正处级领导干部 9 人、副处级领导干部 11 人；2023 年调整配备中层领导干部 40 人，其中平调 21 人，提拔正处级领导干部 8 人、副处级领导干部 11 人。

2024—2025 年干部调整　学校党委一体谋划、一体推进年轻干部队伍建设与中层干部队伍建设。学校干部工作领导小组专题分析中层干部队伍建设状况，就优秀年轻干部发现识别，制定调研方案，听取调研情况汇报。2024 年 5 月，印发《合肥工业大学关于加强优秀年轻干部发现培养和管理监督的实施办法》（合工大党发〔2024〕46 号）；同年 9 月，印发《合肥工业大学机关部门、直附属单位机构及中层领导干部岗位设置方案》（合工大党发〔2024〕79 号），为优秀年轻干部队伍建设提供制度保障。

2024—2025 年，学校党委在全校范围内发现和识别一批优秀年轻干部人才，在副处级干部、科级干部和专业技术人员中开展优秀年轻干部调研，在副处级干部和科级干部中开展任职调研，进一步健全完善常态化考察识别干部工作机制，分层分类储备一批干部人才。结合新一轮机构及中层领导岗位设置调整，坚持人岗相适、人事相宜，提拔和调整一批中层领导干部，选优配强机关职能部门正职，增强学院党政管理力量。自 2024 年 3 月以来，新提拔中层领导干部 64 人，其中正处级领导干部 21 人、副处级领导干部 43 人，平级调整处级领导干部 86 人，选任 2 名校长助理。截至目前，处级领导干部平均年龄为 47 岁，较 2024 年 3 月的 48.3 岁下降 1.3 岁，其中，35 周岁及以下处级领导干部 4 名。

二、加强干部教育培训

学校党委坚持以坚定理想信念宗旨为根本，以提高政治能力为关键，以增强推进中国式现代化建设本领为重点，紧紧锚定特色鲜明的世界一流大学建设目标，持续深化党的创新理论武装，强化政治训练，加强履职能力培训，不断提升学校干部队伍与学校高质量内涵式发展相匹配的专业能力、管理能力和创新能力。

（一）完善干部教育培训长效机制

2016 年 9 月，印发《合肥工业大学干部教育培训工作联席会议制度》（合工大党发〔2016〕139 号），进一步明确各单位、各部门工作职责和分工；同年 10 月，印发《合肥工业大学干部教育培训档案管理办法》（合工大组函〔2016〕12 号），记录干部教育培训档案，作为干部培养、选拔、考核和管理的重要依据。2021 年 5 月，印发《合肥工业大学党员干部教育培训规划（2021—2025 年）》（合工大党发〔2021〕40 号），根据不同类别、层次岗位党员的培训需求，开展有针对性的教育培训。

（二）创新开展分层分类培训

2017 年，完成对全校处、科级干部学习贯彻习近平新时代中国特色社会主义思想及党的十九大精神的教育培训；组织近百名新任党支部书记赴金寨干部学院接受红色教育。2018年，举办副处级以上领导干部学习贯彻党的十九大精神专题培训班、基层党支部书记培训班等不同类型的培训。2019年，结合"不忘初心、牢记使命"主题教育举办中层干部培训班、党群部门主要负责人和二级党组织书记主题党性教育培训班、院系级党组织书记网络培训班。2020年，举办"学习贯彻党的十九届四中全会精神"处级干部网络专题班，面向组织员、基层党支部书记、纪检委员等不同类型干部开展有针对性的专题培训。2021年，举办"学习贯彻党的十九届五中全会精神"科级及以上领导干部专题培训班、"双带头人"教师党支部书记培训班、组织员专题培训班、政工干部培训班等；学校教育培训系统被评为安徽省先进党员教育平台，中国新闻网专题报道了学校党员干部培训工作。2022年，学校构建"上级组织调训、学校统一培训、条线分块培训、线上线下学习"培训模式，分层分类精准做好党员干部培训。2023年，组织全体校领导参加教育部学习贯彻党的二十大精神集中轮训班和网上专题班，中层干部分四批赴中组部全国干部教育培训基地（浙江大学）、金寨干部学院、岳西党性教育基地、宣城党性教育基地进行学习，科级干部参加党的二十大精神网络培训班学习。2024年，举办科级及以上干部学习贯彻党的二十届三中全会精神集中轮训班、处级及以上干部学习贯彻全国教育大会精神集中轮训班和处处干部履职能力培训班等。2025年，举办新提任中层干部培训班、处级以上干部全国两会精神专题网络培训班，组织中层正职干部赴上海交通大学、武汉大学开展为期5天的暑期培训，有效提升中层正职领导干部的政治素养、业务能力和履职水平。

三、强化干部监督管理

学校党委严格贯彻落实《中国共产党党内监督条例》《中国共产党重大事项请示报告条例》《领导干部报告个人有关事项规定》以及干部兼职、出国（境）管理等有关规定，健全完善干部管理监督制度体系，强化对权力监督的全覆盖与有效性，推动党员干部始终做到忠诚干净担当。

（一）完善干部管理体制机制

2015年5月，印发《合肥工业大学中层及以上领导干部因私出国（境）管理暂行规定》（合工大党发〔2015〕22号），及时准确做好干部出入境信息报备、撤销变更、因私证照审批管理工作，严格执行因私出国（境）审批程序。2015年5月，印发《合肥工业大学中层领导干部在企业兼职（任职）管理规定》（合工大党发〔2015〕23号），进一步规范了学校中层领导干部在企业兼职（任职）行为。2017年9月，印发《合肥工业大学处级领导干部校外兼职管理办法（试行）》（合工大党发〔2017〕49号），所有兼职干部均由党委常委会审定，对违反规定在企业兼职任职的人员不予任用。2018年7月，印发《合肥工业大学处级党员领导干部民主生活会实施办法》（合工大党发〔2018〕78号）；同年8月，印发《合肥工业大学关于对领导干部进行提醒、函询和诫勉的实施细则》（合工大党发〔2018〕113号）、《合肥工业大学领导干部因私出国（境）管理实施办法》（合工大党发〔2018〕112号）等系列文件。2021年4月，印发《合肥工业大学中层领导干部兼职管理暂行办法（修订稿）》（合工大党发〔2021〕25号），进一步规范中层领导干部兼职行为。2023年6月，印发《合肥工业大学干部监督联席会议制度》（合工大组函〔2023〕8号），进一步健全干部监督联动机制，形成干部监督合力。2024年7月，学校党委印发《合肥工业大学贯彻落实〈推进领导干部能上能下规定〉实施细则》（合工大党发〔2024〕65号），明确了领导干部不适宜担任现职的24种情形。学校管思想、管工作、管作风、管纪律的从严管理体系不断健全，为贯彻落实新时代党的组织路线，从严管理监督干部，建设忠诚干净担当的高素质干部队伍提供了有力保障。

（二）从严落实干部日常管理监督

学校党委坚持严管和厚爱结合、激励和约束并重，严格执行干部选拔任用"一报告两评议"、领导干部报告个人有关事项等制度，深入贯彻中央八项规定精神，持续加强干部的全方位管理和经常性监督。推进中层领导干部任期经济责任审计工作常态化，进一步规范中层干部离任、交接工作。2021年，着力推进干部综合管理与考核测评信息平台建设，优化领导干部个人有关事项报告、因私出国（境）审批和兼职审批等管理流程，组织开展干部人事档案专项审核工作。2022年至今，持续推动干部管理系统优化升级，提升干部日常管理监督信息化水平。

学校党委聚焦提振干事创业精气神，持续优化领导干部考核体系。2024年5月，印发《合肥工业大学中层领导班子和领导干部年度考核实施办法（试行）》（合工大党发〔2024〕45号），按照党管干部，德才兼备、以德为先，事业为上、公道正派，注重实绩、群众公认，客观全面、简便有效，考用结合、奖惩分明的原则，从政治思想建设、领导能力、工作实绩、党风廉政建设、作风建设等方面，按照总结工作、述职及本单位测评、校领导测评、单位互评、业绩考评、综合考核分计算等程序进行组织实施，积极稳妥推进干部能上能下，形成能者上、优者奖、庸者下、劣者汰的良好局面。

第五节　弘扬廉洁清风

学校党委一以贯之弘扬自我革命精神，持续增强全面从严治党永远在路上的政治自觉，深化落实党委主体责任、纪委监督责任和领导干部"一岗双责"，强化"两个责任"同向发力，一刻不停推进全面从严治党。一以贯之推进政治监督具体化、精准化、常态化，深化同级监督和"一把手"监督，高质量完成教育部巡视反馈意见整改和新一轮巡察全覆盖任务，切实推动多种监督力量贯通融合，积极营造实事求是、干事创业、清正廉洁的氛围。持续纠"四风"树新风，精准研判"四风"问题行业性、阶段性特点，加大专项监督和整治力度，推进作风建设常态化长效化。一以贯之正风肃纪反腐，精准运用"四种形态"，实现政治效果、纪法效果、社会效果有机统一。

一、健全全面从严治党体系

学校党委持续健全全面从严治党体系，推动管党治党责任层层压实、制度体系不断完善、监督执纪精准有效、廉洁教育深入人心，为学校高质量发展提供坚强政治保障。进一步健全组织体系、教育体系、监管体系、制度体系、责任体系，形成横向到边、纵向到底的全面从严治党工作格局。通过系统谋划、整体推进，学校全面从严治党不断向基层延伸、向纵深发展，营造了风清气正的校园政治生态和教书育人环境。

（一）健全上下贯通、执行有力的组织体系

学校党委坚持以习近平新时代中国特色社会主义思想为指导，以习近平总书记关于党的建设的重要思想、关于党的自我革命的重要思想为根本遵循，持续加强党的创新理论武装，全面落实习近平总书记关于教育的重要论述和全国教育大会精神，引领师生员工深刻领悟"两个确立"的决定性意义，增强"四个意识"、坚定"四个自信"、做到"两个维护"，确保党中央和教育部党组决策部署在学校落地生根。

2019年11月，学校党委撤销党风廉政建设领导小组，成立党的建设和全面从严治党工作领导小组，切实加强对党的建设各项工作的统一领导，建立党委统筹、分工协作、责任到位、保障有力的领导体制和运行机制，形成一级抓一级、抓好本级带下级、大抓基层强基础的工作格局，推动全面从严治党不断向纵深发展。

多年来，学校利用全面从严治党工作会议、党的建设和全面从严治党工作领导小组会议、党委理论学习中心组学习、党风廉政建设会、党风廉政专题教育、干部警示教育大会大力开展政治建设和党风廉政建设，及时传达党中央、教育部党组、安徽省委关于全面从严治党的决策部署和工作要求，坚决落实中央八项规定精神，努力营造风清气正的政治生态。

学校党委持续强化组织建设，全面贯彻新时代党的组织路线，增强基层组织政治功能和组织功能，在守正创新中构建起"上下贯通、执行有力"的组织体系。2019 年 6 月，印发《合肥工业大学二级纪委工作办法》（合工大党发〔2019〕43 号），明确领导体制、工作职责、产生办法和任职条件，选配了 18 名二级纪委书记。2019 年 11 月，印发《合肥工业大学落实"一线规则"实施方案》（合工大政发〔2019〕173 号），通过与师生结对子等方式，进一步改进工作作风。2020 年，以学校纪委、二级纪委、党支部纪检委员三级体系为主线，纵向联动开展廉洁教育和监督执纪问责，落实 39 项具体举措，推进纪检干部、工作职责、监督事项进网格，初步形成了纵向联动、横向互通、协调有力、一体推进的纪检监察工作格局。

学校党委持续聚焦中央决策部署深化政治监督，建立"八纵八横"巡察联动机制，有力保障了党中央各项部署落地见效。其中，"八纵"涵盖组织领导、制度建设、队伍建设、谋划部署、巡前准备、组织实施、线索研判、成果运用等 8 个巡察环节，发挥巡察过程叠加效应；"八横"涉及纪检、党政办、组织、人事、宣传、审计、财务、巡察等 8 个相关部门，保障信息沟通、人员协作、资源调配和整改监督等工作规范有序开展。

（二）健全固本培元、凝心铸魂的教育体系

学校党委深刻认识加强新时代廉洁文化建设的重大意义、丰富内涵和实践要求，持续深化廉洁文化教育、警示教育并组织多种形式的廉洁文化活动，为推动党风廉政建设不断向纵深发展打下坚实思想文化基础。学校按年度制定并实施《合肥工业大学全面从严治党工作要点》，压紧压实党政职能部门工作责任，督促基层党委、二级纪委落实落细"两个责任"，召开全面从严治党工作会议、警示教育大会，通报学校和教育系统查处的违规违纪违法典型案例。通过打造校园廉政文化长廊，组织观看警示教育影片、模拟法庭实践展示，参观安徽省党风廉政教育馆、包公廉洁文化园、合肥市义城监狱，编发警示教育材料等方式，开展形式多样的警示教育活动，引导全体党员干部进一步增强纪法意识，提升党性修养，加强自我约束。

2017 年 12 月，学校纪委开通微信公众号"微纪律"（2023 年 3 月更名为

"清风合工大"），充分发挥微信平台的宣传教育功能，及时推送理论文章和典型案例，不断提升党员干部廉洁自律意识。

2020 年起，学校深入实施全面深化新时代教师队伍建设方案，通过设立"立德树人"奖、开展师德典型宣传、举行退休教职工荣休仪式、召开"廉洁从教"教师代表座谈会、编印《师德建设相关文件汇编》等，引导教师争做"四有"好老师。

2020 年以来，学校每年度均组织开展廉政建设宣传教育系列活动。2023 年学校廉洁文化作品在第八届高校廉洁教育系列活动评选中并列第 11 位。2024 年学校廉洁教育宣传月活动，包含廉洁演讲、廉洁微短剧、廉洁海报、文艺汇演等内容，师生参与超 15000 人次，8 件作品入围教育部高校廉洁教育系列活动遴选，在全国 429 所入选高校中位列第一。《中国教育报》以"合肥工业大学：做好廉洁教育这道必答题"为题报道了学校的经验做法。

（三）健全精准发力、标本兼治的监管体系

用好监督执纪"四种形态"。2016 年 9 月，印发《中共合肥工业大学委员会关于践行监督执纪四种形态的实施办法》（合工大党发〔2016〕135 号）。2020 年 3 月，印发《中共合肥工业大学委员会关于深化运用监督执纪第一种形态的实施办法》（合工大党发〔2020〕14 号）等文件，持续完善纪检信访处理和问题线索处置的程序流程，以规范运用"四种形态"为导向严格纪律执行，更加注重抓早抓小，防微杜渐。严格对标对表党中央对巡视工作的部署要求，坚决落实教育部党组关于直属高等学校开展巡察工作的文件要求，完善问题线索管理台账，实行分类移交、动态管理、跟踪督办，对收集的问题线索进行综合研判、分类处理。2020 年 5 月，学校印发《合肥工业大学二级党组织和单位运用监督执纪第一种形态实施细则》，进一步加强规范指导，推动"四种形态"的第一种形态成为各二级党组织和单位落实管党治党责任的有效手段。对巡察移交问题线索优先办理，同时把巡察整改作为纪委日常监督的一部分，在整改过程中深入被巡察单位开展督查督办；将巡察情况作为中层干部换届以及日常干部选用的重要参考，确保巡察监督利剑高悬、震慑常在。印发《校内巡察相关问题移交的通知》，进一步查找管理漏洞和制度缺失，推动机关职能部门、直附属单位问题整改，实现标本兼治。指导被巡察单位建立巡察整改长效机制，举一反三、建章立制，着力写好巡察工作"后半篇文章"。

（四）健全科学完备、有效管用的制度体系

全方位织密制度的笼子。2016 年 9 月，印发《合肥工业大学关于落实党风廉政建设党委主体责任和纪委监督责任的实施办法》（合工大党发〔2016〕134号）等文件，明确党风廉政建设的责任体系和工作体系。2018年8月，印发《合肥工业大学履行党风廉政建设职责纪实办法》（合工大纪字〔2018〕6号）等文件，落实二级单位向学校党委和纪委报告制度，推行《合肥工业大学纪检检查日常监督记录表》，通过日常监督抓住苗头性问题和倾向性问题。2020年8月，印发《合肥工业大学党委、党委书记、党委其他班子成员落实全面从严治党责任清单》（合工大党发〔2020〕64号），明确学校党委落实全面从严治党主体责任清单、党委书记落实全面从严治党第一责任人责任清单、党委其他班子成员落实全面从严治党"一岗双责"责任清单。2021年3月，印发《中共合肥工业大学纪律检查委员会关于加强政治监督工作的实施意见》（合工大纪字〔2021〕6号），2021年10月，印发《合肥工业大学二级纪委履职尽责实施细则》（合工大纪字〔2021〕16号）和《合肥工业大学二级纪委年度工作考核办法（试行）》（合工大纪字〔2021〕17号），推进"八纵八横"巡察工作体系与"纪检网格模式"深度融合，创新构建纪检监察巡察同步履责、同步问效的"双同步"融合机制，持续巩固"纪检网格模式"项目成效。2023年推进同级监督和"一把手"监督三项机制，实现纪委书记与校领导班子成员、二级单位负责人谈心谈话全覆盖。2024年4月，印发《中共合肥工业大学委员会关于加强对"一把手"和领导班子监督的若干措施》（合工大党发〔2024〕19号），进一步落实同级监督和"一把手"监督三项机制；同年5月修订印发《合肥工业大学党委、党委书记、党委其他班子成员落实全面从严治党责任清单》（合工大党发〔2024〕40号），进一步健全党建工作责任体系，落实党委全面从严治党主体责任，推动全面从严治党向纵深发展。

（五）健全主体明确、要求清晰的责任体系

落实党委全面从严治党主体责任、各级纪委的监督责任，党委书记落实第一责任人责任，领导班子成员切实落实"一岗双责"。加强对二级单位班子成员履行"一岗双责"的要求和督促，努力将党风廉政建设和反腐败工作落实到最基层。党委主要负责同志作为第一责任人，能始终坚持做到对重要工作、重要信件、重要案件，亲自批阅、亲自部署、亲自督办，班子成员公开提出"对我监督、向我看齐"。与各二级单位签订党风廉政建设责任书，明确各职能部门和二级单位的党风廉政建设责任，实行领导干部年终述职述廉考核制度。学校党委支持纪委进一步聚焦主责主业，2018年，学校纪委书记、副书记及有关人员退出10个校内议事协调机构，进一步聚焦监督执纪问责主业。

二、推进巡视巡察整改落实

巡视巡察是加强党的建设的重要举措，是从严治党、维护党纪的重要手段，是加强党内监督的重要形式。学校党委深刻认识巡视巡察工作的重大意义，以强烈的政治担当主动接受监督，把抓好整改作为重大政治任务，直面问题、聚焦主责主业、全面管党治党、强化组织保障，扎扎实实做好巡视巡察"后半篇文章"。

（一）2018年教育部党组巡视学校

2018年4月13日至5月25日，教育部党组第二巡视组对学校进行了为期43天的巡视。7月5日，教育部党组第二巡视组进行巡视意见反馈。学校党委认真履行巡视整改主体责任，科学周密制定《中共合肥工业大学委员会贯彻落实教育部党组巡视反馈意见整改方案》（合工大党发〔2018〕71号）和《中共合肥工业大学委员会贯彻落实教育部党组巡视反馈意见整改工作台账》，对巡视反馈意见指出的五方面14个问题，分解细化为55项122条具体任务。领导班子成员积极主动认领任务，确保巡视反馈意见整改零遗漏、全覆盖、出实效。各基层党组织、相关职能部门按照学校要求，对照巡视反馈意见，全部完成本单位整改方案和作业表制定工作，共制定整改方案43份，认领整改任务1136项。整改过程中，学校党委抓思想认识提高，抓整改方案制定，抓全面动员部署，抓重点难点破解，抓长效机制建设，严格执行整改任务落实周报制度、即时报告制度，坚持即知即改、立行立改、全面整改，建立"领导小组全面领导、专项工作组牵头负责、办公室统筹协调、各基层单位具体落实"的四级推进机制，全面实施挂图作业、台账管理，紧扣时间节点，及时跟踪问效，动态推进工作。在学校党委的坚强领导下，全校师生员工上下齐心、共同努力，忠诚、坚决、认真、严格地完成122条具体整改任务。8月30日校党委常委会研究通过《中共合肥工业大学委员会关于落实教育部党组巡视反馈意见整改情况的报告》并呈报教育部。

集中巡视整改期间，学校召开党委全委会1次、党委常委会9次、校长办公会3次、校纪委全委会6次、巡视整改工作领导小组办公室会议25次，各类专题会79次，编发巡视整改简报12期，及时通报、研究、部署巡视整改情况。新制定制度34项，修订制度20项；各基层党组织新制定制度301项，修订制度132项；各基层党组织、责任单位上报周报、中期检查报告、整改总结报告共计343份。

学校持续深化教育部党组巡视反馈意见整改落实，在常态化整改期间，各单位主动站位、严格对标，以忠诚的态度、严格的要求、扎实的作风，积极推进整改落实。在学校党委领导下，各二级党组织统一思想认识、对照工作台账、紧扣时间节点、明确整改措施，严格执行周报制度、即时报告制度，确保巡视整改任务完成时效和质量。学校开展巡视整改专项任务督查、中期检查，对进展缓慢事项及时催办，对没有整改到位的问题限时办结，保证整改工作任务落地落实，持续巩固学校风清气正的政治生态。

（二）2023 年教育部党组巡视学校

2023 年 11 月 1 日至 12 月 16 日，教育部党组第二巡视组对学校党委进行巡视。2024 年 3 月 2 日向学校党委反馈了巡视意见。3 月 5 日，学校党委成立贯彻落实教育部党组巡视反馈意见整改工作领导小组和四个专项工作组。3 月 20 日，学校召开贯彻落实教育部党组巡视反馈意见整改工作动员部署会。3 月 28 日，八届党委常委会第 221 次会议研究通过《中共合肥工业大学委员会巡视反馈意见整改落实方案》《中共合肥工业大学委员会巡视反馈意见整改工作台账》，将巡视反馈意见指出的"四个落实"方面存在的 17 个问题，分解细化为 152 项具体举措，建立问题清单、任务清单、责任清单，明确"时间表""路线图""责任人"。

学校党委以高度的政治自觉和强烈的责任担当抓好巡视反馈意见整改落实，坚持提高政治站位抓整改、以上率下抓整改、同题共答抓整改、"四个融入"抓整改，把巡视整改与贯彻落实《教育强国建设规划纲要（2024—2035 年）》、三年行动计划重要部署有机融合，与贯彻落实学校第九次党代会精神，深入实施新时代立德树人工程、实施高层次人才倍增计划、开展有组织科研、深化校院综合改革等有机融合，坚持从具体问题抓起、从突出问题改起，切实将巡视整改转化为加强学校党的建设、推动事业发展的实际行动。学校各级党组织、每位党员干部坚决扛起全面从严治党政治责任，以自我革命的勇气和同题共答的行动，倒排工期、挂图作战，建立起衔接紧密、协同有效、落实有力的整改落实责任体系和以上率下、一级抓一级、层层抓落实的工作机制。在教育部党组的坚强领导下，经过全校党员干部、师生员工共同努力，巡视反馈指出的突出问题在集中整改期间得到基本解决，6 个月的集中整改取得了阶段性成效。2024 年 9 月 2 日，学校党委向教育部呈报《中共合肥工业大学委员会关于落实教育部党组巡视反馈意见集中整改情况的报告》等报告和工作台账。

进入常态化整改以后，学校党委坚决扛实巡视整改政治责任，坚持举一反三、标本兼治，通过常态化长效化整改切实解决学校改革发展过程中的体制性障碍、机制性梗阻、制度性漏洞，持续拓展整改深度、广度和效度。2025 年 5 月 11 日至 28 日，教育部党组第二巡视整改专项督查组对学校党委进行了巡视整改专项督查。9 月 5 日向学校党委反馈了专项督查意见。截至目前，学校党委制定的 152 条整改举措中 141 条已完成，整改完整率为 92.8％。对照反馈意见，学校党委建立健全整改工作长效机制，进一步细化举措，严格标准，强化督查督办，确保巡视反馈问题整改条条改到位、件件有着落、事事有回音。

（三）校内巡察

学校党委坚持以习近平新时代中国特色社会主义思想为指导，深入贯彻党中央关于巡视巡察工作的重要部署及教育部党组相关工作要求，坚定不移贯彻党的教育方针，落实立德树人根本任务，加强统筹谋划，大力推进校内巡察工作，推动全面从严治党向纵深发展，为营造风清气正的校园政治生态和教书育人环境提供了坚强政治保障。

构建科学完备的巡察制度体系　学校立足实际，完善巡察工作制度。借鉴中央及兄弟高校经验，系统构建政策法规、流程规范、文本模板等 3 大类 20 余项制度规范，形成层次分明、衔接配套的巡察制度体系。构建了以"一规划、三办法、两规程、两手册、两观测点"为核心的巡察工作制度体系（"一规划"为《巡察工作规划》，"三办法"指《巡察工作办法》《关于加强校内巡察整改和成果运用的实施办法》《巡察发现问题线索分类处理和移交办法》，"两规程"即《巡察工作规程》《巡察组联络员工作规程》，"两手册"为《巡察工作手册》《巡察发现问题实用手册》，"两观测点"为机关部处和直属单位部门党组织的巡察观测点、二级学院党组织的巡察观测点），提升了巡察工作制度化规范化正规化水平。建立制度动态优化机制，每轮巡察后及时总结经验，修订完善工作手册、流程清单等文件。同步优化观测点设置，细化问题查找路径和表述规范，增强制度指导性和实操性。

多方联动凝聚监督合力。构建"纵横贯通、协同联动"的大监督格局，全面提升监督效能。强化制度引领，以《合肥工业大学校内监督联动机制若干举措》和联席会议制度为支撑，建立巡视巡察与纪检、组织、财务、审计等部门的常态化联动机制，推动监督资源深度融合。构建全流程贯通体系，在巡察准备、反馈、整改等关键环节，加强与纪检监察、组织人事等部门的协同，形成信息共享、力量互补、成果共用的监督合力。通过联席会议加强信息互通与经验交流，完善联动研判机制。深入推进"巡审联动"，强化巡察与审计工作的信息联动、人员互通和工作协同。九届党委第一轮、第二轮巡察工作专门组建"财务审计专项工作组"，集中处理巡察过程中涉及的资金、财务账目问题，为巡察问题走深走实提供专业保障。

持续优化巡察工作体系。学校构建"党委统一领导、领导小组组织实施、巡察办综合协调、成员单位支持配合、巡察组具体承担"的巡察领导体制和工作机制。2018 年 6 月 26 日，学校成立党委巡察工作办公室，与党委组织部合署办公。

2019 年 3 月 13 日，党委巡察工作办公室与党委组织部合署办公调整为与纪委办公室、监察处合署办公。2023 年 8 月，印发《关于加强校内巡察整改和成果运用的实施办法》（合工大党发〔2023〕75 号），建立健全工作机制，对巡察整改和成果运用的组织领导、责任体系、强化监督、移交转办、质效评估、综合运用等各个关键环节进行细化和具体化。2023 年，制定巡察工作规划（2023—2027年），计划通过 4～5 年努力，持续深化政治巡察、持续提高巡察全覆盖质量、持续强化巡察整改和成果运用、持续加强上下联动和贯通协调、持续提升巡察工作规范化水平，使学校巡察工作更加科学、规范、有效，以巡察监督实效进一步助力学校各项事业发展。2024 年 6 月，经学校党委批准，党委巡察办公室单独设置为党委工作部门，重点强化统筹协调、指导督导、服务保障职责，推动领导小组成员单位巡察协同联动。2025 年 4 月，印发《巡察整改工作质效评估实施办法（试行）》（合工大党巡〔2025〕1 号），围绕主体责任落实、整改完成情况、长效机制建设、师生满意度等维度开展评估，做实巡察"后半篇文章"，构建发现问题、推动整改、评估问效的整改落实闭环。

加强巡察干部队伍建设。将巡察岗位作为干部培养锻炼的重要平台，突出政治标准，严把"入口关"，把党性强、作风好、懂政策、敢担当、善斗争的优秀干部选配到巡察岗位上来。与组织人事部门共同抓实抓牢巡察干部选培管理工作，坚持选用德才兼备的干部教师参与巡察，兼顾新老结合、部门融合，围绕 6 类业务建立巡察干部人才库。选优配强组长副组长，注重选派优秀年轻干部、新提任或拟提任干部参加巡察工作，把巡察岗位作为发现、培养、锻炼干部的重要平台，切实发挥"熔炉"作用。做好巡前集中培训和组内培训，提高巡察干部政策水平和履职能力。

八届党委巡察工作 加强党委组织领导。学校党委全面落实巡察工作主体责任，2019 年 4 月 25 日成立中共合肥工业大学委员会巡察工作领导小组，领导小组实行党委书记、校长双组长制，纪委书记任常务副组长，党委副书记任副组长。领导小组切实履行领导、统筹、协调职责，严格把关巡察工作各阶段进展，为巡察顺利开展提供坚强保障。

校内巡察"双重全覆盖"。2019 年至 2021 年，八届党委共开展 6 轮常规巡察。2019 年 5—6 月，开展第一轮校内巡察，共巡察 4 个单位，分别是：材料科学与工程学院党委、化学与化工学院党委、外国语学院党委、电子科学与应用物理学院党委。2019 年 11—12 月，开展第二轮校内巡察，共巡察 4 个单位，分别是：电气与自动化工程学院党委、软件学院党委、经济学院党委、仪器科学与光电工程学院党委。2020 年 5—6 月，开展第三轮校内巡察，共巡察 5 个单位，分别是：总务部党委、继续教育学院党总支、图书馆党总支、体育部党总支、出版社党总支。2020 年 10—11 月，开展第四轮校内巡察，共巡察 8 个单位，分别是：机械工程学院党委、计算机与信息学院（人工智能学院）党委、管理学院党委、汽车与交通工程学院党委、资产经营有限公司党委、附属中学党总支、校医院党总支、合工大设计院（集团）有限公司党总支。2021 年 4—5 月，开展第五轮校内巡察，共巡察 5 个单位，分别是：土木与水利工程学院党委、马克思主义学院党委、文法学院党委、建筑与艺术学院党委、宣城校区党委。2021 年 10—11 月，开展第六轮校内巡察，共巡察 7 个单位，分别是：资源与环境工程学院党委、食品与生物工程学院党委、数学学院党委、机关党委、离退休工作部党委、本科生院党总支、合工大建设监理有限责任公司党总支。同时，2022 年 5 月至 2023 年 5 月，学校党委开展 3 轮巡察整改落实情况专项巡察，实现了 33 个二级党组织巡察及整改落实情况的"双重全覆盖"。

九届党委巡察工作　第九次党代会召开以来，学校党委立足新起点，坚持守正创新，形成"常专结合"靶向式综合巡察模式，为校内巡察高质量发展锚定方向。明确以常规巡察推进板块轮动、实现"政治体检"全覆盖，以专项巡察聚焦阶段性重点、挖掘苗头性典型问题。九届党委通过机制创新提升政治巡察质效，建立"上下轮衔接"机制，安排下轮被巡察单位负责人担任巡察组副组长，推动未巡先改、成效倍增；强化组办会商、组组会商，提升巡察干部政治监督能力；落实立行立改、边巡边改，推动问题即知即改；注重向职能部门提出建议，从政治高度推动源头治理，实现巡察监督、整改、治理有机贯通。强化"巡察强校"理念，营造"越巡察越优秀"氛围。

持续开展校内巡察。2024 年 10 月启动九届党委首轮巡察，对电气与自动化工程学院党委、管理学院党委、马克思主义学院党委、物理学院党委等 4 个单位开展常规巡察，对设计院（集团）有限公司开展党风廉政及内控制度建设专项巡察。2025 年 5 月，开展九届党委第二轮巡察，对计算机与信息学院（人工智能学院）党委、仪器科学与光电工程学院党委、食品与生物工程学院党委、建筑与艺术学院党委 4 个单位进行常规巡察，对研究生院、国际交流与合作处（港澳台办公室）开展决策部署落实及作风建设专项巡察，对建设监理有限责任公司、共达工程检测试验有限公司开展党风廉政及内控制度建设专项巡察，精准覆盖重点领域。坚持把整改落实与成果运用作为巡察工作的核心环节，2025 年 7 月完成对校医院党总支、总务部党委、基建与房屋管理处巡察整改质效评估，构建闭环管理体系，切实提升巡察质效。

切实提升监督质效。坚持以巡察成果运用赋能事业发展，聚焦核心任务精准发力，紧扣立德树人、科研创新、人才队伍建设、产学研融合等高质量发展关键环节，围绕被巡察单位主责主业开展监督，推动领导班子强化政治担当，规范权力运行，促进党建与业务深度融合。通过校内巡察全覆盖，构建起完善监督体系，推动党的领导和建设全面加强，压实全面从严治党责任。同时，持续改进干部作风，提升基层治理效能，巩固风清气正的政治生态和育人环境，确保党中央决策部署及部党组工作要求有效落实，为建设特色鲜明的世界一流大学提供坚强保障。

第六节　强化同心聚力

学校党委深入学习贯彻习近平总书记关于做好新时代党的统一战线工作的重要思想、关于群团工作的重要论述、关于老干部工作的重要论述和重要指示批示精神，积极构建大统战工作格局，用心用情用力做好离退休工作，做好新形势下群团工作，提升基础教育保障能力，进一步联系校友、服务校友、成就校友，汇聚起推动学校高质量发展的强大合力。

一、汇聚推动发展强大合力

学校党委不断巩固统一战线共同奋斗的思想基础，加强党对统战工作的领导，持续推进新时代统战工作，充分发挥各民主党派和无党派人士在学校改革建设发展中的作用，扎实做好新时代民族宗教工作和港澳台侨及留学归国人员工作，铸牢中华民族共同体意识，画好推进学校发展的最大"同心圆"。不断汇聚学校发展的正能量，用心用情用力做好离退休工作，持续发挥好离退休教职工在教学督导、关心下一代等方面的作用。

（一）持续推进新时代统战工作

学校党委强化责任落实、思想引领、工作引导，完善大统战工作格局，做好党外代表人士队伍建设，引导民主党派和无党派代表人士双岗建功、参政议政，为学校和区域经济社会高质量发展发挥重要作用。

积极构建大统战工作格局　学校党委高度重视统战工作，坚持以习近平总书记关于做好新时代党的统一战线工作的重要思想为指导，认真贯彻落实《中国共产党统一战线工作条例》，党委书记担任统战工作领导小组组长，积极构建党委统一领导、党政齐抓共管、相关部门协调配合的大统战工作格局，加强思想政治引领，深入开展统一战线主题教育与实践活动，加强港澳台侨工作，铸牢中华民族共同体意识，发挥统战联盟单位作用，坚决抵御和防范宗教向校园渗透，守牢意识形态阵地。2020 年 12 月至 2023 年 6 月，先后完成新一届学校侨联、民建、民盟、致公党、民革、知联会、留联会、民进、九三学社、农工党等 7 个民主党派基层组织和 3 个统战团体换届工作。贯彻落实党的侨务和民族宗教政策，积极做好新形势下侨台联和民族宗教工作。秉持"最大公约数"理念，不断加强自身建设，在学校党委坚强领导下，把各方面力量团结凝聚在以习近平同志为核心的党中央周围，不断扩大统一战线的团结面，画出最大同心圆。学校统一战线呈现出团结、奋进、开拓、活跃的良好局面。

加强内涵建设推动高质量发展　加强党对学校统战工作的领导。2016 年 5 月成立学校统战工作领导小组，根据学校机构和人员变动情况，适时调整学校统战工作领导小组成员，选优配齐配强各单位统战委员。不断推进学校民主党派基层组织、统战团体（侨台联、知联会、留联会）建设，2016 年 5 月印发《中共合肥工业大学委员会关于学校领导班子成员联系各民主党派基层组织、统战团体及其代表人士的规定》（合工大党发〔2016〕46 号），根据学校领导班子成员变动情况，适时调整学校领导班子成员联系各民主党派基层组织、统战团体及其代表人士名单，建立健全党员领导干部与党外代表人士联谊交友、征求意见、工作通报等制度，持续完善内部治理结构。2016 年 5 月 7 日，学校成立留学归国人员联谊会，进一步团结和服务留学归国人员。2017 年 3 月，印发《中共合肥工业大学委员会关于进一步加强统一战线工作的实施意见》，建立各单位领导班子成员联系民主党派成员及重大问题与民主党派成员协商制度。常态化做好各级人大、政协、民主党派、统战团体换届人选的选拔、考察和推荐工作。2020 年以来，不断完善党外代表人士后备人才梯次选备计划和党外代表人士（党外干部）数据库建设，做好各民主党派后备干部的遴选和举荐工作。2023 年 10 月，成立铸牢中华民族共同体意识研究基地，系统推动理论研究，2025 年获批安徽省四部厅委铸牢中华民族共同体意识研究基地。2021 年，创建学校统战之家（侨胞之家）。自 2022 年 5 月以来，已举行 6 届"统战同心苑"专题活动，推动统战工作特色化精细化品牌化发展。学校党委统战部获评安徽省"双树双建"优秀组织。台盟中央、安徽省政协、农工党安徽省委会多次发来感谢函，对学校统战工作予以高度肯定和评价。

着力提升学校统战工作质效　加强民主党派基层组织建设，发挥积极作用，2015 年九三学社合工大基层委员会被九三学社中央评为"全国优秀基层组织"；2016 年民建合工大总支被民建中央评为"全国社会服务先进集体"；2018 年民进合工大基层委员会获"民进全国宣传思想工作先进集体"，学校侨联被中国侨联授予"全国侨联系统先进组织"荣誉称号；2019 年学校当选为中国高等教育学会统战工作研究分会常务理事、监事单位，民盟合工大基层委员会被民盟中央评为"高校基层组织盟务工作先进集体"，民进合工大基层委员会被民进中央评为"民进全国先进基层组织"；2021 年度、2024 年度学校 2 人次获民进全国履职能力建设先进个人称号。农工党合工大支部在省直基层组织创优考核中连续 5 年获评"优秀"，九三学社合工大基层委员会获九三学社安徽省委参政议政先进集体称号；2023 年赵韩教授获评"中国汽车工程学会成立 60 周年卓越学会工作者"；学校"统战之家（侨胞之家）"获评安徽省第五批"侨胞之家"；学校侨联"地方侨联＋高校侨联＋校友会"工作新模式入选安徽省高校统战工作"一校一品"特色案例。2024 年，中国农工民主党党员朱士信教授获"全国模范教师"称号，中国民主同盟盟员魏臻教授入选首届"全国科创名匠"选树宣传名单，中国致公党党员丁明教授获评安徽省教书育人楷模。支持民主党派教师双岗建功，2023 年以来学校统一战线成员参与攻坚计划或重大专项、重点研发计划 77 项，申报科研项目 407 项，与企业合作 255 项。

学校现有除台盟外的 7 个民主党派组织，成员 582 人，省级层面认定登记无党派人士 40 人，党外处级干部近 20 人，并成立了知联会、侨台联、留联会等统战团体，成员近 400 人。目前，学校党外代表人士在 3 个民主党派省级组织担任副主委职务，担任省政府参事 2 人、中共安徽省委法律顾问 1 人、全国人大代表 2 人、省人大代表（常委）1 人、省政协委员 11 人（其中常委 3 人）、市政协委员 2 人、区人大代表 1 人、区政协委员 1 人。学校鼓励支持各级人大代表、政协委员等统战成员参政议政、建言献策，统战成员积极递交议案建议、提案和社情民意近 400 件，学校农工党支部书记、省政协委员王永红于 2023 年、2025 年获农工党全省提案和大会发言先进个人，提案"关于推动我省医疗数据实现信息共享的建议"2022 年被评为"十二届省政协优秀提案"。近年来，共有 4 篇信息被中央统战部《零讯》采用。2024 年 12 月，中央统战部来函，对学校时任校长郑磊同志积极参政议政、建言献策表示感谢。九三学社社员孙其标撰写的《应重视检察机关考评机制对刑事审判造成的负面影响》被全国政协和最高检察院采纳，该信息获全国政协 2016—2017 年度优秀社情民意信息奖，2025 年入选安徽省政协 30 篇具有影响力的重要社情民意信息（1996—2024 年）。2025 年 1 月，学校政协委员 3 件提案入选"人民政协成立 75 年来安徽省 100 件重要影响力提案"。

表 1-7　学校入选"人民政协成立 75 年来安徽省 100 件重要影响力提案"

年份届次	案号	题目	提案者
1994 年 省政协七届二次会议	245	未雨绸缪，为尽量减少 21 世纪的新文盲而尽责努力	孙肇初
2001 年 省政协八届四次会议	395	大力发展信息技术促进我省经济跨越式发展	刘家军
2011 年 省政协十届四次会议	838	关于进一步促进我省民族乡经济发展及民族工作的提案	赵　韩

（二）扎实做好离退休工作

学校党委认真贯彻落实习近平总书记关于老干部工作的重要论述，坚持围绕中心、服务大局、用心用情、精准服务，扎实推进离退休工作。持续健全离退休工作规章制度，先后印发《中共合肥工业大学委员会关于进一步加强和改进离退休工作的实施意见》（合工大党发〔2018〕159号）、《中共合肥工业大学委员会关于加强新时代关心下一代工作委员会工作的实施意见》（合工大党发〔2025〕37号）等文件，确保各项工作有章可循、落地见效。结合离退休干部党员的实际，遵循"有利于教育管理、有利于发挥作用、有利于参加活动"的原则，合理设置党支部，选优配强支部班子，提高党组织的凝聚力和战斗力，进一步把离退休干部党员紧密组织凝聚起来。

老有所学，打造常新的知识殿堂。定期组织学习党的创新理论、通报学校发展情况，帮助老同志及时了解大政方针与校园动态。2010年以来，学校大力办好老年大学，开设书画、音乐、舞蹈、养生等课程，丰富老同志精神生活。为了保障学校离退休教职工受教育权利，促进老年教育事业发展，构建老有所学的终身学习体系，常年开设音乐、绘画、书法、舞蹈、戏曲、摄影与影音制作、卫生保健、外语、体育等相关课程，满足离退休教职工的多样化需求。2025年7月，印发《合肥工业大学老年大学章程》（合工大党发〔2025〕36号），进一步明确了"厚德修身、终身学习、主动健康、乐享生活、积极作为"的办学宗旨。

老有所乐，让晚年生活焕发新彩。加强离退休职工的文体活动与社团建设，优化活动场地管理模式。自2019年起，每年举办"离退休职工阳光体育文化月"活动，持续开展写春联活动、书画摄影及手工艺品展、重阳节趣味游戏活动，组织参加省级门球、乒乓球、棋牌等竞赛。学校多次举行离退休职工迎新春联谊会，形式丰富的文艺节目展示了离退休职工的阳光心态和独特风采。多年来，学校多次召开老党员、老同志代表座谈会，2015年4月召开第三届"健康老人"表彰座谈会，2016年6月召开纪念建党95周年离退休老党员代表座谈会，2016年12月召开迎新座谈会，2017年12月、2018年6月召开迎新离退休人员座谈会，2018年11月离退休干部与在职工作人员共畅改革开放40年，2022年1月召开老年大学教师和班长座谈会，2025年1月召开校领导2024年度民主生活会征求离退休教职工代表意见座谈会，面对面听取离退休教职工的意见建议，让离退休教职工健康快乐生活，安享幸福晚年。

老有所养，以精准服务温暖人心。学校常态化开展健康讲座、专家义诊、体检咨询等活动。2016年专门为老年活动中心安装电梯，解决老同志上下楼难题。2021年起，开始设立行政组长作为离退休人员与学校的"对接枢纽"，实现对离退休人员"服务有温度、沟通有渠道、管理有效率、传承有载体"。学校领导每年在春节前夕慰问离退休老同志代表，向他们致以新春的问候和祝福。校领导多次走访慰问百岁老人，2024 年 12 月，校领导及党委离退休工作部负责人走访学校百岁离休干部刘成寨，对老人为学校建设发展作出的贡献表示感谢。

老有所为，发挥余热培育新人。学校注重发挥离退休职工政治优势、专业优势、经验优势，以关心下一代工作委员会为平台，加强二级单位关工委建设，组建五老报告团。2013 年起每年举办"青年马克思主义者研修班"，目前已结业 12 期，2018 年 9 月，该班被安徽卫视《安徽新闻联播》重点报道，获评全省关工委思想道德教育工作四大品牌之一、全国教育关工委优秀创新案例。2019 年起，学校多个作品获教育部关工委"读懂中国"活动最佳/优秀征文奖、最佳/优秀微视频奖以及舞台剧奖，学校关工委多次获评优秀组织单位及表扬单位。2020 年以来，开展了三届"阳光老人"评选表彰活动，共评选出 60 位离退休职工为"阳光老人"，通过选树优秀典型引领广大离退休职工为学校发展发挥余热、贡献力量。2021 年以来，持续开展"光荣在党 50 年"纪念章颁发活动。多年来，学校在岁末年初召开年度校情通报会，学校主要领导出席会议并向离退休老同志代表作校情通报，对离退休老同志长期以来对学校改革发展的关心和支持表示感谢。2024 年，教育部离退休干部局党委书记、局长于虹一行来校调研，高度肯定了学校离退休干部工作的有力举措和显著成效。

学校党委着力为老同志办实事、做好事、解难事，用心用情做好管理服务工作，通过一系列扎实有效的工作推动离退休教职工实现"老有所学、老有所乐、老有所养、老有所为"，让他们安享幸福晚年的同时，持续为学校高质量发展贡献"银发力量"。

二、做好新形势下群团工作

学校党委不断发挥工会、妇女组织联系职工群众的桥梁纽带作用，弘扬劳模精神、劳动精神、工匠精神，最大限度调动和发挥广大教职工的积极性、主动性、创造性，持续提升广大教职工的获得感幸福感。不断提升共青团的引领力、组织力、服务力，深化共青团改革攻坚，支持学生会、研究生会、学生社团等群团组织改革创新，持续增强群团组织的政治性、先进性、群众性。

（一）发挥工会桥梁纽带作用

工会是党联系教职工的桥梁和纽带，在学校党委和上级工会的领导下，学校工会围绕中心、服务大局，充分发挥党联系职工群众的桥梁纽带作用，把竭诚为教职工服务作为工会一切工作的出发点和落脚点，认真履行工会职能，办实事、解难事，团结带领教职工为学校事业发展作出了积极贡献。

弘扬"三种精神"助力学校发展　多年来，学校坚持举办长三角劳模工匠校园宣讲、选树先进典型、创建"劳模工作室"，弘扬新时代劳模精神、劳动精神和工匠精神，营造比学赶超、争创一流的良好校园氛围。近年来，学校每年举办青年教师讲课比赛，连续五届获得安徽省青年教师教学竞赛一等奖，先后有5位青年教师代表安徽省工科组、理科组、文科组参赛，4位教师获得全国青年教师教学竞赛二等奖。2015年、2020年、2022年，学校三次被安徽省劳动竞赛委员会、安徽省总工会授予"安徽省五一劳动奖状"。2020年8月印发《合肥工业大学"立德树人"奖评选实施办法（试行）》（合工大党发〔2020〕62号），每两年对在育人工作中作出突出贡献者的教职员工进行表彰，累计176名教职工获得表彰。近年来，学校1人获"全国五好家庭"称号，3人获全国五一劳动奖章，1人获全国三八红旗手，1人获全国五一巾帼标兵称号，1人获首届"全国科创名匠"；1人获"安徽省先进工作者"称号，7人获安徽省五一劳动奖章，1人获安徽省三八红旗手；2023年，宣城校区工会获全国教科文卫体系统"模范职工小家"；2017年，学校获中华全国总工会"全国厂务（校务）公开民主管理示范单位"，2022年，学校获"全国五一劳动奖状"称号。

提升职工福利保障　持续改善民生建设，投入500多万元完成教职工俱乐部改造。工会会员的节假日福利标准从每年每人700元提高到1500元，2021年再次提高到每年每人2000元的标准。积极开展会员职工法定节日慰问、生日慰问、住院慰问、生育慰问以及在职会员职工大病互助帮扶等工作，十年来，先后向在职会员发放共计价值4100余万元的法定节日、生日慰问品，慰问了结婚、生育、生病住院教职工2450人次并累计发放慰问金280余万元，先后770人次教职工通过大病互助计划和职工医保受益并累计收到慰问金160.3万元，慰问在校省部级以上劳模80余人次并发放慰问金20余万元。校工会与合肥市经开区管委会签订"备忘录"，帮助60多名职工子女解决入学入园困难。

加强校园文化建设　多年来，学校先后举办"颂歌献给党"庆祝中国共产党成立100周年教职工歌咏比赛、"我和我的祖国"教职工演讲比赛、不同主题的师生书画展，组织教职工参加庆祝新中国成立75周年"中国梦·劳动美"文艺汇演。充分发挥女工委、女教授联谊会的作用，举办"玉兰之光"女企业家、科学家论坛，学校女教授、校友企业家走进各校与女大学生面对面交流。发挥社团的积极作用，先后成立乒乓球协会、羽毛球协会、气排球协会，加强书画协会、足球协会、瑜伽社和排舞队建设，每年组织举办趣味运动会吸引上千人次职工参与。学校在安徽省皖中片高校职工气排球比赛、全国"教授杯"乒乓球比赛、安徽省第五届职工运动会均获得冠军，连续三年举办"谨诚杯"合肥地区高校教职工足球六校联赛。

不断加强自身建设　学校不断提升工会干部素质能力，每年举办工会干部培训班。保障经费有效使用，优化经费支出结构，为广大会员职工提供更多保障和服务，使更多会员得到关怀和温暖，切实体现工会经费为职工、为基层、为大局服务的宗旨和要求。建设二级单位"教工之家"，打造放松身心、缓解压力的重要场所和凝聚人心、服务教工的坚强阵地。面向女教职工设立的"心理驿站"被授予省级优秀基地。

（二）发挥共青团组织功能

学校党委坚持立德树人，强化思想引领，突出实践育人，加强和改进群团工作，深化共青团改革攻坚，提升共青团的引领力、组织力和服务力。

纵深推进共青团改革　2017年11月，印发《合肥工业大学共青团改革实施方案》（合工大党发〔2017〕59号），明确了5方面15项改革内容和改革举措，改革思路和工作经验获得团中央肯定并推广。突出组织化教育优势，严格落实"三会两制一课"制度，面向全校团员和青年开展学习贯彻习近平新时代中国特色社会主义思想主题教育。加强团学骨干培养，开展斛兵青年学校学生骨干培训班、团支部书记培训班。加强共青团网络新媒体矩阵建设，建有微信公众号、微博、QQ空间公众号、B站等新媒体平台，曾获"全国学校共青团优秀新媒体专业工作室""全国高校共青团新媒体重点工作室""全国高校共青团新媒体示范工作室""全国十佳新媒体奖"等荣誉，"合肥工业大学团委"微信公众号入选中宣部、网信办、教育部、团中央"高校思政类公众号重点建设名单"。强化青年典型培育，每年开展团员教育暨五四表彰工作，评选表彰共青团工作先进集体和先进个人，获"中国新时代青年先锋""中国大学生自强之星标兵""安徽省共青团干部"等省级以上荣誉70余项。2023年2月17—18日，召开共青团合肥工业大学第十一次代表大会，选举产生共青团合肥工业大学第十一届委员会委员。2015年以来，获安徽省"五四红旗团委"2次，4个团支部获全国高校"活力团支部"称号。

加强学生会、研究生会建设　推进学生会、研究生会改革，印发《合肥工业大学关于推动学生会（研究生会）深化改革的实施意见》（合工大党发〔2021〕70号），明确10项改革举措，改革经验获得安徽学联推广。学生会、研究生会围绕同学思想成长需求、精神文化需求、学业发展需求、校园生活需求等方面，开展"与信仰对话""斛兵青年有约""学术人生访谈""校园辩论赛""迎新生晚会"等活动。发挥学校联系广大同学的桥梁和纽带作用，依托线上线下平台，听取、收集同学在校园学习生活中的普遍需求和现实困难，及时反馈学校并有效解决。定期召开学生代表大会、研究生代表大会，开展学生代表、研究生代表提案工作。开展学院学生会、研究生会达标评比考核工作，推进学院学生会工作制度化、规范化、科学化建设。在全国高校学生会组织"我为同学做实事"项目交流展示中，材料科学与工程学院学生会"寻万千家书故事，品时代家国情怀"一封家书系列活动入选"精品项目"，校研究生会"三位一体"学术交流品牌助推青年研究生传承科学家精神项目入选"最受同学欢迎项目"。

推动学生社团繁荣发展　围绕理论实践、文化艺术、体育竞技等方面，建设学生社团 90 余个。规范学生社团管理，印发《合肥工业大学学生社团建设管理办法》（合工大党发〔2021〕71 号）、《合肥工业大学学生社团指导教师管理办法》（合工大党发〔2021〕72 号）。构建指导教师、业务指导单位、校团委三层级管理机制，落实学生社团活动、工作经费、宣传报道三级审核制。将学生社团负责人纳入校级"青马工程"培养范畴，开展指导教师、社团负责人、学生骨干业务培训会等，推动学生社团健康有序发展。开展学生社团年审及星级评定，对其组织建设、活动开展、新媒体平台运营等进行核查认定，对不达标的学生社团进行整改。学生社团坚持思想性、知识性、艺术性、多样性相统一的原则，组织开展方向正确、健康向上、格调高雅、形式多样的第二课堂活动。积极培育社团精品活动，持续开展社团文化节、社团风采展，通过项目化运作方式，加大对社团精品、特色活动的扶持力度，社团活动得到央广网、中国新闻网等媒体报道。学生社团获全国高校"活力社团"、全国"百佳校园足球社团"、全国"百佳体育公益社团"、全国大学生"百佳理论学习社团"等荣誉。

三、提升基础教育保障能力

学校大力加强附属中学和幼儿园建设，持续深化附属中学人事分配制度改革，强化质量监督与评估，稳步提升附属中学教育教学质量，为教职工子女提供一流的教育资源。

（一）办精办好附属中学

学校坚持"办优高中、办好初中、办强小学"的理念，为教职工子女教育做好服务保障，解决广大职工的后顾之忧。持续加强附属中学名师工程建设和教学科研，推动内涵发展，选优配强附属中学师资队伍。2020 年以来，初中部实施"名师支持计划"，引进全国优质课一等奖、省教坛新星、省优质课一等奖名师共12 人，极大地提升了办学质量。附中现有教职工 147 人，其中正高级 4 人、特级教师 9 人。2023 年附属中学中考成绩屏蔽生 2 人。

加强大中小思政课一体化建设和党团队一体化建设。作为大学"四史"融入思政课教学大中小学一体化实践基地，2023 年，附属中学"博物馆里的思政课"入选国家文物局优质资源项目，思政课程"中国共产党的先进性"受到教育部社科司推荐，入选共青团中央"小平科技创新实验室"建设学校名单。

加强硬件设施建设和校园文化建设，优化校园及周边环境。2016 年 2 月 27 日，附中黄山路南大门正式启用。图书馆、学生活动中心、录播教室、理化生实验室、黄山路畅通工程等办学条件持续改善，构建起富有时代气息、契合工大文化、彰显附中特色的校园文化体系，提升了附属中学的办学品质。

（二）办优办强幼儿园

学校坚持"办高质量幼儿园，服务高水平大学"的目标，大力加强幼儿园建设。2018 年，幼儿园立项中国学前教育研究会"十三五"课题 1 项；2019 年，被评为全国足球特色幼儿园；2021 年，幼儿园获"安徽省三八红旗先进集体"称号、全省教科文卫体系统工会女职工工会先进集体。多年来，幼儿园与社会幼儿园开展多次共建结对和项目培训活动，并于 2021 年起赴灵璧县开展送教帮扶。2021 年下半年，学校投入 1000 多万元对幼儿园进行维修加固改造，幼儿园迁至原设计院大楼临时教室，2022 年完成维修改造后，极大改善了幼儿园的办学条件。

四、持续推进校友工作

学校坚持联系校友、服务校友、成就校友，大力加强与海内外校友的广泛联系、交流与合作，建立和完善校友信息化服务体系，搭建校友平台，关注关心支持校友发展，同时广泛汇聚校友资源促进学校事业发展。50 余万名校友在各行各业中都取得了突出成绩，形成了"千人一领军"的创新人才培养品牌，学校毕业生 70％以上服务于高端装备制造业、信息技术产业等行业。校友中担任省部级领导干部 50 余名，培养 10 名两院院士和一批高层次人才，校友创办或任主要负责人的上市公司 67 家，超过 400 名校友在国有重点企业、上市公司、世界 500 强企业中担任掌门人。

（一）坚持联系校友

优化机构设置和工作体系　学校始终重视校友工作，1992 年在安徽省民政厅注册成立合肥工业大学校友会（简称校友总会）。持续建立健全"总会统筹谋划、部门协同推进、学院精耕细作、分会活泼有力"的校友工作体系；完善"校友总会、学院校友会、地区校友会、行业校友会"构成的"四位一体"组织体系。先后出台了地区校友会、行业校友会、学院校友会相关管理办法，进一步加强对校友会工作的管理，规范各级各类校友会平台的运行。2020年，校院两级统筹协调校友工作机制已经初步建立，学院在校友相关工作中的主体作用逐步发挥。2021年起，在校友总会的指导下，各学院先后成立学院校友会，建立了校院两级校友联络机制。

持续加强校友分会建设　学校持续加强校友分会建设，校领导和校友总会相关负责人指导各地校友会开展筹备工作。2015年，成立四川校友会、福建校友会、宁波校友会。2017年，成立广西校友会、宁夏校友会、辽宁校友会、甘青校友会。2018年，成立重庆校友会、云南校友会、中山校友会、无锡校友会和珠海（澳门）校友会。2019年，成立美国南加州校友会、金融投资行业校友会、湖南校友会。2020年，成立佛山校友会。2021年，成立德国校友会、香港校友会。2022年，成立黄山校友会。2025年，成立安徽校友会、宣城校友会、河北校友会、淮北校友会、广东校友会智能制造专业委员会（合肥工业大学智能制造行业校友会）。截至2025年9月，已建设74个校友分会，其中地方校友会48个、学院校友会20个、海外校友会5个、行业校友会3个。另有6个校友会正在积极筹建中。

完善校友联络体系　自2016年起，学校建立毕业生联络员制度，每年成立合肥校区本科生理事会、宣城校区本科生理事会、研究生理事会。2017年，新的校友会网站、基金会网站和合肥工大人APP上线试运行。2018年，丰富微信公众号功能，实现捐赠项目的线上捐赠并实时向捐赠人发送电子捐赠证书。2022年，学校持续完善校友会和基金会信息化服务平台建设，包括校友会网站、基金会网站、校友总会微信公众号、校友数据库和校友服务大厅，广大校友可以通过线上获得更多便捷的服务，实现在线活动、在线捐赠等多种功能。2023年，进一步完善"合肥工业大学校友大数据＋"信息管理系统，根据校友的基本信息、联系方式、职业发展等相关信息进行数据分析和挖掘，在充分了解校友群体特点和需求的基础上，有针对性地开展校友工作。以召开2024年度校友工作研讨暨安徽校友会成立大会为契机，邀请46个校友组织共计300余人共商建校80周年庆典系列活动，共谋学校事业发展。

行业校友组织建设　学校不断凝聚校友感情，帮助校友和校友企业发展，打造更加紧密的校友事业合作平台，实现校友与母校共赢发展。2016—2025年，学校在杭州、郑州、福州、苏州、合肥等地成功召开各地校友会负责人年会，并结合年会开展校友工作研讨、企业家高峰论坛等活动，助力广大校友事业发展。2016年，学校成功举办首届金融投资行业论坛。2017年，在成都举行首届材料行业校友论坛，在杭州联合主办主题为"汽车＆新科技"的校友论坛，在上海召开首届合肥工业大学汽车行业校友论坛暨合肥工业大学汽车行业校友会成立大会。2019年，联合当地政府在苏州举办2019年"新材料与智能制造"产业创新发展论坛。2020年，合肥工业大学校友（上海）科技创新发展联盟成立，联盟设专家委员会、创新创业服务中心、科技合作促进中心，多次组织校企政学习交流合作、参与合作共建、举办工大科创年度论坛、创设"工大科创活动日"、组织母校科技成果展。2021年，指导上海校友科创联盟成立上海浦东新区合工智能技术研究院。2023年9月、10月，分别在合肥、滁州两地举办合肥工业大学汽车行业校友论坛和合肥工业大学校友企业家论坛。2024年起，开辟成就校友新途径，扎实推进校友企业家联谊会成立事宜。

（二）全力服务校友

持续开展校友走访　学校制定校领导走访校友实施方案，进一步密切校友与母校的感情，增进双方了解，取得良好的效果。十年来，学校领导和校友总会办公室相关负责人，先后走访了北京、江苏、福建、浙江等地的多家校友企业。加强与地区校友组织的交流与互动，参加各地区和行业校友会年会。积极参与和指导各地校友会开展各类活动，向各地校友会提供新毕业校友名单，指导浙江、北京、上海、合肥等校友会换届工作，指导各地校友会开展迎新大会、金秋联谊会、新年联谊会等活动。实地走访校友企业，了解校友企业发展状况，提升服务校友企业能力，共享发展信息，实现互利共赢。2017年开展首期"踏寻奋斗足迹、树立学习标杆"为主题的校友走访活动，发动和招募学生志愿者64人，分赴上海、江苏、广东等13个地方校友会开展校友走访活动，共采访68位校友。2024—2025年，学校领导班子多次赴企业开展专题调研并走访校友，2024年6月学校领导班子赴校友企业阳光电源股份有限公司、奇瑞控股集团有限公司开展专题调研，2024年7月学校领导班子赴长鑫存储技术有限公司开展专题调研，2025年2月学校领导率队赴合肥工大高科信息科技股份有限公司开展专题调研，2025年4月学校领导赴校友企业合肥恒大江海泵业股份有限公司开展专题调研。近年来学校领导还赴多地参与校友活动，2024年11月学校领导赴广东开展走访校友系列活动，2024年12月带队赴河北拜会校友。2025年1月学校领导出席广东校友会成立30周年活动并走访校友；3月学校领导先后走访湖南、福建校友会，与校友代表座谈交流、调研校友企业、参加校友会年会；7月，学校领导通过线上、线下走访上海、陕西校友会，与校友代表座谈交流，参加"同传一面校旗"活动等，率队赴深圳、广州、佛山等地走访校友企业，推进校企合作和访企拓岗，看望大湾区校友，与校友代表共话母校发展；8月，学校领导走访上海、苏州、无锡等地校友会，调研校友企业，探讨校企合作相关事宜。

扎实开展校友返校服务　多年来，学校将接待校友返校聚会和个别校友返校作为日常工作之一，每年接待校友秩年返校近 50 批次，接待各地校友会和行业校友会来校来访，保障校友参观校园、校史馆以及食堂就餐。2023 年 10 月 7 日至 11 月 30 日，成功举办建校 78 周年"云校庆"活动，参与人员达七万余人次。2024 年，学校通过多种途径继续优化校友返校服务工作，仅 79 周年校庆周期间，就接待 4000 余人次校友返校；新增审核通过校友认证数据近 2 万条；新增 9000 余位校友成功申领电子校友卡。

搭建校友发展平台　学校充分结合信息化建设、毕业生就业等工作，宣传校友和校友企业，搭建成就校友的平台，推动学校与校友发展同向同行、同频共振。学校定期发行《合工大校友通讯》会刊，在每年学生毕业季发放至各地校友会，成为彰显学校良好风貌、展示校友良好形象、沟通校友美好情感的重要平台，2017 年对期刊进行改编，增设校友企业专栏用于宣传介绍校友企业的相关信息，近年来还结合信息化建设等工作持续对该刊进行改版。2018 年，举办首期校友企业专场招聘会，共有 28 家校友企业参加了合肥校区招聘会，13 家校友企业参加了宣城校区招聘。举办 2020 年毕业生"校友企业空中双选会"，近 400 家校友企业参与本次双选会。

建设线上服务平台　2022 年，学校建设"校友服务大厅"微信小程序并不断优化相关功能，目前涵盖校友动态、校友风采、校友故事、校友文苑、校友服务、校友捐赠等功能，学校持续通过校友活动、微信宣传等方式引导校友注册，截至目前已注册校友近 6 万名。同时，微信小程序对学院开放用户权限，实现校友信息的校院两级收集和管理。校友通过服务大厅微信小程序申领电子校友卡，校友在返校时出示校友卡即可快捷入校，在校内各商超和营业场所可享受校友优惠，目前已有 3 万余名校友申领电子校友卡。2025 年学校优化校友工作门户网站，集合了校友总会、基金会和定点帮扶等工作，实现学校校友工作的一站式办理。

（三）校友情系母校

多年来，广大校友始终心系母校发展和成长，持续支持学校学科建设、人才培养、科学研究、教师队伍建设、校园文体活动、基础设施建设和创新创业活动等，全方位助力学校教育事业高质量发展。

近年来，学校多名校友当选两院院士。2015 年，电力系统及其自动化专业 1982 届校友陈维江、应用物理专业 1985 届校友刘明当选中国科学院院士。2017 年，粉末冶金专业 1982 届校友潘复生当选中国工程院院士。2019 年，无机化工专业 1988 届校友俞书宏校友当选中国科学院院士。2023 年，铸造焊接工艺及设备专业 1990 届校友蒋成保当选中国科学院院士、无机化工专业 1986 届校友俞汉青当选中国工程院院士。院士校友始终心系母校发展，多次返校进行学术交流，为学校编制"十三五""十四五"规划献计献策，助力学校一流学科建设和科学研究等工作。他们多次返校深入到师生之中，与教师代表和学生代表开展座谈交流，关心教师成长和学生发展。

自 2008 年起，合肥工业大学正式授权合肥工业大学教育基金会，代表学校统一承接所有社会捐赠，构建起规范的捐赠管理与运作机制。2015 年 1 月 1 日至 2025 年 9 月 7 日，基金会累计接受捐赠到账金额达 28392.15 万元，围绕学校发展需求设立捐赠项目 321 项，已发生捐赠支出 13343.39 万元，直接惠及在校师生超 2 万人次。

在学校建校 75 周年华诞前后，广大校友以不同形式表达对母校的深情厚谊，支持学校发展和校史馆及校友活动中心项目建设等。1983 届校友、安徽中辰投资集团董事长张伯中捐赠到账 400 万元，1989 届校友陈航捐赠到账 500 万元，1993 届校友、阳光电源股份有限公司董事长曹仁贤捐赠到账 500 万元，1997 届校友、合肥工大高科信息科技股份有限公司董事长魏臻捐赠到账 100 万元，1998 届校友、杭州启明医疗器械股份有限公司 CEO 訾振军捐赠到账 1000 万元。

2025 年，随着 80 周年校庆日益临近，各地校友关心回馈母校的热情不断高涨，全心全力支持母校的赤子之举持续涌现。4 月 28 日，工业自动化专业 1986 级校友、阳光电源股份有限公司董事长曹仁贤个人通过阳光电源公益基金会向母校捐赠人民币 1 亿元，用于支持学科建设和人才培养，助力母校建设特色鲜明的世界一流大学。6 月 11 日，计算机应用专业 1994 级硕士校友、合肥工大高科信息科技股份有限公司董事长魏臻捐赠人民币 1000 万元，助力母校一流大学建设。6 月 25 日，计算机及应用专业 1985 级校友、合肥工业大学福建校友会会长、福建博思软件股份有限公司董事长陈航向母校捐赠人民币 1000 万元。7 月 3 日，自动化专业 1978 级校友、合肥恒大江海泵业股份有限公司董事长朱庆龙向母校捐赠人民币 1000 万元，以实际行动诠释对母校的热爱与支持。

第二章　学校总体发展战略的确立与实施

　　党的十八大以来，以习近平同志为核心的党中央总揽战略全局，全面推进中国特色社会主义伟大事业，全面推进党的建设新的伟大工程，提出全面建成小康社会、全面建成社会主义现代化强国等重大战略部署。面对国家发展对高等教育提出的新要求，教育部积极统筹落实高等教育内涵式发展、"双一流"建设、深化高等教育领域综合改革、教育强国建设、教育科技人才一体发展等部署，系统化、体系化推进高等教育高质量发展。

　　面对新形势、新任务、新要求，学校党委审时度势，聚焦教育领域中心任务，传承发扬学校"工业报国"底蕴，一体推进学校人才培养、科学研究、社会服务、文化传承创新、国际交流合作等各项工作，实现了快速发展。学校第八次党代会提出建设"国际知名的研究型高水平大学"的总体目标和"三步走"战略，确立推进学校内涵式发展中心任务。学校第九次党代会对办学目标进行了优化提升，提出建设"特色鲜明的世界一流大学"，对"三步走"战略进一步优化细化，提出全力实施"六大计划"，扎实推进"六大工程"，确立了学校高质量发展的总体战略。学校编制并实施"十三五""十四五"事业发展规划，同时适时对发展战略进行调整优化，落实落细学校党委确定的发展战略，推动事业发展提质增效。

第一节　学校总体发展蓝图的确立

　　党员代表大会是学校最高领导机构，党员代表大会选举产生学校党的领导集体——中国共产党合肥工业大学委员会。学校党委承担管党治党、办学治校主体责任，发挥把方向、管大局、作决策、抓班子、带队伍、保落实重要作用。

一、第八次党代会确定的学校发展战略

第七次党代会召开以来，特别是党的十八大以来，学校党委坚持把全面从严治党作为铸魂强基工程，坚持和加强党对学校的全面领导，提出"全面加强内涵建设，全面深化综合改革，全面推进依法治校，全面从严管党治党"的总体思路，学校发展步入新的阶段。第八次党代会召开前夕，恰逢我国全面建成小康社会决战决胜阶段，国家对高等教育的需要比以往任何时候都更加迫切，对科学知识和卓越人才的渴求比以往任何时候都更加强烈。面对新形势、新任务、新要求，学校积极主动融入实现"中国梦"的伟大征程中，着眼于我国高等教育改革发展全局，立足学校发展实际，科学研判发展形势，厘清发展思路，明确发展目标，积极筹备召开第八次党代会。

第八次党代会的召开　2017 年 7 月 12—13 日，中国共产党合肥工业大学第八次代表大会在屯溪路校区召开。大会听取和审议了袁自煌同志作的题为"坚定方向　坚定信念　坚定团结　为把合肥工业大学建设成为国际知名的研究型高水平大学而同心奋斗"的报告和陆林同志作的题为"坚守责任担当　聚焦监督执纪　建设风清气正的政治生态和育人环境"的工作报告，审议通过了《中国共产党合肥工业大学第八次代表大会关于第七届委员会报告的决议》和《中国共产党合肥工业大学第八次代表大会关于中共合肥工业大学纪律检查委员会工作报告的决议》。选举产生了新一届党的委员会、常委会，以及书记和副书记；选举产生了新一届党的纪律检查委员会。

第八次党代会确定的发展总目标　通过实施质量立校、特色兴校、人才强校、创新驱动发展战略，到本世纪中叶把合肥工业大学建设成为国际知名的研究型高水平大学，并进入世界一流大学行列。党代会确定实施"三步走"战略：即到建校 80 周年之际，争取有 3 个以上的学科能够进入世界一流学科行列，奠定高水平大学基础；到建校 90 周年之际，争取有 5～8 个学科进入世界一流学科行列，形成高水平大学格局；到建校 100 周年之际，实现国际知名的研究型高水平大学建设目标，争取进入世界一流大学行列，以优异的成绩迎接新中国成立 100 周年。

第八次党代会确定的主要任务　着力人才强校，建设一流队伍，多管齐下筑牢人才高地；着力质量立校，培养一流人才，精心打造育人金字招牌；着力创新驱动，产出一流成果，全面提高科学技术贡献度；着力特色兴校，实现重点突破，加快推进世界一流学科建设；着力开放办学，拓展外部资源，提升对外交流合作水平；着力协调发展，强化基础能力，努力营造健康和谐校园。同时，第八次党代会还提出全面加强党的建设六项措施，即大力加强思想政治建设，筑牢理

想信念根基；大力加强和规范党内政治生活，做到政治上忠诚坚定；大力加强干部队伍和人才队伍建设，打造事业发展的中坚骨干；大力加强基层组织建设，夯实党的工作基础；大力推进党风廉政建设和反腐败工作，营造风清气正的教育生态；大力加强统战、群团、离退休工作，汇聚团结奋进的强大力量。

选举产生新一届领导集体　大会选举产生了中国共产党合肥工业大学第八届委员会和新一届纪律检查委员会。24 人当选新一届党委委员，分别是（以姓氏笔画为序）：于连栋、马文革、王峰、田合雷、朱华炳、刘心报、刘志峰、刘晓平、闫平、李早、陆林、陈刚、陈文恩、陈鸿海、陈翌庆、季益洪、赵恩秀、胡兴祥、袁自煌、唐莉、梁樑、蒋传东、韩江、程继贵。9 人当选新一届纪委委员，分别是（以姓氏笔画为序）：刘颖、江擒虎、许利明、张代胜、张胜春、陆林、郑学慧、秦广龙、潘德江。第八届党委会第一次全体会议选举 10 位同志为党委常委，分别是（以姓氏笔画为序）：王峰、刘志峰、刘晓平、闫平、陆林、陈刚、陈鸿海、季益洪、袁自煌、梁樑，选举袁自煌为党委书记，梁樑、陆林、陈刚为党委副书记，第八届纪委会第一次全体会议选举陆林为纪委书记、秦广龙为纪委副书记。

第八次党代会的召开，全面开启了学校建设世界一流大学的新征程。为深入学习贯彻学校第八次党代会精神，学校印发《关于深入学习贯彻中国共产党合肥工业大学第八次代表大会精神的通知》（合工大党发〔2017〕32 号），推动学校第八次党代会精神学习贯彻工作落到实处、取得实效。

二、第九次党代会确定的学校发展战略

第八次党代会召开以来，学校党委团结带领全校师生员工，艰苦奋斗、自强不息，追求卓越、勇攀高峰，高质量完成首轮"双一流"建设任务，顺利开启第二轮"双一流"建设征程，办学质量快速提升，综合实力显著增强，学术声誉日益彰显，高质量发展成色更足。

站在"两个一百年"奋斗目标的历史交汇期，世界百年变局加速演进，我国正处于以中国式现代化全面推进强国建设、民族复兴伟业的关键时期，国家战略利益和目标的发展赋予高等教育新的历史使命。面对新一轮科技革命和产业变革，如何更好落实教育科技人才一体发展战略，彰显厚重的历史文化底蕴、鲜明的工业报国底色、坚实的创新人才培养底气，作为高等教育的"国家队"，学校需要奋力答好"强国建设、教育何为，教育强国、工大何为"的时代课题。在这样的历史背景下，学校积极筹备召开第九次党代会。

第九次党代会的召开　2024 年 7 月 21—23 日，中国共产党合肥工业大学第九次代表大会在屯溪路校区召开。大会听取和审议了于祥成同志作的题为"勇担使命　砥砺前行　奋力谱写特色鲜明的世界一流大学建设新篇章"的报告，书面

听取施永红同志作的题为"发扬彻底自我革命精神　纵深推进全面从严治党　为加快推进特色鲜明的世界一流大学建设提供坚强保障"的工作报告,审议通过了《中国共产党合肥工业大学第九次代表大会关于第八届委员会报告的决议》和《中国共产党合肥工业大学第九次代表大会关于中共合肥工业大学纪律检查委员会工作报告的决议》。选举产生了新一届党的委员会、常委会,以及书记和副书记;选举产生了新一届党的纪律检查委员会。

第九次党代会确定的奋斗目标　到本世纪中叶,努力把合肥工业大学建设成为特色鲜明的世界一流大学。为达成这一目标,第九次党代会提出分三个阶段实施:第一阶段,到 2030 年(建校 85 周年之际),学校事业高质量发展动能强劲,办学特色更加鲜明,创新型人才自主培养质量稳步提升,科技创新能力不断增强,有 2～4 个学科进入国内同类学科排名前 10%,治理体系和治理能力现代化深入推进,"一校两区一港"办学布局更加完善,支撑教育强国战略的贡献度持续凸显,为跻身特色鲜明的世界一流大学行列奠定坚实基础;第二阶段,到 2035 年(建校 90 周年之际),学校办学质量水平和综合实力整体大幅跃升,更多学科进入世界一流学科行列,部分研究领域或方向达到世界领先水平,成为重要的人才高地和创新高地,服务中国式现代化的贡献度显著增强,初步建成特色鲜明的世界一流大学;第三阶段,到本世纪中叶(建校 100 周年之际),学校综合实力和国际影响力大幅提升,更多优势学科进入世界一流学科前列,部分学科达到世界顶尖水平,在服务国家重大战略方面展现更大担当和作为,全面建成特色鲜明的世界一流大学。

第九次党代会确定的主要任务和重点工作　实施"六大计划",即实施拔尖创新人才培养计划,面向未来培养一流人才;实施一流学科培育计划,构建高质量学科建设生态体系;实施科技创新攻坚计划,助力新质生产力发展;实施高层次人才倍增计划,推进师资队伍建设新跨越;实施对外开放融通计划,构建开放合作发展新格局;实施治理水平提升计划,营造高质量发展新环境。同时,坚定不移加强党对学校的全面领导,以高质量党建引领高质量发展,推进"六大工程",即推进政治领航工程,把牢正确办学方向;推进思想强基工程,坚持不懈用习近平新时代中国特色社会主义思想凝心铸魂;推进组织创优工程,实现党建与事业发展"一融双高";推进干部锻造工程,打造高素质专业化干部队伍;推进廉洁清风工程,以严的基调营造风清气正的校园生态;推进同心聚力工程,凝聚团结奋进的众智合力。

选举产生新一届领导集体　大会选举产生了中国共产党合肥工业大学第九届委员会和中国共产党合肥工业大学第九届纪律检查委员会。25 人当选第九届党委委员,分别是(以姓氏笔画为序):于长伟、于祥成、方留、田合雷、吕珺、向念文、严福平、李宏伟、吴华清、汪萌、张强、陆杨、陈文恩、武国剑、季益洪、郑利平、胡笑旋、南国君、钟小要、施永红、洪日昌、秦锂、徐宝才、康宇、訾斌；9 人当选第九届纪委委员，分别是（以姓氏笔画为序）：刘峰、汪绪吉、张显东、尚广海、郑召丽、赵金华、施永红、徐财松、葛万锋。第九届党委会第一次全体会议选举 11 位同志为党委常委，分别是（以姓氏笔画为序）：于祥成、严福平、吴华清、汪萌、陈文恩、季益洪、郑利平、胡笑旋、施永红、徐宝才、康宇，选举于祥成为党委书记，施永红、严福平、胡笑旋为党委副书记，第九届纪委会第一次全体会议选举施永红为纪委书记、赵金华为纪委副书记。

为深入落实学校第九次党代会战略部署，学校党委印发《中国共产党合肥工业大学第九次代表大会报告任务分解方案》（合工大党发〔2024〕82 号），将"六大计划""六大工程"分解为 29 项任务、115 项工作，并明确牵头单位和配合单位。同时，学校党委印发《关于深入学习贯彻中国共产党合肥工业大学第九次代表大会精神的通知》（合工大党发〔2024〕83 号），深化学校第九次党代会精神学习，推动学校第九次党代会精神落实落地落细。

三、学校发展战略的落实与动态调整

为了更好落实党中央、教育部关于高等教育发展新要求新部署，推进学校办学目标和战略举措落实落地，学校将党代会提出的目标任务、发展规划确定的工作举措分解到年度工作中，精心制定年度工作要点并推进实施。同时，在每学期开学前，学校组织召开暑期/寒假工作研讨会，及时总结办学成绩、分析存在问题，并提出阶段性工作的思考。2015 年以来，学校共举行了 16 次研讨会，对学校发展战略进行动态调整、推进各项工作更好地落实落地，取得显著成效。

表 2-1 2015—2025 年学校召开工作研讨会情况一览表

时间	会议名称	主要内容
2015 年 3 月 8 日	校友研讨会	会议围绕"收官'十二五'，谋划'十三五'，全面深化改革，加快创新型高水平大学建设步伐"这一主题，部分全国"两会"代表、委员和北京校友代表进行研讨。与会校友高度评价"十二五"以来学校取得的成绩，积极为学校发展进言献策
2015 年 8 月 24—25 日	深化改革、谋划发展研讨会	会议就全面加强校区科学定位与建设，全面加强教学、科研、学科与师资队伍建设，全面加强国际合作与港澳台工作，全面推进现代治理体系、结构建设与优化，全面加强财务管理及国有资产管理工作，全面加强办学条件保障能力与体系建设及民生改善工作，全面从严治党等方面内容进行了深入研讨

（续表）

时间	会议名称	主要内容
2016 年 1 月 23—24 日	人事分配制度改革专题研讨会	会议听取了人事工作、一流学科建设与目标管理、教学考核、科研考核、人事政策、人才引进与专家服务工作等专题报告，并进行了分组讨论
2016 年 8 月 15—17 日	暑期工作研讨会	会议专题研讨各学院（部门）"十三五"规划，进一步明确发展目标，凝聚发展共识
2017 年 2 月 16—17 日	2017 年寒假工作研讨会	会议围绕深入推进全面从严管党治党、贯彻高校思政工作会议精神、"两学一做"学习教育常态化制度化、各项规章制度的执行落实；深入推进"能力导向一体化"人才培养、本科教育审核性评估、新一轮博士学位授权点申报；加强机关部门服务工作，切实提升管理服务能力和水平三方面工作进行了集中研讨。11 个教学实体和 9 个部门的负责同志结合本单位工作实际，汇报了本单位 2017 年工作目标、思路和举措
2017 年 8 月 22—23 日	2017 年暑期工作研讨会	会议全面谋划、推进落实学校第八次党代会提出的各项目标任务，凝心聚力，为学校"双一流"建设同心奋斗
2018 年 2 月 24—25 日	2018 年寒假工作研讨会	会议围绕落实学校第八次党代会提出的各项目标任务、全面从严管党治党、全面推进内涵发展的主题，进行深入研讨交流，凝聚思想共识，精心谋划 2018 年学校各项工作
2019 年 2 月 22—23 日	2019 年寒假工作研讨会	会议就学校 2019 年重点工作开展深入研讨交流，进一步凝聚思想共识，汇聚推动学校发展的强大力量
2019 年 8 月 31 日	2019 年暑期工作研讨会	会议围绕高等教育的初心和使命、学校人才培养的核心目标以及学校下半年重点工作等进行交流研讨，对学校下半年工作安排进行了总体部署
2020 年 9 月 4—5 日	2020 年暑期工作研讨会	会议全面研讨学校"十四五"发展规划、四个专项规划及各办学实体发展规划，分析形势、提出举措、统一思想、汇聚力量，深入谋划当前和未来一段时期学校发展总体思路和发展路径

（续表）

时间	会议名称	主要内容
2021 年 3 月 4—5 日	2021 年寒假工作研讨会	会议深入研讨、科学谋划学校 2021 年度重点工作及"十四五"事业发展，进一步统一思想、增强信心、坚定决心
2022 年 2 月	全校各单位 2022 年寒假工作研讨会	研讨会以科学谋划 2022 年工作，推动学校高质量内涵式发展凝聚思想共识、汇聚强大力量为主题。校领导余其俊、梁樑、吴玉程、陈刚、陈鸿海、刘晓平、刘志峰、季益洪、郑磊出席分管单位和联系学院的研讨会并进行现场指导
2024 年 3 月 1—2 日	2024 年发展建设研讨会	会议重点围绕如何科学谋划学校第九次党代会的目标任务、思路举措及 2024 年度重点工作等方面进行研讨，推动学校高质量内涵式发展，加快国际知名研究型高水平大学和一批世界一流学科建设，以优异成绩迎接新中国成立 75 周年
2025 年 1 月 21 日	2025 年工作研讨会	会议聚焦学校高质量发展，围绕各领域重点工作和目标任务，总结进展成效，分析形势问题，深入研讨并谋划 2025 年工作重点和努力方向
2025 年 3 月 12 日	2025 年度工作会议	会议重点围绕贯彻落实怀进鹏同志在 2025 年全国教育工作会议上的讲话精神、教育部 2025 年工作要点、学校第九次党代会精神，部署学校 2025 年重点工作，进一步统一思想认识、坚定发展信心、明确工作重点、凝聚奋进共识，推动学校各项工作高起点布局、高质量推进，奋力谱写特色鲜明的世界一流大学建设新篇章
2025 年 7 月 13 日	2025 年暑期工作研讨会	会议重点谋划新兴交叉学科建设，特别是聚焦人工智能新兴交叉学科、新能源汽车和智能机器人新兴交叉学科、集成电路新兴交叉学科、低空经济新兴交叉学科建设。会议提出了"以生为本、以师为尊、以学术为理想、以报国为责任"的办学理念，要求干部当先锋官、参谋、工程师，做行动派和实干家。会议要求，要加强基础保障能力建设，启动项目前期论证和入库准备工作

第二节　事业发展规划的编制与实施

科学制定和接续实施五年规划，是我们党治国理政的一条重要经验。科学编制并有效实施五年规划，阐明学校奋斗目标在规划期内的战略部署和具体安排，明确学校工作重点，引导资源配置方向，对推动学校高质量内涵式发展有重要作用。

一、"十三五"事业发展规划的编制与实施

"十三五"时期（2016—2020 年）是我国全面建成小康社会的决胜阶段，是实现我们党"两个一百年"奋斗目标的第一个百年奋斗目标的重要阶段，是统筹推进我国高等学校"双一流"建设的战略推进期，学校审时度势，锚定内涵式发展不放松，不断总结办学经验，凝练办学特色，编制《合肥工业大学"十三五"事业发展规划（2016—2020)》，提出建设国际知名的研究型高水平大学目标，积极推动人才培养、科学研究、社会服务、文化传承创新和国际合作交流等方面向更高层级发展。

（一）"十三五"规划的启动与编制

2015 年 3 月 19 日，教育部办公厅印发《关于直属高校开展"十三五"规划编制工作的意见》（教高厅〔2015〕1 号），就直属高校开展"十三五"规划编制工作进行统一部署，要求各直属高校在 2015 年 12 月底前将"十三五"规划文本（备案稿）报教育部备案，2016 年 6 月前规划正式文本向社会公布。2015 年 5 月 25 日，学校党委印发《关于编制"十三五"规划工作的通知》（合工大党发〔2015〕25 号），正式启动学校"十三五"规划编制工作，明确了规划编制的主要任务和工作要求。学校成立"十三五"规划编制领导小组、工作小组办公室和总体及各专项规划编制工作小组，建立学校"十三五"规划编制机制。

经过为时一年的精心编制，形成了《合肥工业大学"十三五"事业发展规划（2016—2020)》文本，规划文本于 2016 年 6 月 24 日报教育部审核备案。规划提出了学校"十三五"期间的发展思路、发展目标、主要任务和工作举措，形成了 1（学校规划）＋3（学科建设、队伍建设、基础能力建设等专项规划）＋19（学院规划）的规划体系。

（二）"十三五"规划确定的发展目标与主要任务

"十三五"发展目标　到 2020 年，学校人才培养质量、科学研究水平、社会服务成效和文化传承创新能力显著提高，队伍建设水平和国际交流合作质量明显提升，"世界一流大学和一流学科"建设取得重大进展，综合改革任务全面完成，党的建设全面加强，国际知名的研究型高水平大学建设扎实推进。具体目标为：

人才培养质量全面提高。到 2020 年，在校学生规模稳定在 4.2 万人左右。"十三五"期间，稳定本科生规模，大力发展研究生教育，加快发展留学生教育，统筹发展继续教育。学生服务国家、服务人民的社会责任感、勇于探索的创新精神和解决实际问题的实践能力切实增强，学校"工程基础厚、工作作风实、创业能力强"的人才培养特色更加鲜明，毕业生就业率保持在 95% 以上，就业渠道不断拓宽，就业质量不断提高。

科技创新能力显著增强。到 2020 年，科研的核心发展目标为："十三五"末计划类科研总经费比"十二五"末增长 1 倍；以学校为第一单位的 SCIE 和 SSCI 期刊收录论文比"十二五"增加 2 倍；以学校为第一单位的国家级科研奖励、国际专利和国家级科研平台三个方面取得突破；努力建成若干具有国内一流水平的研究机构和团队，产生一批具有国际先进水平的创新成果；大力提升政产学研用合作的水平和层次，以解决产业发展的关键技术为导向，积极争取重点和重大企业委托项目，巩固和提高学校的产学研用传统优势。

人才队伍建设成效明显。到 2020 年，专任教师队伍规模达到 2600 人左右，专任教师占教职工比例超过 65%；按照一流学科标准要求，引进和培育一批在国际上或本学科领域有广泛影响力的学科带头人和知名学者，培养和引进院士、"万人计划"入选者、"长江学者奖励计划"入选者、国家自然科学基金"杰出青年基金"获得者以及"青年拔尖人才支持计划"入选者、"长江学者奖励计划"青年学者项目入选者、国家自然科学基金"优秀青年基金"获得者等各类国家级人才 20 名以上；培养和引进学校"黄山学者计划""黄山青年学者计划"入选者等优秀学术带头人 80 名以上；专任教师中具有博士学位的比例达到 75%；建设一支素质优良、规模适中、结构合理的师资、管理、支撑服务队伍。

学科综合实力稳步提升。到 2020 年，材料科学、化学、工程学三个学科继续保持 ESI 全球排名前 1%；按照世界一流学科的标准和要求，建设发展学校的其他学科；加强基础研究和应用基础研究，实现知识创新与技术创新，引领产业技术的发展和解决产业关键共性技术问题；加强人文社会科学学科建设，实现中国经济学、管理学和其他人文社会科学的创新发展，同时为政府、行业和企业发展提供宏观政策的支持。

国际交流合作扎实推进。到 2020 年，来校从事合作、交流、讲学的国际（境外）短期专家、学者等累计达到 1500 人次；教师出国（境）交流累计达到 1200 人次；在校各类留学生达到 380 人次；聘请中长期外籍专家及教师累计达到 150 人次；派出学生国际（境外）交流学习达到 1200 人次；推进国际化示范学院建设进程；引进若干一流战略科学家，拥有一批具有全球战略思维、跨文化沟通合作能力、富有创新精神的国际化人才；科研合作国际平台建设稳步推进；国际交流与合作水平得到明显提升。

办学空间布局更加优化。到 2020 年，学校的办学空间布局得到全面优化。学校按学科群实施布局优化，屯溪路校区有机械工程学院、汽车与交通工程学院、材料科学与工程学院、电气与自动化工程学院、土木与水利工程学院、管理学院、仪器科学与光电工程学院、资源与环境工程学院、化学与化工学院；翡翠湖校区有计算机与信息学院、马克思主义学院、经济学院、外国语学院、建筑与艺术学院、食品科学与工程学院、数学学院、电子科学与应用物理学院（含微电子学院）、软件学院、生物与医学工程学院；在保持学校总面积和教学用地面积不减少的情况下，整合土地资源，适当调整置换；宣城校区实施延伸办学、创新模式、办有特色、差异化发展；学校与合肥市共建智能制造技术研究院，成为推动国家智能制造产业发展的重要基地。

党建思政工作全面加强。到 2020 年，学校党建思政工作得到全面加强。党中央、教育部党组和中共安徽省委关于党的建设的各项重大决策部署得到坚决贯彻落实；党对学校事业发展的领导全面加强，从严管党治党的要求全面落实；领导班子和干部队伍建设卓有成效，基层党组织建设扎实推进，党员干部素质明显提高，党内制度更加完善，师德师风建设、党风廉政建设和反腐败斗争深入推进；思想政治工作针对性、实效性更加明显，师生员工理想信念更加坚定；《中共合肥工业大学委员会关于进一步加强和改进新形势下党的建设的若干意见》得到全面推进实施，学校党委总揽全局、协调各方的领导核心作用不断增强，党的建设得到全面加强和改进。

为推进学校"十三五"规划目标的实现，规划拟订了人才培养、科学研究、学科建设、队伍建设、国际交流与合作、社会服务、党建和思想政治工作七大类别共 35 项具体工作任务，确定了 16 项主要办学指标。

（三）"十三五"规划任务的落实与评估

2017 年 4 月 6 日，学校印发《合肥工业大学"十三五"事业发展规划任务分解方案和考核评估办法》（合工大政发〔2017〕28 号），明确了 15 项关键办学指标（KPI），遴选了 26 个规划重点项目，以关键指标为导向，以项目管理为抓手，明确职责，加强协作，强化各项任务举措的推进落实，确保各项目标指标的顺利完成，全面推进国际知名的研究型高水平大学建设。

2018 年 4 月 26 日，学校印发《合肥工业大学"十三五"规划实施情况中期评估工作方案》（合工大政发〔2018〕54 号），明确了学校目标指标完成度、重点项目推进度、学院规划实施度和对策建议 4 个方面的评估重点内容。评估过程中，相关职能部门对关键办学指标、规划重点项目进行了评估自查；19 个学院对本院的"十三五"规划实施情况进行了自我评估；3 个专项规划（师资队伍、学科建设、基本建设）分别由牵头编制单位进行了自我评估。评估后形成《合肥工业大学"十三五"规划实施情况中期评估报告》（合工大政发〔2018〕150 号）。

中期评估结果显示，学校"十三五"规划提出的主要目标任务总体进展良好，关键指标按计划逐步完成，重点规划项目按计划稳步推进，任务举措按计划顺利实施，基本实现了"时间过半，完成任务过半"。学校在客观评价进展成效、总结提炼经验做法、深入剖析问题原因的同时，根据党的十九大精神及学校第八次党代会的决策部署，对"十三五"规划的指导思想、奋斗目标、主要战略等部分内容进行了修订，提出推进"十三五"规划落实的主要举措。

"十三五"期间，学校紧紧围绕第八次党代会确定的目标任务，全面加强内涵建设，全面深化综合改革，全面推进依法治校，全面从严管党治党，较好完成了"十三五"规划确定的主要目标和重点建设任务。

二、"十四五"事业发展规划的编制与实施

"十三五"以来，学校积极抓住"双一流"建设机遇，高质量完成首轮"双一流"建设任务，积极拓展办学资源，实现了安徽省常态化资金投入支持学校"双一流"建设。"十四五"时期是我国由全面建成小康社会后开启全面建设社会主义现代化国家新征程的首个五年，是"两个一百年"奋斗目标的历史交汇期，是国家全面加快推进"双一流"建设的重要时期，也是学校实现"三步走"发展战略第一步战略的达成期。学校把握机遇，克服困难，应对挑战，编制并实施"十四五"事业发展规划，推动学校高质量内涵式发展。

（一）"十四五"规划的启动与编制

2020 年 3 月 6 日，学校党委印发《合肥工业大学"十四五"规划编制工作方案》（合工大党发〔2020〕8 号），成立"十四五"规划编制领导小组和五个规划编制工作小组，明确学校"十四五"规划由 1 个总体规划（《合肥工业大学"十四五"事业发展规划（2021—2025）》）和 4 个专项规划（党建工作规划、学科建

设规划、师资队伍建设规划、基础能力建设规划），以及各学院、各职能部门、直附属单位规划组成，全面启动学校"十四五"规划编制工作。

2020 年 10 月 6 日，合肥工业大学理事会 2020 年会议召开期间，时任校长梁樑作了题为"合肥工业大学'十四五'事业发展规划"的主题报告，从发展基础、主要任务、保障措施等方面向与会理事介绍了学校"十四五"事业发展规划总体思路和有关情况。与会理事和嘉宾分组就学校"十四五"事业发展规划进行了讨论，为推进学校各项事业高质量内涵式发展提出了意见和建议。

经过为时一年的精心编制，形成了《合肥工业大学"十四五"事业发展规划（2021—2025）》文本，按照教育部高等教育司《关于直属高校报送"十四五"规划（初稿）的通知》要求，学校将"十四五"规划文本报教育部审核。2021 年 9 月 1 日，教育部办公厅印发《关于反馈直属高校"十四五"规划审核意见的通知》（教高厅函〔2021〕27 号），对学校"十四五"规划文本给予高度评价，同时也提出部分的完善建议。学校根据反馈意见对"十四五"规划文本进行了修改完善，并于 9 月 16 日经第八届党委全委会第 10 次会议审议通过。2021 年 9 月 29 日，学校报送《合肥工业大学"十四五"事业发展规划（2021—2025）》（合工大政〔2021〕93 号）至教育部办公厅备案。

（二）"十四五"规划确定的发展目标与主要任务

"十四五"发展目标　"十四五"时期的奋斗目标是实现学校第八次党代会确定的"三步走"战略目标的第一步，即到建校 80 周年之际，奠定高水平大学基础。学校的中长期发展目标是到建校 90 周年之际，争取有 5～8 个学科进入世界一流学科行列，形成高水平大学格局；到建校 100 周年之际，实现国际知名的研究型高水平大学建设目标，争取进入世界一流大学行列，以优异的成绩迎接新中国诞生 100 周年。具体目标为：

完善特色鲜明的创新人才培养体系。构建全面发展与个性发展相融合的精英人才培养体系和"以学生为中心"的研究型教学体系，建成一支高水平教学队伍和导师队伍，新增一批国家级优质教育资源和平台，培养工程基础厚、工作作风实、创业能力强，具有国际视野、社会责任感和健全人格的拔尖创新人才。到 2025 年，全日制本科生规模稳定在 3.2 万人左右，全日制研究生规模达到 1.5 万人左右，留学生规模达到 1000 人以上。

建设一批世界一流学科。大力提升工科水平，强力发展高水平、高起点理科，创新性发展医科，努力建设在国内具有重要影响的人文学科，着力推进学科交叉融合，构建基础学科实力雄厚，应用学科活跃强劲，交叉、新兴学科不断萌生的学科体系。到第五轮学科评估时，管理科学与工程等 2 个以上学科进入 A

档，确保工程管理与智能制造学科群处于国内外领先水平，其余参评学科均能取得新的较大进步。到 2025 年，2 个学科跻身全国同类学科前 10%，6～8 个学科跻身前 20%。

产出一批有重大影响的创新成果。构建"四个面向"新型科研架构体系，充分发挥学校在工科领域的综合实力和人才聚集优势，继续巩固和加强科研特色和优势，大幅提升基础研究水平，加强跨学科、跨学院交叉特色研究中心建设，产生一批具有重大影响的成果。到 2025 年，新增以学校为第一完成单位的国家级科技奖励 1 项，牵头获得省部级科技、社会科学一等奖 20 项以上，以学校为第一单位高水平学术论文等成果数量比"十三五"末增加 5%，在国家级科研平台、高端智库建设方面取得突破，努力建成若干具有国内一流水平的研究机构和团队。

建成一支具有国际影响力的高水平师资队伍。全面提升教师队伍整体能力，汇聚一批活跃在国际学术前沿和国家战略需求领域的顶尖人才、杰出人才和青年人才，不断完善人才发展体系，建成一支师德高尚、学术卓越、结构合理、竞争力强、具有国际影响力的高水平师资队伍。到 2025 年，新增国家级高层次人才 30 名，新增教师和各类研究人员 1000 名（其中新增"斛兵学者"80 名、"黄山学者"120 名），具有博士学位的教师占教学科研人员的比例超过 80%；具有国际化背景和经历的教师占教学科研人员的比例超过 45%。

开创国际化办学新局面。大力拓展与世界一流大学和科研机构的合作交流，积极推进国际化办学进程，营造国际化的校园氛围。到 2025 年，新增 10～20 个有实质性合作的国际伙伴，重点建设 3～5 个"对外开放旗舰学院"；新增中外合作办学项目 3 个；学生联合培养项目达 20 个；拓展 3～5 个寒暑假学生国际组织、企业实习和世界名校课程学习等项目；来校交流讲学的国际（境外）短期专家学者突破 500 人次/年；外籍及港澳台教职员工达到专任教师人数的 3%～5%；具有海外交流、学习经历的在校学生数达到 3000 人次。

构建一流的现代大学治理体系。持续完善具有工大风格的现代大学制度，坚持用制度管权管事管人，推动制度执行能力显著提升，制度效能不断释放；深入推进校院两级管理体制改革，扩大学院办学自主权和资源统筹分配权，激发学院奋进动力和发展活力；持续优化管理机构设置和职能配置，强化权责意识和统筹协同，提升管理效率；创新治理方式，提升学校综合运用制度、标准、信息技术等现代治理手段的能力和水平。加强理事会建设，加强与校友、社会各界的联系，健全社会支持学校发展的长效机制。完善校办产业治理结构和治理体系。

大幅提升条件支撑与后勤保障能力。整合优化现有办学资源，推进校区功能优化完善，提升多校区办学管理水平。积极争取各类资源，加快推进学校基础设施建设，新增教育教学建筑面积 20 万平方米以上；以大数据、人工智能技术为驱动，加快推进教育信息化工作，促进信息化与教学科研、教育管理、基础条件保障等的深度融合；提升校园文化氛围和环境品质，建设与国际知名的研究型高水平大学相匹配的环境友好型、资源节约型绿色校园、智慧校园、平安校园。学校年收入达30亿元，校办产业上缴学校突破2亿元，各类社会捐赠达每年2000万元。

为实现学校"十四五"确定的目标，规划拟订了人才培养、学科建设、一流成果产出、师资队伍建设、国际交流合作、校园文化建设、社会服务、治理体系建设、全面从严治党九部分37项工作任务，同时，提出坚持党的领导、加强财力保障、加强基础条件建设、加强智慧校园建设、提升后勤保障和民生服务水平等措施。规划确定了35项主要办学指标，凝练了20个重点建设专栏。

(三)"十四五"规划任务的落实与评估

2021年11月26日，学校印发《合肥工业大学"十四五"事业发展规划(2021—2025)》《合肥工业大学"十四五"事业发展规划（2021—2025）任务分解方案》(合工大政发〔2021〕178号)，将规划提出的发展目标、主要任务分解为49项分项工作、220项具体工作任务，明确职责，加强协作，将规划的各项任务纳入学校年度党政工作要点，确保学校"十四五"期间各项发展目标任务有序推进和落实。同时，《合肥工业大学党建工作"十四五"规划》（合工大党发〔2021〕94号)、《合肥工业大学师资队伍建设"十四五"规划》（合工大政发〔2021〕179号)、《合肥工业大学学科建设"十四五"规划》（合工大政发〔2021〕180号)、《合肥工业大学基础能力建设"十四五"规划》（合工大政发〔2021〕182号)相继印发。

2022年4月6日，学校印发《关于开展"十四五"规划实施情况检查的通知》，要求各部门、各单位对照《合肥工业大学"十四五"事业发展规划(2021—2025)》《合肥工业大学"十四五"事业发展规划（2021—2025）任务分解方案》，从主要办学指标完成情况、重点建设专栏实施情况、政策措施落实情况、规划实施中采取的主要措施和效果、存在的主要问题和原因等方面进行自查，形成自查报告。自查结果显示，学校"十四五"规划确定的工作任务落实良好。

2024年1月，学校对"十四五"规划7个模块35项主要办学指标执行情况进行了中期检查，并形成《"十四五"规划主要办学指标进展情况（2021—2023年）报告》。报告显示，35项指标中，已完成10项、进展顺利6项，除涉外合作部分指标由于疫情等诸多外因导致执行速度较慢外，其他指标总体执行情况良好。2024年1月29日，学校领导班子围绕"十四五"规划各项指标推进工作召开研讨会。

通过"十四五"规划的实施，学校人才培养、科学研究、社会服务、文化传承创新和国际合作交流水平进一步提升，学术声誉日益彰显，社会影响力进一步扩大。

三、制定并实施教育强国三年行动计划实施方案

为深入贯彻党的二十大、二十届三中全会精神，落实全国教育大会精神，全面推进《教育强国建设规划纲要（2024—2035 年）》《加快建设教育强国三年行动计划（2025—2027 年）》重要部署，推动学校高质量发展，学校制定《合肥工业大学贯彻落实加快建设教育强国三年行动计划实施方案（2025—2027 年）》。

《合肥工业大学贯彻落实加快建设教育强国三年行动计划实施方案（2025—2027 年）》（合工大党发〔2025〕40 号）经 2025 年 7 月 7 日党委常委会审议通过，方案坚持以习近平新时代中国特色社会主义思想为指导，深入贯彻党的二十大和二十届二中、三中全会精神，全面落实习近平总书记关于教育的重要论述和全国教育大会精神，全面把握教育的政治属性、人民属性、战略属性，对标加快建设教育强国三年行动计划，以国家和地方重大战略需求为牵引，锚定建设特色鲜明世界一流大学奋斗目标，聚焦改革发展目标任务，全力推进"思政引领力提升行动、'千人一领军'创新人才培养行动、中国哲学社会科学自主知识体系构建行动、科技创新效能提升行动、高层次人才倍增行动、教育家精神铸魂强师行动、教育数字化战略行动、高水平对外开放行动、联动高效的大安全工作体系构建行动"九项发展行动，持续深化"教育评价改革、大中小学思政课一体化改革、学科专业设置调整机制改革、拔尖创新人才发现和培养机制改革、科技创新体制机制改革"五项改革任务，推动学校高质量发展，加快建设特色鲜明的世界一流大学。

三年行动计划实施方案主要目标　到 2027 年，党的全面领导坚强有力，立德树人根本任务全面落实，人才培养质量显著提升，学科综合实力明显增强，科技创新能力大幅跃升，高层次人才倍增取得新突破，服务国家和区域发展能力显著提高，支撑教育强国战略的贡献度持续凸显，为实现学校本世纪中叶的发展愿景，建设成为特色鲜明的世界一流大学奠定坚实基础。

第三节　与国防科工局共建、新一轮省部共建

2015 年以来，学校不断拓展办学资源，积极争取教育部、国防科工局、安徽省委、省政府以及行业等对学校的办学支持，有力地推进了学校"双一流"建设。

一、与国防科工局共建

国防科技工业是国家战略性高技术产业，是国防和军队现代化的重要基础支撑，学校积极面向国家战略，瞄准国防需求，发挥创新主体作用和科技优势，加强应用基础研究，多项技术被应用到重大国防工程和装备中，为国防现代化建设作出了应有贡献。

2018 年 7 月 4 日，国家国防科技工业局、教育部联合印发《关于共建北京科技大学等 8 所高校的决定》（科工技〔2018〕984 号），确定合肥工业大学为"十三五"期间新增共建的 8 所高校之一。

主要共建内容　国防科工局和教育部按照"同等优先，择优扶强"的原则，支持共建高校加强国防特色学科建设、国防科技创新基地和创新团队建设以及军工特色专业人才培养等工作；充分发挥学校专业优势，鼓励和支持共建高校承担军工科研任务，加强与军工企事业单位产学研用协同创新，推动学校军民融合发展。国防科工局和教育部要求，共建高校要以国家战略为先导，以自主创新为基点，围绕中国特色先进国防科技工业体系建设，加强改革创新，着力攻克制约国防科技发展的瓶颈短板，着力提升军工特色人才培养质量。要充分调动教师和科研人员参与国防科技创新活动的主动性和积极性，激发创新创造活力，不断实现前瞻性基础研究、引领原创性成果突破，提升服务国防科技工业发展的能力水平。

2022 年 9 月 23 日，时任国家国防科工局副局长李立功，中国电子科技集团有限公司副总经理、党组成员何松一行来校调研，时任校长郑磊、副校长刘志峰与李立功、何松一行进行了座谈交流。调研中，李立功、何松一行参观了学校校史馆、测量理论与精密仪器安徽省重点实验室、过程优化与智能决策教育部重点实验室。

2024 年 11 月 1 日，国家国防科工局十司副司长于国斌一行来校调研指导工作，安徽省军民融合办副主任陈剑陪同调研，时任副校长汪萌出席并主持座谈会。调研中，于国斌一行参观了雷电防护实验室、卫星智能运控管理实验室、医疗机器人与智慧医疗健康管理实验室、无人平台协同优化与智能决策实验室。

2025 年 7 月，学校首次获批 3 个国防重点学科与技术研究中心。

2015 年以来，学校共承担了 259 项国防军工项目，其中 10 项来源于国防科工局。特别是共建以来，学校坚持以"服务国防需求、强化国防特色、推动学科交叉"为目标，进一步强化与国防军工领域的科研合作，积极拓展国防科研合作渠道，培育优势国防科研方向，国防科研体量和国防科研平台建设水平均得到大幅提升。

二、教育部、安徽省共建合肥工业大学

作为教育部直属在皖唯一高校，学校一直以来受到教育部和安徽省高度重视和大力支持。教育部分别于 2006 年与安徽省人民政府共建合肥工业大学，于 2013 年与工业和信息化部、安徽省人民政府共建合肥工业大学，于 2024 年与安徽省人民政府重点共建合肥工业大学。

2024 年 1 月 2 日，教育部、安徽省人民政府印发《关于重点共建合肥工业大学的意见》（教高函〔2024〕4 号），加快推进学校"双一流"建设。共建内容如下：

教育部稳定支持合肥工业大学"双一流"建设。支持合肥工业大学实施教育部卓越拔尖人才教育培养计划 2.0，建设国家级一流本科专业和一流本科课程，培育国家级教学成果奖，打造国家教师教育改革实验区。支持合肥工业大学建设学位授权自主审核单位，合理确定办学规模及结构。支持合肥工业大学坚持"四个面向"，培育建设全国重点实验室、国家技术创新中心、国家工程实验室、教育部重点实验室、前沿科学中心等创新基地，建设大数据中心、综合性体育馆等基础设施。支持合肥工业大学围绕服务国家重大战略和区域经济社会发展，开展高质量人才培养和关键共性技术攻关，推动科技成果在皖就地转移转化。推动合肥工业大学与长三角地区高校、地方干部双向交流。支持合肥工业大学优化校区功能。

安徽省落实《关于全力支持合肥工业大学"双一流"建设的若干举措》，将支持合肥工业大学"双一流"建设经费从每年 5000 万元增加到 1 亿元，将合肥工业大学 A 类、B 类学科纳入安徽省高峰学科建设。支持合肥工业大学新组建全国重点实验室，参与芜湖特种显示技术国家工程实验室整合，建设强芯科技创新中心，支持智能制造技术研究院等高水平科研平台建设。支持合肥工业大学创建全国重点马克思主义学院。支持合肥工业大学引育高层次人才，对全职引进和新当选院士，按规定给予奖励；对符合"江淮英才计划"人才政策，入选国家高层次人才特殊支持计划、国家杰出青年科学基金、长江学者等项目的高层次人才，按规定给予一次性资助。支持合肥工业大学符合条件的各级各类人才申报安徽省、合肥市人才政策待遇。加大校园基础设施建设、周边环境优化改造和在职员工教育医疗住房保障力度。加快推进合肥工业大学校区土地置换相关事宜。落实《合肥工业大学　宣城市人民政府共建合肥工业大学宣城校区合作协议》，宣城市每年提供 2000 万元专项经费。支持合肥工业大学选派优秀年轻干部和高水平人才到市县、省属高校、国有企业挂职任职。合肥工业大学的国家"双一流"建设学科专业可在普通专业学费标准的基础上，上浮不超过 20％；国家级一流本科

专业建设点、全日制专业学位研究生、非全日制研究生学费标准，实行备案制管理；住宿费标准按照成本补偿和非营利原则实行动态调整；学校接收的自费来华留学生收费标准由学校合理确定。

合肥工业大学深入贯彻落实《教育部　财政部　国家发展改革委关于深入推进世界一流大学和一流学科建设的若干意见》（教研〔2022〕1号）精神，落实立德树人根本任务，加强高水平人才培养体系建设，培养服务国家发展战略和区域经济社会发展的拔尖创新人才，五年内毕业生留皖率达到40％。以国家自然科学基金基础科学中心等重点项目为依托，产出一批国际领先的原创性成果。加强有组织科研，组建国家级创新平台2～3个，打造世界一流学科，服务国家创新水平和区域创新能力提升。积极服务安徽省十大新兴产业发展，与安徽省共建科技成果转移转化平台，五年内实现科技成果转移转化1万项，培训产学研各类人才1万人以上。

教育部和安徽省通过会晤、会议或者其他形式研究确定共建重大事项，解决共建过程中的重大问题，将共同推进合肥工业大学"双一流"建设作为教育部、安徽省高等教育结构优化部省共同行动领导小组会商重要内容。教育部高等教育司、安徽省教育厅为双方共建的对口联系单位，共同负责协议事项跟踪管理和调度，推动落实共建具体事宜，并建立评估机制。根据评估情况，对共建内容和合作方式实行动态调整。在合肥工业大学设立办公室，负责共建日常事务。

第三章 赓续工业报国精神

八秩春秋薪火传，工业报国志弥坚。作为扎根江淮大地的"汽车界黄埔军校"，学校始终将红色基因与工业报国情怀深植办学实践。学校以办学历史积淀培育文化底蕴，以工业报国传统熔铸精神底色，以人才培养优势厚植发展底气，构筑起学校发展的精神文化内核。八十年来，学校涌现出一批师生典型，培养出一批杰出校友。面对新时代提出的一轮轮课题，一代代合肥工大人在服务国家重大战略和区域经济社会发展中，用实干笃行书写着工业报国的壮丽篇章。

第一节 精神文化内核凝练

学校始终与社会同进，以民族振兴和社会进步为己任，铸就了厚重的历史文化底蕴；始终与国家同行，发扬工科优势特色，造就了鲜明的工业报国底色；始终与时代同频，坚持"工程基础厚、工作作风实、创业能力强"人才培养特色，成就了坚实的创新人才培养底气。

一、厚重的历史文化底蕴

底蕴，源于历史传承与使命担当。学校诞生于国家和民族危难之际，始终以民族振兴和社会进步为己任。1945 年，抗日战争的硝烟刚刚散去，学校前身安徽省立蚌埠工业职业学校应运而生，"工业救国"就成为全体师生的共同追求。新中国成立后，学校校址几经变迁，在栉风沐雨的办学征程中始终坚持服务国民经济工业体系建设，在服务装备制造业方面形成了鲜明特色，奠定了"工业报国"的办学传统。走进新时代，面对全面推进强国建设、民族复兴伟业的神圣使命，"工业强国"已成为学校不懈追求的奋斗目标。十年来，学校党委坚持以高质量党建引领高质量发展，从第八次党代会擘画"国际知名的研究型大学"蓝图，到第九次党代会明确"特色鲜明的世界一流大学"目标，坚持以政治领航把方向，以思想强基筑根本，以组织创优强堡垒，以干部锻造铸队伍，以廉洁清风树正气，以同心聚力汇合力，推动形成了"教师三尺讲台育桃李、学生创新报国显担当、校友实业兴邦展宏图"的奋进氛围，工业报国精神在一代代合肥工大人身上接续传承，工大故事始终与国家发展同频共振。

二、鲜明的工业报国底色

底色，成于学科深耕与科技自强。学校始终坚持服务国家工业发展所需，主动布局学科专业，形成"以工立校、以工兴校、以工强校"的学科专业布局。从建校之初设立土木科、纺织（染织）科，到新中国成立初期设立煤田地质、测量、矿山机械等专业，再到 1958 年新增 34 个服务装备制造业的学科专业，为新中国工业体系建设培养了一批骨干人才。改革开放后，学科布局向工业自动化、计算机应用、机械制造、精密仪器等拓展，倡导把"论文写在产品上、研究做在工程中、成果转化在企业里"，推动构建"工科为主、多科协同"发展格局。迈入新时代，学校服务支撑国家新兴产业的专业多达 82 个，现有的 20 个一级学科博士学位授权点、5 个博士专业学位授权点中，工科博士点占比近 80％，新工科专业布局与国家新兴产业高度契合。充分发挥工科办学特色优势，创立"企业出题、政府立题、高校解题、市场阅卷"的政产学研用合作模式——"合工大模式"服务企业超 3900 家。十年来，学校坚持"四个面向"，以一流学科建设领航，大力推进特色学科群建设，12 个学科进入 ESI 全球排名前 1％（工程学挺进 ESI 全球排名前 1‰），一大批科研成果被应用于国家重大工程，从助力"天问探火"到支撑"C919 翱翔"再到"首望"装置上行中国空间站，工大智慧深度融入国家工业化进程。

三、坚实的创新人才培养底气

底气，立于育人初心与师资筑基。建校八十年来，学校为国家输送了 50 余万名毕业生，培养了 10 名两院院士和一批高层次人才，"工程基础厚、工作作风实、创业能力强"的人才培养特色持续彰显。学校校友创办或任主要负责人的上市公司达 67 家，超过 400 名校友在国有重点企业、上市公司、世界 500 强企业中担任掌门人，形成了"千人一领军"的创新人才培养品牌，被媒体评价为"汽车界的黄埔军校""挺起了工业报国的脊梁"。十年来，学校明确"培养德才兼备、能力卓越，自觉服务国家的骨干与领军人才"的人才培养总目标，持续深化"立德树人、能力导向、创新创业"三位一体教育教学集成体系，人才培养质量不断提升，学校毕业生 70％以上服务于高端装备制造业、信息技术产业等行业，70％以上进入央企、国企及各类 500 强企业、上市公司。学校实施"人才强校"战略，多措并举持续提升师资队伍建设水平，高层次人才培育引进工作成效显著，拥有各类国家级、省部级人才 400 余人，一支高素质教师队伍正托举起拔尖创新人才培养的新高度。

第二节　文化育人矩阵构建

学校以"工业报国"精神为内核，围绕场馆育人、品牌引领、实践锤炼构建文化育人矩阵，形成全方位、多层次、立体化的育人体系。学校充分发挥校内外博物馆资源优势，打造校史馆、工程认知博物馆等特色馆群，将文化资源转化为育人资源；培育"一封家书"等"一院一品"特色品牌项目，创新形式厚植家国情怀；打造"三下乡＋返家乡＋社区实践"三位一体实践模式，组织学生在服务社会中强化使命担当，实现了文化传承与育人实践的深度融合，为培养具有家国情怀和创新精神的新时代人才提供了生动范式。

一、场馆育人融合赋能

学校创新教育模式，充分发挥校内外博物馆资源优势，通过馆校合作搭建平台、特色馆群多维引领、研学实践强化传承，把展陈资源转化为育人资源，努力打造具有时代特征、工大特色的场馆里的思政精品课，让场馆真正成为学生获取历史知识、汲取精神力量的教育阵地。

（一）搭建馆校合作平台

作为文化、历史、知识的传播机构，博物馆中的文物陈列流淌着历史的智慧、文化的自信与精神的力量，是高校重要的思政教育资源。近年来，学校深度挖掘本地博物馆资源优势，构建校馆协同育人机制，探索博物馆中更生动的思政课堂和更直观的文化教育。学校积极推动馆校共建，与安徽博物院等共建大学生育人实践基地，并充分利用渡江战役纪念馆、安徽名人馆、安徽美术馆等场馆资源开展校外研学实践，通过人才交互培养、学术交流研究、联合设计展览等形式，将思政课堂搬进博物馆，让文物、展品"说话"，让思政课"活起来"。同时，强化馆校间师资联合培养，通过双师课堂、联合教研、交叉培训等形式，建立馆校合作长效机制，开展全方位、多领域合作，切实发挥博物馆馆藏资源丰富和文化底蕴深厚的优势，发挥高校的人才优势和科研技术优势，实现人才共享、联动育人，推动中华优秀传统文化、安徽地域文化的创造性转化和创新性发展。

（二）建设校内特色馆群

学校高度重视文化育人平台建设，近年来打造了特色鲜明的博物馆群体系。2020 年 9 月在屯溪路校区建成校史馆，2022 年 7 月地质博物馆正式开馆，与工程认知博物馆、徽派建筑文化展示中心、生物标本馆等共同构建了多元文化育人矩阵。这些场馆相继被认定为全国首批"大思政课"实践教学基地、国家级科普教育基地、省级首批中华优秀传统文化传承基地、省级爱国主义教育示范基地。传承学校文化精神，以校史馆为阵地，深入挖掘工大历史足迹和文化传统，举办新生入学教育、校史我来讲等活动，厚植学生爱校荣校情怀。践行工业报国志向，以学校工程认知博物馆为依托，建成学校"大思政"工程素质教育实践基地，推动学生强化学科认知、提升专业素养。彰显秀美山川魅力，以地质博物馆为载体，千余件珍贵展品系统展示地质变迁、资源集聚、生态文明等科普常识。作为安徽省首家高校地质博物馆，地质博物馆已成为社会科普教育的"打卡地"。弘扬徽州地域文化，以学校徽派建筑文化展示馆为平台，通过专题展览、学术讲座、陶艺工坊等活动，合力打造极具特色的徽州文化专题展示场馆。系列场馆成为学校文化品格的集中展现地，在人才培养、文化传承创新等方面发挥了重要作用。

（三）发挥特色馆群阵地功能

挖掘博物馆里丰富的思政育人元素，组织开展"博物馆里的思政课"系列教育活动。深耕文化内涵，融入日常教育，将小班辅导课、主题班会课、支部党团课开在展馆，将校内馆群参观体悟作为爱校荣校教育重要内容，邀请专家学者定期在展馆举办思政微课堂，以国际博物馆日、校庆日、世界地球日等时间节点为契机组织系列宣教活动。用活馆藏资源，深化专业教育，举办系列研究成果展、教学成果展、师生作品展，组织开展"微观山川"模型课、陶艺手工课、标本制作课、工程训练课等体验类课程，为相关专业学生提供实践感知课堂，切实促进第二课堂与第一课堂互动互补。推动共享传播，助力文化传承，学校依托博物馆里的系列思政课程，遴选培育了一批教师研究团队和学生解说团队，形成了思政教师带头讲、研究学者专题讲、学生骨干带动讲的施教格局；通过组织学生开展"文化寻根"寒暑假实践，参与"博·物"系列文创产品设计，布置思政课后作业，征集了书画摄影类、艺术设计类、传统技艺类、工程制造类等系列作品，录制了"博物云讲堂"系列微课，切实助推了青年大学生积极参与优秀文化的创新、传播与共享。

二、品牌引领铸魂聚力

学校构建校级标杆、院级特色、基层创新三级品牌体系，精心培育"斛兵大讲堂""一二·九"文艺汇演等校级标杆项目，同时鼓励各学院打造特色品牌，通过创新形式将文化传承与思政教育有机融合，涌现出"一封家书""红色金融特色党建工程""红色皖南·铸魂育人""灯笼节""建筑风""青春引路人"等一批具有影响力的"一院一品"活动，同时积极推动廉政文化、商标保护、"读懂中国"等创新实践，不仅在校内形成了浓厚的文化育人氛围，更通过文创产品开发、社会实践调研、校地合作共建等方式延伸育人成效，多次获国家级荣誉和省级表彰。

（一）一封家书：寻万千家书故事，品时代家国情怀

材料科学与工程学院深入挖掘家书文化内涵，创新开展"一封家书"传统文化育人项目，通过"写、读、品、演"四位一体的活动体系，将家书打造成为传承中华优秀传统文化、培育家国情怀的重要载体。项目依托传统与现代结合，开展家书写作、诵读分享、红色家书品读荟、红色家书寻访、文创产品开发等活动，有效提升了思政工作的亲和力和实效性，形成了良好的示范效应和社会影响力。2015 年 1 月，"传承家书文化守护亲情家园——材料学院大学生'一封家书'邮寄活动"项目获评教育部"礼敬中华优秀传统文化"特色展示项目。2024年 3 月，"寻万千家书故事，品时代家国情怀"一封家书系列活动项目获评全国"本科院校学生会精品项目"。

（二）红色金融：学习红色历史，践行金融报国

经济学院立足经济金融类学科特点，深入挖掘专业育人元素，打造"红色金融特色党建工程"，创新性开展金融历史文化教育。通过建设红色金融教育基地、制作"百年红色金融"系列微党课、打造特色党支部、组织红色金融发展史调研以及开展系列实践活动，成功将红色金融文化融入教育教学全过程，引导学生树立正确的职业价值观，明确金融报国、实业兴国的责任与使命。2025 年 2 月 18日，"学习红色历史，践行金融报国"案例入选教育部办公厅 2024 年高校"礼敬中华优秀传统文化"宣传教育活动"铸魂润心"文化育人创新工作案例。

（三）红色皖南·铸魂育人：打造校园红色文化传扬基地

宣城校区立足皖南地区丰富红色文化资源，创新打造"红色皖南·铸魂育人"基地，构建"四个向度"育人体系，打造"1＋N"红色文化展陈空间、构

建"一核多元"红色文化延展叙事、拓展"校内外一体"红色文化实践育人、探索"品牌引领"红色文化传扬范式,用红色资源涵育新时代青年,助推红色文化在新时代赓续传承、绽放生机,为新时代红色文化育人提供"合工大方案"。基地已形成红色铸魂特色育人模式,得到团省委和学校党委的充分肯定,并吸引多所学校、单位赴基地参观学习。"合肥工业大学:'四个向度'打造校园红色文化传扬基地"案例入选高校思政网典型经验栏目。

三、实践锤炼知行合一

学校坚持以学生德智体美劳全面发展为导向,把实践育人作为实施"时代新人铸魂工程"的关键举措,依托"返家乡"社会实践、"三下乡"社会实践、社区实践三大载体,着力构建"三位一体"实践育人长效机制,打造全年不落幕的社会实践场域,形成学校小课堂和社会大课堂紧密联动、师生共同参与的实践育人新范式。

(一)高位部署推动社会实践教育

学校坚持规范化组织、模块化组团、项目化运行、长效化管理,打通校内外渠道,多方争取社会资源,探索形成"三下乡"、"返家乡"、社区实践"三位一体"实践育人机制,使社会实践真正成为"校园+社会"联合育人的核心载体,让学生在亲身参与中经风雨、见世面、受锻炼、长才干,树立起对人民的感情、对社会的责任、对国家的忠诚。加强对"三下乡"社会实践指导,引导广大青年学生利用暑期开展文化科技卫生"三下乡"活动,用脚步丈量祖国大地。稳步推进"返家乡"社会实践,引导大学生在返乡实践中了解国情、感知社会、热爱家乡、服务群众。持续探索社区实践,组织大学生利用课余时间、节假日、寒暑假就近就便向城乡社区、青年之家报到,开展社会治理、课后服务、社会调查等活动。

(二)探索更加多元实践项目平台

规范实践育人基地建设,整合校内外社会实践基地,探索校地共建协同育人的培养模式,打造场景化社会实践活动校地联动共同体。设立"社区实践"专项,依托合肥、宣城多个主城区,实现与55个街道、288个社区全覆盖结对,并辐射周边县区全面开展校地共建。此外,与全国乡镇、农村、学校等地合作挂牌实践基地234处。深度对接实践地需求,采用"地方出榜、学生揭榜"方式开发培育长期性、沉浸式、交互式的实践项目,多方联合构建满足大学生成长成才需求的特有场景。同时,依托"青年实干家计划""扬帆计划""百企千岗"等项目，助推青年学生将社会实践与职业发展相结合、与专业学习相结合，检验理论所学，增长知识见识，提高社会实践能力。

（三）有效激发实践参与内生动力

依托"第二课堂成绩单"制度，开发社会实践数字化智慧平台系统，对实践活动立项、过程实施、实践成果进行客观记录和科学评价，每年累计实践记录2万余次，实现对学生参与实践的动态检测和精准画像。同时，将社会实践活动开展次数、实施级别、成果成效等作为学生综合测评、评奖评优、推优入党、就业能力评估等重要参考要素，将实践活动开展纳入"第二课堂成绩单"，成绩单放入个人毕业档案，成为用人单位选人用人的重要参考材料。学校对优秀社会实践作品进行持续培育、孵化形成优质项目，与"挑战杯"系列科技学术竞赛、"中国国际大学生创新大赛"、"中国青年志愿服务项目大赛"等重大赛事有机结合并屡获佳绩，实现"一个活动、多重收益"。

学校社会实践工作受到教育主管部门、上级团组织及社会的充分肯定。学校连续多年获全国暑期"三下乡"社会实践活动优秀单位，获评2021年度、2022年度全国大学生"返家乡"社会实践活动全国表扬单位，获批全国高校思想政治工作精品项目2个，获安徽省教学成果二等奖1项。近三年获评优秀实践个人、优秀实践团队等省级及以上表彰78项。出版《大学生第二课堂指南》《大学生第二课堂导引》《行走的青春——大学生社会实践微小说作品集》等教材书籍。工作做法及案例多次被主流媒体和官方平台报道。

第三节　强国梦想接续奋斗

在强国梦想的接续奋斗中，学校师生以三尺讲台为基、以创新报国为志、以实业兴邦为任，谱写了新时代科教报国的壮美篇章。这里孕育了费业泰教授"精度人生"的师者典范，锻造了黄大年式教师团队的榜样力量，杨善林院士团队在智能诊疗领域突破创新，丁明教授团队推动新能源技术跨越升级，徐宝才教授团队助力食品产业转型升级和新质肉品创制。青年学子在方程式赛车和北斗导航的科技攻关中不断突破，"双金"得主刘鑫汉更以食品快检技术展现青春担当。而曹仁贤等杰出校友，用自主创新成果，实现了从技术追赶到全球领跑。一代代"工业报国"答卷人，以硬核科技实力和产业转化能力，在锻造大国重器、突破技术壁垒、引领产业升级的征程中接续奋斗，挺起民族工业的脊梁。

一、三尺讲台育桃李

（一）我国精度理论的开拓者费业泰教授

费业泰教授，男，1934 年生，1955 年加入中国共产党，我国误差与精度理论奠基人，生前系仪器科学与技术一级学科学术带头人，博士生导师。从教 60 年来，费业泰教授先后主讲本科生和研究生课程近 20 门，出版专著 9 本，发表论文 320 余篇，承担并完成高水平科研项目近 40 项，9 项科研成果获省部级奖励，国际测量与仪器委员会于 2007 年 9 月授予其终身贡献奖。费业泰教授潜心育才，先后培养了硕士研究生 62 名、博士研究生 46 名，其中有 40 余位现已成为教授、研究员。每位毕业的学生，为了感谢费老师对自己的严教精培，都会亲手在工作室外种上一棵"谢师树"，如今这片树林已成为校园一道风景"桃李园"。2008 年，74 岁的费业泰教授在办理退休手续后"退而不休"，即使被确诊为肾肿瘤后，仍坚持教学科研工作直至生命最后一刻。2016 年 2 月 26 日，费业泰教授不幸逝世，全国各地的 300 多名校友和近 20 位两院院士纷纷前来悼念或发来唁电。费业泰教授用 82 年生命谱写了一曲动人的"精度人生"赞歌，为科技工作者树立了永恒的精神坐标。他以"追寻最真值的 60 年人生"，生动而感人地诠释了一位共产党员、一位师者、一位学人爱岗敬业、献身教育的崇高品质，精益求精、追求卓越的治学态度，立德树人、爱生如子的慈父情怀。他是学校教师队伍中的杰出代表，是学校共产党员中的楷模。2016 年 4 月 19 日，中共安徽省委宣传部下发通知，决定将费业泰教授作为全省重大典型进行集中宣传报道。

（二）决策科学与信息系统技术教师团队

决策科学与信息系统技术教师团队始终坚守"我们拥有共同的事业"的理念，在管理科学与工程领域书写着科教报国的精彩篇章，2018 年入选首批全国高校黄大年式教师团队。团队现有 1 位院士、3 位长江学者、1 位国家杰青、4 位国家优青、2 位青年长江学者和 2 位青年拔尖人才。团队带头人、中国工程院院士杨善林教授从教 40 余年来，始终坚持把个人梦想融入组织发展和祖国强盛的实践之中，为我国的经济转型升级、社会繁荣稳定、人民幸福安康作出贡献。坚持面向国家重大需求开展科研攻关，连续承担国家自然科学基金重大重点项目 15 项、国家重点研发计划项目 9 项，在医疗健康、智能制造等领域的智能决策系统研发中取得突破性进展，研发的智能诊疗决策支持系统在全国 200 多家三甲医院成功应用，开发的复杂产品制造过程优化系统为高端装备制造业提供了关键技术支撑，研发的智能决策系统在疫情防控、应急管理等领域发挥了重要作用，多项政策建议被政府部门采纳实施。先后获国家科技进步奖二等奖 2 项、省部级科学技术奖一等奖 7 项。团队坚持将科研成果转化为优质教学资源，主讲的"管理信息学"等课程入选国家级精品课程，编写的《信息系统分析与设计》等教材被全国百余所高校采用，培养的学生在"互联网＋""挑战杯"等竞赛中屡创佳绩。团队先后获批"信息管理类专业"和"电子商务核心课程"2 个国家级教学团队，获国家级教学成果一等奖 1 项、二等奖 5 项，获首届全国优秀教材奖 2 项、首届"全国教材建设先进个人"称号 1 人。团队先后获批教育部创新团队、国家自然科学基金委创新研究群体和国家"111"创新引智基地，用智慧和汗水诠释了新时代高校教师的使命与担当。

（三）新能源电力系统科学与技术教师团队

新能源电力系统科学与技术教师团队由电力系统、电力电子、电力物联网技术等研究方向的教师组成，2022 年入选第二批全国高校黄大年式教师团队。团队负责人丁明教授从事电力系统自动化、新能源发电与节能技术等领域教学科研工作 40 余年，获得全国教育系统劳动模范称号，被授予人民教师奖章、全国五一劳动奖章。团队始终以服务国家战略为首要使命，深耕新能源电力领域，承担国家重大课题 150 余项，取得系列突破性成果，研发的新能源预测调度系统覆盖全国 70％以上新能源装机，构建的青藏地区 100％可再生能源独立供电系统有力支撑"治边稳藏"战略，突破风电机组网源友好关键技术推动风电从"被动适应"到"主动支撑"的跨越式升级。团队建成包括国家与地方联合实验室、教育部工程研究中心、创新引智基地在内的 5 个国家及省部级科研平台；主持合肥综合性国家科学中心能源研究院重点方向研发，参编国标行标 20 余项。团队 2018 年以来获国家科技进步奖二等奖 3 项、省部级科学技术奖励 20 余项，成功转化科技成果 30 余项。团队编著《电力电子技术》等 5 部国家级规划教材，建成国家级实验教学中心和省级研究生创新基地；指导学生获省级以上竞赛奖励 100 余项，为电力和新能源行业输送了大批领军人才。团队用坚守诠释了"科教报国、扎实创新"的深刻内涵，以赤诚之心培养时代新人，以创新之力破解能源难题，正在为建设教育强国和实现"双碳"目标贡献着合肥工大力量。

（四）动物源食品智能制造与品质调控教师团队

动物源食品智能制造与品质调控教师团队始终坚持以德立身、以心施教、协同联动、集智攻关，秉承"食安家国，药济民生"理念开展教学和科研工作，2025 年入选第四批全国高校黄大年式教师团队。团队现有长江学者、万人计划、国家优青和神农英才等国家级高层次人才 10 人。团队负责人徐宝才教授为我国肉品行业首位"长江学者"特聘教授和"万人计划"科技创新领军人才，获得全国食品安全工作先进个人、全国轻工系统劳动模范、"建党百年"安徽省优秀共产党员等荣誉称号。团队面向"食品安全""乡村振兴"等国家战略，依托教育部工程研究中心、安徽省重点实验室、合肥综合性国家科学中心大健康研究院等平台，持续23年开展产学研协同创新，与双汇、雨润、美的等龙头企业深度合作，在动物源食品"智能加工与冷链物流""微生物高效控制与利用""新质肉品及功能组分制备"等方面取得突破性技术成果。先后主持国家重点研发计划、国家自然科学基金重点项目6项、课题12项，获授权国际、国家发明专利150余件，制（修）定国际、国家和行业标准40余项，成果获国家科技进步二等奖1项、省部级科技进步一等奖5项。团队以"四有好老师"为标准，打造《守味之道》"大先生"思政示范课，"微生物学"入选国家级一流本科课程，获国家级教学成果奖2项、省级特等奖1项，指导学生获"互联网＋""挑战杯"国赛金奖等竞赛奖励100项，食品类卓越工程师人才培养模式获《中国教育报》报道。团队聚焦培养新工科一流人才，凝心聚力、踔厉奋发，奋力谱写教育强国建设和"工业报国"崭新篇章。

二、创新报国显担当

（一）大学生方程式赛车创新团队

大学生方程式赛车创新团队成立于2009年，由越影车队、云电车队和睿智车队三支车队组成，2014年获全国首批大学生"小平科技创新团队"称号，2024年入选"中国汽车工程学会汽车科普教育基地"。团队以挑战中国大学生方程式汽车大赛顶级赛事为驱动，紧跟汽车产业新技术发展趋势，采用"教授领衔—研究生攻关—本科生实践"的协同模式，并由具有FSAE赛事经验的教师担任技术指导，企业导师参与工程实践指导，保障技术创新与工程落地的深度融合。聚焦车辆轻量化材料应用、新能源汽车技术革新及智能驾驶等关键技术的实践应用，培养汽车产业亟需的综合型创新后备人才。车队成员由在校大学生和研究生为主体，来自汽车与交通工程学院、机械工程学院、电气与自动化工程学院、计算机与信息学院、管理学院等相关学院和专业，涵盖大一到研三的各个年级，每届参赛学生达120余人。截至目前，学校已连续参加大学生方程式赛车27车次，累计为中国汽车产业输送人才超过3000名。学生独立设计赛车27台，出国参赛1次，获国家级奖项一、二、三等奖30余项。车队取得良好的成绩，云电一代赛车获得2013年度中国大学生方程式电车赛国内冠军，同时获得经济性单项第一名等单项奖；云电二代赛车在2014年代表中国队远赴英国参加英国大学生方程式汽车大赛，与来自全世界37个国家的106支车队同场竞技。在2021

年方程式电车赛、无人车赛，2024年油车赛中，团队均获一等奖。团队自组建以来，全国冠军车队、一等奖不断线，参赛成绩位列全国第一方阵。

（二）北斗导航信息处理创新团队

北斗导航信息处理创新团队成立于2009年，经过16年的发展，已形成86人的本硕博科研梯队，深耕北斗导航技术研发和应用，2015年获全国大学生"小平科技创新团队"称号。主要研究领域和研究方向为北斗导航信息处理、水下传感器网络、计算智能与应用，基于北斗Ⅲ的姿态测量技术、基于北斗Ⅲ的高精度定位技术研究成果已获得产业化应用，在特高压电力杆塔变形监测（倾斜度＋沉降）、特高压输电线路舞动监测、山体滑坡、尾矿库、沉井变形、防波堤、无人船方面取得了显著的产业化效果，孵化了合肥星北航测信息科技有限公司，累计形成经济效益5.22亿元。团队主持和参与国家自然科学基金项目、教育部"新世纪优秀人才支持计划"项目等27项，获茅以升科学技术奖，主导和参与制定行业标准3项，发明专利授权16项、实用新型专利授权15项，计算机软件著作权17项，撰写专著1部，发表科技论文81篇。团队主张"科研先导、创客跟进"的人才培养模式，让学生在真实的科研项目中锤炼专业能力，形成高水平创新成果，在市场论证充分后对接创业团队和资本，最终实现成功孵化。近年来，团队已成为安徽省高校中富有特色和影响力的大学生双创基地，累计培养创新创业人才300余名，获国家级创新创业奖项6项、省部级奖项20余项。该人才培养模式获安徽省教学成果二等奖，在省内外发挥了突出的示范引领作用。

（三）"双金"得主刘鑫汉

刘鑫汉，食品与生物工程学院食品质量与安全专业2020级本科生，"挑战杯"全国大学生创业计划竞赛金奖、中国国际"互联网＋"大学生创新创业大赛金奖团队负责人。他热爱钻研，入校不久就加入了导师的科研团队，在老师的指导下进行复杂食品场景声光无损智检系统的相关研发，并组建了一支本硕博、跨专业梯次化人才队伍，围绕科研沉淀设计装备，历经上千次试验，打造出声光结合的食品无损智检装备，性能达到国际先进水平，成本仅为进口设备1/3，成功实现了国产替代。他注册成立了安徽合工云控科技有限责任公司，入选共青团中央办公厅农村青年创业致富"领头雁"培养计划，并与母校联合研发多个项目并进行样机试点运行，他推动公司与母校共建安徽省首批现代化产业学院"互联网＋智能化食品"产业学院。三年创业历程中，刘鑫汉始终坚守食品人初心，将学业与科研创新紧密结合，深耕食品安全领域，以青年智慧助力国产快检技术发展，为守护国民食品安全贡献力量。

三、实业兴邦展宏图

（一）中国光伏领军人曹仁贤

曹仁贤，工业自动化专业 1986 级（本）和 1990 级（硕）校友，中国太阳能、风能发电行业专家，享受国务院特殊专家津贴，第十四届全国人大代表，阳光电源股份有限公司董事长兼总裁，中国光伏行业协会理事长。1997 年，已是学校能源研究所教师的他敏锐捕捉光伏产业机遇，毅然放弃教职，带领 5 人团队以 50 万元启动资金创立阳光电源，立志打破国外技术垄断。2003 年研制出中国第一台具有自主知识产权的光伏并网逆变器，并在上海成功并网发电，打破了国外垄断，奠定了在新能源领域中的坚实基础。2005 年提出行业标准"集中式逆变器"技术。2011 年阳光电源成功登陆深交所，成为"中国新能源电源行业第一股"。公司光伏逆变器远销全球 170 多个国家和地区，多次入选福布斯中国创新力企业 50 强，成为全球新能源电源开发和设备生产的头部企业，多年蝉联全球光伏逆变器出货量第一位。这位从学校走出的工程师，用三十年时间完成了从技术员到千亿市值企业掌舵者的蜕变，更推动中国光伏产业实现从"进口替代"到"全球领跑"的历史跨越。

（二）心脏介入领域的创新先锋訾振军

訾振军，应用化学专业 1998 届（硕）校友，杭州启明医疗创始人兼董事总经理、德诺医疗联合创始人。作为中国植入式医疗器械领域的领军者，他深耕行业二十余年，主导参与近 30 项重大科研项目，申报专利超 80 项，主持研发中国首代冠脉支架、先心病封堵器等产品，推动国产高端医疗器械走向国际。20 世纪 90 年代，訾振军进入植入式医疗器械领域，并于 2003 年作为联合创始人创办先健科技。2009 年，訾振军创立启明医疗，聚焦心脏瓣膜疾病微创治疗。他突破"仿制老路"，率团队自主研发中国首款经导管人工主动脉瓣置换系统（TAVR）。2011 年，他联合创立德诺医疗孵化中心，构建"技术挖掘—产品孵化"的创新生态。此后推出的全球首款自膨式肺动脉瓣膜、国内首款可回收瓣膜持续引领行业。訾振军以"中国无、世界新"为理念，深度布局"脑保护—球囊—瓣膜"全链条产品线，加速整合国际技术资源，逐步建成覆盖 170 多个国家的销售网络。从先健科技（全球先心病介入第二大供应商）到启明医疗的十年跨越，訾振军始终坚守"硬科技国际化"道路。这位被业内誉为"心脏瓣膜中国方案奠基人"的企业家，正带领团队向二尖瓣治疗等新领域进军，矢志打造引领全球的医疗器械创新平台。

（三）环保实业家张伯中

张伯中，水利工程专业 1979 级校友，安徽中辰投资集团及安徽中环环保科技股份有限公司董事长。1990 年，张伯中放弃安徽省计划委员会的"铁饭碗"，赴美留学。在美期间，他痛感国内环境问题，立下"改善环境是环保人责任"的誓言。1995 年，他回国创立安徽中辰投资集团。2001 年中国开放 BOT 模式后，他抓住机遇，2003 年投资泰安污水厂，实现 8 万吨/年产能。2011 年，他成立安徽中环环保科技股份有限公司，专攻水处理、固废发电等业务。2017 年，公司登陆深交所创业板，借助资本力量实现年均 50% 高速增长。至 2020 年，中辰集团已横跨工业、地产、环保与金融，总资产超百亿，纳税数亿元，员工数千人。他带领集团跻身"安徽省民营企业五十强"，中环环保获安徽省科技进步奖二等奖；个人斩获安徽省年度经济人物、中国优秀民营企业家等称号。在实业报国之余，张伯中始终心系教育公益。2019 年，他捐赠 1000 万元发起桐城文化教育发展基金会，推动家乡文化教育。这位低调务实的掌舵人，以环保技术创新与教育回馈书写人生。未来，他将率领团队深耕绿色事业，"让天更蓝、地更绿、水更清"，续写中辰新篇章。

（四）全国科创名匠魏臻

魏臻，计算机应用专业 1994 级（硕）校友，现任合肥工大高科信息科技股份有限公司董事长，第十三届全国人大代表。作为国家科技创新创业领军人才，他带领团队深耕工业铁路信号控制与智能调度领域二十余年，以铁路信号安全完整性技术、防爆技术、工业 AI 技术为核心开展研究开发，相关技术成果广泛应用于冶金、矿山、石化、港口等国民经济支柱行业。2000 年，魏臻团队创办合肥工大高科信息科技股份有限公司。次年，其研发的"HJ04A 铁路信号计算机联锁系统"即获安徽省科技进步奖一等奖。2003 年至 2008 年，公司成功研制国内首套"工业铁路智能运输调度综合信息平台"，彻底打破人工调度落后模式。2016 年，成功研发"GKI－33e 全电子计算机联锁系统"，并通过国际最高安全等级 SIL4 认证，实现关键装备国产化替代与国外技术垄断突破，累计创造经济效益超 5 亿元。2017 年率先研制出煤矿井下无人驾驶系统，入选国家能源局首批重大技术装备，在多家企业实现示范应用。2021 年 6 月，工大高科成功登陆科创板，成为国内工业铁路信号控制领域第一股。2023 年发布盛视 F1.0 智慧矿山 AI 监察系统，在设备巡检等复杂场景下实现高精度识别和 0.5 秒级异常响应，实现减员增效的同时，优化企业安全生产监督流程，提升自动化水平，助力矿山行业高质量发展。从高校教师到企业家，魏臻始终坚守科技报国理想，正带领工大高科向着世界级企业的目标迈进。

（五）数字化浪潮中的先行者陈航

陈航，计算机及应用专业 1985 级校友，现任博思软件董事长。拥有多年项目管理及技术研发经验，主持研发出国内早期的财务软件、华兴通用财会电算化软件以及财政票据电子化改革管理软件等多项产品，推动我国财政票据电子化改革进程。2001 年带领团队创立博思软件，专注财政票据电子化研发，率先推出电子票据系统，实现"以票管费、以票促收"的管理理念。2016 年，博思软件成功登陆深交所创业板。现如今，博思软件已发展成为一家市值近百亿的、国家认证的高新技术企业和双软企业。在企业发展同时，陈航始终不忘社会责任。疫情期间，他带领企业捐款 41 万元；积极响应"数字乡村"建设，参与开发信息交互平台；多次向贫困地区学校捐赠教学设备。作为领军者的陈航，先后获得"福建省科技创业领军人才""第十八届福建省优秀企业家""2019 中国新经济领航人物全国百强（福建十强）"等荣誉，其主持研发的项目获得财政部优秀软件一等奖、福建省科技进步奖二等奖，并被科技部列入"国家级火炬计划"。

（六）国产大型潜水电泵的自主创新者朱庆龙

朱庆龙，自动化专业 1978 级校友，现任安徽恒大自控集团党委书记、合肥恒大江海泵业股份有限公司董事长，第十届全国人大代表，享受国务院政府特殊津贴。毕业后投身实业，2012 年创办合肥恒大江海泵业股份有限公司。他带领公司坚持自主创新，攻克了大型潜水电泵的多项关键技术难题，填补了国内空白，创造了多项国际纪录，成功应用于南水北调等国家重点工程，让中国制造在这一领域站稳了脚跟。带领团队承担国家"十三五"重大专项和国家科技计划 4 项，拥有国家授权专利 217 项，其中发明专利 106 项、软件著作权 52 项，制定国家标准 7 项，起草行业标准 17 项。曾于 2000 年、2010 年和 2021 年三次获安徽省科学技术奖一等奖，2019 年获中国产学研合作创新成果奖一等奖，2022 年获中国煤炭工业科学技术奖特等奖、大禹水利科学技术奖二等奖、中国机械工业科学技术奖二等奖等。朱庆龙是工信部先进工作者、全国煤炭行业领军人物、2014 年徽商领军人物、2018 年安徽省制造业十佳优秀企业家、2023 年安徽省优秀企业家。这位从合工大走出的企业家，用三十多年的坚守和奋斗，在大型潜水电泵领域闯出了一片天地。

第二编 底色：工业强国担当

在中国工业化进程的壮阔史诗中，学校始终以铿锵步伐与国家发展同频共振。从"工业救国"的事业初创，到"工业兴国"的砥砺奋进，再到"工业强国"的勇毅前行，学校实现了从奠基立业到开拓创新的历史性跨越。近十年，正值中国制造向中国创造跨越的关键时期，学校以服务国家战略为根本，在学科布局上谋篇定向，在专业发展上守正创新，在科研探索上勇攀高峰，用扎根中国大地的教育实践和科技突破，彰显了"强国建设，工大有为"的使命担当。

学校以"双一流"建设为牵引，以突破关键领域"卡脖子"技术为导向，构建起"高峰引领、高原支撑、新兴突破"的学科生态，传统工科不断迭代升级，新兴交叉学科创新发展。管理科学与工程跻身国家一流学科方阵，工程学学科跃居 ESI 全球排名前 1‰，12 个学科进入 ESI 全球排名前 1%。这些成绩的取得，不仅展现了学校学科建设的卓越成效，也为践行工业报国使命构筑了坚实的学科基础。

学校紧密对接经济社会发展需求，不断深化专业内涵建设，强化专业交叉融合，推动专业动态优化。目前，学校本科专业涵盖 8 个学科门类 42 个专业类，48 个专业入选国家级一流本科专业建设点、21 个专业通过国家专业认证（评估）、6 个专业通过国际认证。新工科专业布局与国家新兴产业高度契合，为培养适应新时代需求的高素质专业人才提供了有力支撑。

科研创新是学校发展的重要驱动力，也是工业报国的关键路径。学校立足国家创新驱动发展战略需求，系统推进有组织科研体系建设，持续优化"一站式"科研服务平台，全面提升基础研究水平和原始创新能力。学校在国家级科研平台建设、重大科研项目攻关、标志性成果产出等方面取得重大突破，创新能级持续攀升。同时，学校积极探索发展"合工大模式"，推动产学研合作和科技成果转化"双轮驱动"，为国家重大战略和区域经济社会发展贡献了重要力量。

十年奋进路，学校始终在变与不变中坚守初心。变的是学科专业的迭代升级，不变的是工业强国的精神追求；变的是科研手段的日新月异，不变的是"把论文写在产品上"的实践品格。新起点新征程，学校将继续以一流学科建设为战略支点，以特色专业发展为育人纽带，以科技创新为发展引擎，在守正创新中厚植报国强国的鲜明底色，谱写新时代高质量发展的崭新篇章。

第四章　构建高质量学科建设体系

　　学科是学校学术地位、办学水平、办学特色和核心竞争力的重要标志，是人才培养、科学研究、社会服务、文化传承创新、国际交流合作的重要载体。学校始终立足"服务国家战略需求、构筑国际学术高地、培养尖端领军人才、建设特色高端智库"的学科定位，优化学科布局、促进新工科发展，深化学科交叉融合，完善资源配置机制，推动学科整体迈上新台阶。十年来，学校坚持把强化优势特色学科建设作为提升学校核心竞争力的关键，以"管理科学与工程"国家一流学科为引领，构建"高峰引领、高原支撑、新兴突破"的学科梯队；坚持把优化学科布局作为提升学校整体实力的重要任务，着力加强马克思主义理论学科和基础学科群建设，加快建设国家急需学科和新工科，促进学科交叉融合，深化学位点内涵建设，坚持把中国特色学科评价作为学校"双一流"建设的主要依据，激发内生动力和发展活力，不断提升办学水平。

第一节　扎实推进一流学科建设

　　2017年学校进入国家"双一流"建设高校行列，以管理科学与工程国家一流学科为引擎，加快推进"工程管理与智能制造"交叉学科建设，首轮建设周期带动计算机科学与技术、机械工程、电气工程等特色优势学科提质升级。2022年再度入选第二轮建设序列，2024年系统实施《合肥工业大学关于加快推进学科建设的指导意见》，确定7个学科作为一流培育学科，积极构建"发展规模适度、结构布局合理、建设层级清晰、目标定位明确、整体生态平衡、竞争优势持续"的学科生态格局，为迈向特色鲜明的世界一流大学筑牢学科根基。

一、开启一流学科建设

2015 年 10 月，《国务院关于印发统筹推进世界一流大学和一流学科建设总体方案的通知》（国发〔2015〕64 号）对统筹推进世界一流大学和一流学科建设（以下简称"双一流"建设）的总体要求、主要任务、支持举措和组织实施等做出了战略部署。2017 年 1 月，教育部、财政部、国家发展改革委联合印发《统筹推进世界一流大学和一流学科建设实施办法（暂行）》（教研〔2017〕2 号），对遴选条件、遴选程序、支持方式、管理方式、组织实施等作出具体规定。学校认真贯彻落实文件精神，系统谋划，精心组织《合肥工业大学一流学科建设高校建设方案》的编制工作。7 月 7 日，学校召开首轮"双一流"建设方案专家论证会。9 月 20 日，教育部、财政部、国家发展改革委公布了世界一流大学和一流学科建设高校及建设学科名单，学校入选一流学科建设高校，管理科学与工程入选"双一流"建设学科名单。

2018 年 3 月，学校成立一流学科建设领导小组，设立了"双一流"项目 5 个、子项目 20 个，强化项目负责人制，积极推进项目实施。同年 4 月，编制《合肥工业大学建设世界一流学科和特色发展引导专项资金管理办法》，科学安排资金向一流学科和特色学科倾斜。2019 年 8 月 28 日，学校召开"双一流"建设中期自评专家评议会。专家组一致认为，学校全面完成中期建设目标任务，建设的符合度、目标的达成度高。2020 年 9 月 17 日，根据《教育部办公厅关于开展 2016—2020 年"双一流"建设周期总结工作的通知》（教研厅函〔2020〕4 号）要求，学校组织召开"双一流"建设周期总结专家论证会。专家认为学校全面完成了《合肥工业大学一流学科建设高校建设方案》的周期建设任务，全面实现了周期建设目标。2021 年 7 月，教育部反馈，学校全面完成了首轮"双一流"建设任务，学科整体发展水平、可持续发展能力、成长提升度三个分类评价指标均为显著（第一档），在服务国家战略、技术自主创新等方面的成绩显著，师资队伍建设、大学文化传承、科技成果转移转化、科研体制机制创新等方面成效显著，一流学科和学校整体办学实力等进步明显，学科建设目标达成度高。

首轮建设期内，学校对标"双一流"建设要求，面向高端装备制造及其工程管理领域的重大需求和国际科技前沿，强力推进管理科学与工程一流学科建设，创建"工程管理与智能制造"新兴交叉学科，加强优势学科深度融合，带动提升学校学科建设整体水平。围绕重点领域、重大需求，通过联合攻关、协同创新，取得重大成果。

管理科学与工程一流学科建设取得重大突破 深度融合管理、信息、制造科学与技术，在智能制造工程管理、医疗健康管理、空天系统管理等多个交叉研究方向取得重大突破。在医疗健康管理领域，首创了人机协同智能移动微创医疗装备，成功应用于辽宁号航母等大型舰艇长远航卫勤保障；研发了智能移动新冠肺炎防控远程交互系统，成功应用于火神山、雷神山等医疗机构，为疫情防控注入重要科技力量；基于大数据科学理论，解决了肿瘤多组学大数据突变识别等多项难题。

工程管理与智能制造交叉学科建设取得重大成效　创造性运用现代管理理论与新一代信息技术，解决智能制造重大科学技术问题。研发了高端成形装备协同控制与智能运维服务系统，突破了高端装备部件成形关键难题，成功应用于神舟飞船和长征火箭；研发了智能柔性驱动机器人装备，成功应用于"天眼"工程；攻克了高精度几何量测量及误差补偿等关键技术，为月球与火星探测、卫星检测、共形雷达等航空航天领域提供关键检测技术支撑。

优势特色学科建设取得重大进展　充分发挥计算机科学与技术、机械工程、电气工程等学科优势，攻克了视觉媒体大数据协同分析基础理论中多项难题；攻克了飞机电磁瞬态仿真及防护关键技术，成功应用于国产大型运输机等 30 余型飞机；开发了航天器跨流态内外环境仿真设计软件，保障了我国火星探测任务"天问一号"探测器的安全着陆与正常巡航；在可再生能源独立供电系统优化设计关键问题攻关方面取得系列突破；基于大数据科学理论，提出了农产品及食品安全快速灵敏分析新原理新方法。

通过周期建设，学校在支撑国家创新驱动发展战略、服务经济社会发展、弘扬中华优秀传统文化、培育和践行社会主义核心价值观、促进高等教育内涵发展等方面发挥重大作用。学校学科实力取得显著进步。2020 年，学校位列USNews 全球大学排名国内第 59 位，学校跻身软科世界大学学术排名前 500 强，在软科世界一流学科排名中有 20 个学科上榜，上榜总数居内地高校第 30 位。

二、深化一流学科建设进程

2021 年 7 月，根据《教育部办公厅关于开展新一轮"双一流"建设方案编制工作的通知》（教研厅函〔2021〕6 号）要求，学校组织完成第二轮《"双一流"建设高校整体建设方案》编制，明确了学科建设的总体规划，确定了下一阶段重点建设和改革任务。2021 年 10 月 13 日，学校召开新一轮"双一流"建设方案专家论证会。2022 年 2 月 9 日，教育部、财政部、国家发展改革委联合印发《关于公布第二轮"双一流"建设高校及建设学科名单的通知》（教研函〔2022〕1 号），学校入选第二轮"双一流"建设高校，管理科学与工程再度入选"双一流"建设学科名单。

2023 年 5 月，根据《教育部办公厅关于开展第二轮"双一流"建设中期自评工作的通知》（教研司〔2023〕6 号）要求，学校对照第二轮《"双一流"建设高校整体建设方案》中"高校整体建设方案任务要点台账"，完成《合肥工业大学"双一流"建设高校中期自评报告》编制。7月14日，学校组织召开了第二轮"双一流"建设中期自评专家评议会，专家认为，学校坚持"四个面向"，加强国家急需学科领域方向布局，深入推进交叉科学研究院、智能制造现代产业学院、"工大智谷"建设，在重大装备工程管理、先进制造、人工智能、新材料、集成电路、工业互联网、新能源和智能电网、生命健康等学科领域取得了一些标志性建设成果。人才培养质量不断提高，教育教学改革取得明显突破，基本建成了一支梯队结构合理、水平一流的师资队伍，国际影响力不断提升。积极推进管理科学与工程一流学科培优行动，面向新一代信息技术环境下经济社会融合发展的国家重大战略需求和区域发展需要，对智能互联系统管理的基础理论与关键技术进行原创性、系统性、引领性研究，取得了一批一流成果。在人才培养、科学研究、师资建设、文化传承、国际交流等领域取得重要进展，达成中期建设目标，一致通过评估。2023年7月20日，中期自评报告经学校党委常委会审定后上报教育部。

三、推动优势学科争创一流

学校全面提升学科建设水平，推动优势学科争创一流、形成高峰，增强学科竞争力。2024年6月，印发《合肥工业大学一流学科培育计划》（合工大政发〔2024〕68号）、《合肥工业大学关于加快推进学科建设的指导意见》（合工大政发〔2024〕69号）等文件，明确指出学校将以服务国家重大战略需求和地方经济社会发展为导向，以提升学科水平和创新引领能力为目标，将机械工程、计算机科学与技术、电气工程、食品科学与工程、仪器科学与技术、工商管理学、马克思主义理论等学科作为一流培育学科开展建设，以五年为一轮建设周期，通过凝练特色方向、集聚高端人才、创新体制机制、加强资源保障、加大经费投入集中优势资源，推动一流培育学科快速高质量发展，引领和带动其他学科协同跃升，提高学校学科建设整体水平。

2024年7月，印发《合肥工业大学一流学科培育计划实施细则》（合工大政发〔2024〕85号），每年为每个一流培育学科一般安排2000万元预算额度，连续支持五年。同时，将建立动态管理机制，强化目标考核与服务国家战略导向，以点带面提升学校整体学科建设水平。同年6—12月，学校组织机械工程、计算机科学与技术、电气工程、食品科学与工程、仪器科学与技术、工商管理学、马克思主义理论7个培育学科编写建设方案。2025年1月，学校召开一流学科培育计划专项工作组会议，审议通过7个培育学科建设方案。2025年3月12日，学校与计算机与信息学院（人工智能学院）、管理学院等7个学院签订《一流学科培育计划目标责任书》，坚持以培优固强提档进位为重点，加快打造一流学科。

第二节 科学推动学科布局优化

学校坚持把优化学科布局作为重要任务，遵循学科发展规律，科学制定学科发展规划，合理配置学科发展资源，逐步在全校范围内培育和建设若干高水平和特色学科。截至2025年9月，学校现有博士学位授权一级学科20个、博士专业学位授权点5个，硕士学位授权一级学科38个、硕士专业学位授权点23个，博士后科研流动站17个，涵盖工学、理学、管理学、艺术学、经济学、法学、医学、文学、交叉学科9个学科门类，学科之间相互依存、相互支撑、深度融合、协同创新，"以工为主、理工结合、文理渗透、融合交叉"的学科布局不断优化。

一、强化马克思主义理论学科引领

十年来，学校始终把马克思主义理论学科作为重点学科加以建设，坚持整体性发展，以系统性改革提升育人实效，矢志将其建成国内工科高校中名列前茅的"示范引领类"学科。

拓展马克思主义理论学科发展平台 高质量建设安徽省重点马克思主义学院，扎实推进安徽省中国特色社会主义理论体系研究中心合肥工业大学基地等研究服务平台建设，申报并获批教育部"大思政"工程素质教育实践基地、教育部工科高校素质教育改革虚拟教研室、安徽省铸牢中华民族共同体意识研究基地，平台建设对学科特色支撑效果日益凸显。2022年5月，教育部办公厅印发《关于公布第二批虚拟教研室建设试点名单的通知》（教高厅函〔2022〕13号），学校"工科高校素质教育改革虚拟教研室"成功入围。2022年9月，教育部办公厅、科学技术部办公厅等八部门联合印发《关于公布"大思政"实践教学基地名单的通知》（教社科厅函〔2022〕31号），学校"大思政"工程素质教育实践基地获批"科学精神专题实践教学基地"。2025年2月，中共安徽省委统一战线工作部、中共安徽省委宣传部等四部委联合印发《关于公布安徽省铸牢中华民族共同体意识研究基地（2024—2026年周期）名单的通知》（皖族宗〔2025〕5号），学校铸牢中华民族共同体意识研究基地获批安徽省铸牢中华民族共同体意识研究基地。

培育马克思主义理论学科科研团队 在加强建设"马克思主义基本原理""思想政治教育""马克思主义中国化研究""中国近现代史基本问题研究"等学科的基础上，紧密结合学科特色和国家发展需要，聚焦重大理论和现实问题，不断凝练建设"马克思主义绿色和谐发展理论研究""大思政课铸魂育人研究"等学科优势方向，组建和完善方向明确、主题聚焦、结构合理的科研团队，推动研究成果质量不断提升，在《马克思主义研究》《光明日报》《经济日报》等刊物发表成果1100余篇，先后获评第八届、第九届教育部高等学校科学研究优秀成果奖等。国家级项目稳步增长，2021年以来，国家社科基金重点项目立项不断线。社会服务能力不断提高，有关促进全体人民精神富裕、大学生思想状况分析等研究报告被中宣部、教育部等部门采纳。

二、推进新兴学科领域突破

学校聚焦国家战略需求，面向新能源汽车和智能网联汽车、新材料、人工智能、高端装备制造、集成电路、生命健康等新型工业化重点领域，大力推动学科之间的深度交叉融合，将优势学科的合力汇聚到筑牢立国之本、强国之基的实践中来，持续增强学科建设对现代化产业体系的引领力和贡献力。

学校瞄准科技发展前沿，打造一流交叉研究机构，深化学科交叉融合。加强智能制造技术研究院建设，坚持以平台建设为中心，不断集聚各类科技创新资源，持续服务学校学科建设和科技创新能力提升，助力并推动学校创新平台和学科建设。依托学校特色资源和学科优势，组建安徽省先进复合材料设计与应用工程研究中心等各类应用技术研究、科技成果转化及产业化、高科技企业培育及服务的协同创新平台。2022年3月，学校印发《关于成立合肥工业大学交叉科学研究院的决定》（合工大党发〔2022〕48号），成立交叉科学研究院。研究院面向国家重大战略需求，立足学校优势学科基础，强化学科交叉融合，创新科研组织形式，推进高层次创新团队和学术特区建设，成为培育重大科技成果的跨学科研究平台；构建"科技创新驱动—重大平台支撑"的跨学科协同体系，设立智能互联系统、高电压与绝缘技术、安全科学与工程等交叉研究中心，推动学科深度交叉融合。

三、加强基础学科建设

学校始终坚持强化基础学科建设，实施基础学科建设提升工程，2021年3月成立物理学院，并布局一批基础学科研究中心。着力加强由数学、物理学、化学、生物学、力学等学科构成的数理基础学科群和由哲学、政治经济学、法学、艺术学、外国语言文学等构成的人文与社会科学学科群建设，为培养拔尖创新人才提供坚实的理论基础，为把学校建设成为世界一流大学提供强有力的理论文化支撑。

基础学科的原始创新能力和社会服务能力不断提升。数学学科将数学基础研究与我国油气开发相结合，提出了新的油气藏诊断理论与方法，解决了生产制度优化、井网优化、焖井优化、返排优化等关键技术难题；物理学科重点探索了新型二维材料体系，发展新奇物态调控新原理和新方法，构建二维场效应晶体管、自旋一轨道转矩器件和磁隧道结等新型电子器件，突破传统电子器件功率与尺寸极限，为后摩尔时代信息技术奠定关键物理基础；化学学科制备了一种原位形成的磁性水凝胶，在肝脏划痕模型和肝脏肿瘤切除术中证明了热响应水凝胶的止血能力，不仅实现了高效的 HCC 多学科治疗，还可以作为 HCC 治疗中外磁场和体温的多学科响应材料；力学学科联合中国地质大学（武汉）等 10 余家单位建成全球首个跨圈层扰动观测站，该观测站是世界上首个实现了岩石圈、大气圈和电离层圈跨圈层联合观测的"垂向"实时监测系统。

四、深化学位点内涵建设

学校深入贯彻落实国务院学位委员会及安徽省关于学位授权点动态调整的决策部署，立足服务国家战略与区域发展需求，科学谋划学科长远布局。严格按照《关于开展博士、硕士学位授权学科和专业学位授权类别动态调整试点工作的意见》（学位〔2014〕1 号）及《安徽省博士、硕士学位授权学科和专业学位授权类别动态调整实施方案（试行）》（皖学位〔2015〕1 号）要求，主动作为，系统谋划，2015 年 5 月印发《合肥工业大学博士、硕士学位授权学科和专业学位授权类别动态调整工作实施细则》（合工大政发〔2015〕37 号），确立了"需求导向、优化结构、分类实施、有序推进、统筹引导、质量优先"的基本原则，着力构建与学校学科建设总体规划相协同、与国家及区域重大需求相适应、与科技发展前沿相呼应的动态调整长效机制。

2015 年 11 月，国务院学位委员会印发《关于下达 2015 年动态调整撤销和增列的学位授权点名单的通知》（学位〔2015〕41 号），批准学校增列物理学硕士学位授权一级学科，撤销课程与教学论硕士学位授权二级学科。

2018 年 3 月，国务院学位委员会印发《关于下达 2017 年审核增列的博士、硕士学位授权点名单的通知》（学位〔2018〕9 号），批准学校新增力学博士学位授权一级学科，不再保留工程力学博士学位授权二级学科；新增马克思主义理论、数学、环境科学与工程 3 个博士学位授权一级学科和工程博士专业学位授权类别；新增化学、地质资源与地质工程 2 个硕士学位授权一级学科，不再保留高分子化学与物理、地质工程 2 个硕士学位授权二级学科；新增理论经济学、地理学、生物医学工程 3 个硕士学位授权一级学科和药学 1 个硕士专业学位授权类别。

2019 年 5 月，国务院学位委员会印发《关于下达工程硕士、博士专业学位授权点对应调整名单的通知》（学位〔2019〕5 号），批准学校工程博士专业学位授权类别对应调整为机械、能源动力 2 个博士专业学位授权类别；工程硕士专业学位授权类别的 25 个工程领域，其中 22 个工程领域对应调整为 8 个硕士专业学位授权类别，3 个工程领域归并至原有工程管理硕士专业学位授权类别。

表 4-1　2019 年工程博士专业学位授权类别对应调整名单

调整后		调整前	
专业学位代码	专业学位名称	专业学位代码	专业学位名称
0855	机械	0852	工程
0858	能源动力		

表 4-2　2019 年工程硕士专业学位授权类别对应调整名单

调整后		调整前	
专业学位代码	专业学位名称	专业学位代码	专业学位名称
0854	电子信息	085208	电子与通信工程
		085209	集成电路工程
		085211	计算机技术
		085212	软件工程
		085203	仪器仪表工程
		085210	控制工程
0855	机械	085201	机械工程
		085234	车辆工程
		085237	工业设计工程
0856	材料与化工	085204	材料工程
		085216	化学工程
0857	资源与环境	085217	地质工程
		085229	环境工程
0858	能源动力	085206	动力工程
		085207	电气工程
0859	土木水利	085213	建筑与土木工程
		085214	水利工程
		085215	测绘工程

（续表）

调整后		调整前	
专业学位代码	专业学位名称	专业学位代码	专业学位名称
0860	生物与医药	085231	食品工程
		085235	制药工程
		085238	生物工程
0861	交通运输	085222	交通运输工程
1256	工程管理	125600	工程管理
		085236	工业工程
		085239	项目管理
		085240	物流工程

2020 年 3 月，国务院学位委员会印发《关于下达 2019 年动态调整撤销和增列的学位授权点名单的通知》（学位〔2020〕3 号），批准学校动态调整撤销科学技术哲学硕士学位授权二级学科、风景园林学硕士学位授权一级学科、资产评估硕士专业学位授权类别，动态调整增列法学、公共管理 2 个硕士学位授权一级学科，风景园林 1 个硕士专业学位授权类别。

2021 年 10 月，国务院学位委员会印发《关于下达 2020 年审核增列的博士、硕士学位授权点名单的通知》（学位〔2021〕14 号），批准学校新增 3 个博士学位授权一级学科、1 个博士专业学位授权类别、2 个硕士专业学位授权类别。

表 4-3　2020 年审核增列的博士、硕士学位授权点名单

门类	学位点代码	学位点名称	类型
工学	0811	控制科学与工程	博士学位授权一级学科
工学	0813	建筑学	博士学位授权一级学科
工学	0817	化学工程与技术	博士学位授权一级学科
工学	0860	生物与医药	博士专业学位授权类别
经济学	0252	应用统计	硕士专业学位授权类别
文学	0552	新闻与传播	硕士专业学位授权类别

2023 年 9 月，国务院学位委员会印发《关于下达有关学位授权点对应调整名单的通知》（学位〔2023〕13 号），批准学校不再保留美术学硕士学位授权一级学科、艺术硕士专业学位授权类别，对应调整增列艺术学硕士学位授权一级学科、设计硕士专业学位授权类别；同时，学校有 5 个学位授权点变更了代码和名称。

表 4－4　2023 年变更代码和名称的学位授权点名单

调整后			调整前		
学位点代码	学位点名称	学位点类型	学位点代码	学位点名称	学位点类型
1202	工商管理学	博士学位授权一级学科	1202	工商管理	博士学位授权一级学科
1204	公共管理学	硕士学位授权一级学科	1204	公共管理	硕士学位授权一级学科
1403	设计学	硕士学位授权一级学科	1305	设计学	硕士学位授权一级学科
0851	建筑	硕士专业学位授权类别	0851	建筑学	硕士专业学位授权类别
0862	风景园林	硕士专业学位授权类别	0953	风景园林	硕士专业学位授权类别

2024 年 9 月，国务院学位委员会印发《关于下达 2023 年度审核增列的博士、硕士学位授权点名单的通知》（学位〔2024〕20 号），批准学校新增化学 1 个博士学位授权一级学科，电子信息、土木水利 2 个博士专业学位授权类别，国际商务、社会工作 2 个硕士专业学位授权类别。同年 9 月，国务院学位委员会印发《关于下达 2023 年度动态调整撤销和增列的学位授权点名单的通知》（学位〔2024〕23 号），批准学校动态调整撤销软件工程博士学位授权一级学科、软件工程硕士学位授权一级学科，增列电子科学与技术博士学位授权一级学科。

第三节　多维构建学科评价体系

学校坚持深入推进学位点内涵建设，切实提升学科核心竞争力和人才培养质量，构建校内学科评价体系，积极参与国家学科评估与国际评价，形成了以评促建、以建提质的良性循环。十年来，学校学科建设成效稳中有进，为提高学科建设整体水平奠定了坚实基础。

一、构建校内学科评价体系

学校强化人才培养中心地位，坚决破除"五唯"顽疾，在学科评价中突出诊断功能，强化分类评价，通过"双一流"建设年度绩效考核、学科建设年度工作考核和第三方评价等方式，构建了以立德树人成效为根本标准，以"质量、成效、特色、贡献"为价值导向，以定量与定性评价相结合为基本方法的校内学科评价体系。

学校先后通过《学科建设白皮书》《学位授权点建设年度报告》等方式，定期梳理学校现有的学科建设条件和取得的成果，总结学科建设经验，查找结构性短板，为学科准确定位、科学规划、合理配置资源等提供决策依据。在年度工作考核中，学校将学院学科建设组织实施情况、采取的主要举措和建设成效作为重要考核指标。2017 年 7 月，学校成立一流学科建设专家咨询委员会，负责对学校"双一流"建设进行战略层面的论证与指导。在一流学科培育计划中，学校对一流培育学科实施动态管理，对特色明显、发展迅速、成效突出的其他学科，经申请批准后纳入培育计划；同时加强一流培育学科绩效管理，做好绩效运行监控，引导项目资金向优秀人才和团队倾斜，向成效显著的高水平研究成果倾斜。学校积极引入竞争机制和第三方评价，健全学科动态调整与退出机制，将国务院学位办的学位授权点合格评估、教育部学位中心的学科评估、教育部的"双一流"建设年度绩效考核等外部权威评价结果，作为衡量学科建设成效的重要参照和校准依据。依据学科建设项目绩效考核结果，对建设效果好、建设成果突出的学科建设项目，在下一年度加大建设投入力度，助力学科建设成效进一步提升。

二、深化合格评估内涵建设

学校始终将学位授权点合格评估作为保障研究生培养质量、优化学科布局的关键抓手，严格对标《学位授权点合格评估办法》（学位〔2014〕4 号）、《国务院学位委员会 教育部关于开展学位授权点合格评估工作的通知》（学位〔2014〕16 号）、《学位授权点合格评估办法》（学位〔2020〕25 号）、《国务院学位委员会 教育部关于开展 2020—2025 年学位授权点周期性合格评估工作的通知》（学位〔2020〕26 号）、《国务院学位委员会 教育部关于开展 2023 年学位授权点专项核验工作的通知》（学位〔2023〕22 号）、《国务院学位委员会 教育部关于做好 2024 年学位授权点专项合格评估相关工作的通知》（学位〔2024〕12 号）等关于学位授权点建设与评估的系列文件精神，精心组织，周密部署，相关工作稳步推进、成效显著。

合格评估全面覆盖 2018 年，学校精心组织，顺利完成涵盖 12 个一级学科博士学位授权点、20 个一级学科硕士学位授权点、1 个二级学科硕士学位授权点、28 个专业学位硕士学位授权点的合格评估工作，体现了学校学位授权体系的完整性与建设的扎实基础。2025 年，学校有 11 个一级学科博士学位授权点、11 个一级学科硕士学位授权点、8个专业学位硕士学位授权点按要求完成自评。目前，相关评估材料已进入国务院学位委员会办公室和安徽省学位委员会办公室组织的抽评阶段，本轮评估工作正稳步推进。

专项评估精准落实　学校高度重视处于特定建设阶段的学位点专项评估工作，确保按时保质完成。2018年，顺利完成金融、法律和艺术3个专业学位硕士学位授权点专项评估。2019年，完成物理学一级学科硕士学位授权点专项评估。2023年，评估工作覆盖更广层次，顺利完成4个一级学科博士学位授权点、2个博士专业学位授权点、5个一级学科硕士学位授权点、9个硕士专业学位授权点专项评估。2024年，完成法学、公共管理学一级学科硕士学位授权点，风景园林硕士专业学位授权点专项评估。通过持续开展周期性合格评估与专项评估，学校有效履行了质量保障主体责任，强化了学位授权点的内涵建设，为不断提升研究生教育质量和优化学科结构奠定了坚实基础。

三、学科建设成效稳中有进

学校始终将学科评估作为检验办学水平、明确发展方位的重要契机，坚持以评促建、以评促强，推动学科建设内涵发展。

第四轮、第五轮学科评估　教育部学位与研究生教育发展中心组织开展的学科评估，是对学校学科综合实力的一次全面检验。学校高度重视、精心组织，各参评学院通力协作，历次评估工作均取得显著成效。在第四轮学科评估（2016—2017年）中，全校共有28个一级学科参评（涵盖法学1个、理学3个、工学22个、管理学2个），参评率达77.78％。评估结果于2017年12月公布，评估结果如下：

A：管理科学与工程

B+：马克思主义理论、机械工程、仪器科学与技术、计算机科学与技术、工商管理

B：材料科学与工程、电气工程、土木工程、化学工程与技术、食品科学与工程、软件工程

B−：数学、电子科学与技术、信息与通信工程、控制科学与工程、建筑学

C+：地质学、环境科学与工程、城乡规划学

C−：生物学、力学、光学工程、动力工程及工程热物理、水利工程

2020年11月第五轮学科评估正式启动，学校在第五轮学科评估中的成绩较第四轮稳中有进。

十年来，学校学科国际竞争力亦不断增强，国际高水平学科不断涌现。2021年9月，学校工程学学科首次跻身ESI全球排名前1‰。根据基本科学指标数据库（ESI）2025年5月最新统计，学校共有12个学科进入ESI全球排名前1％，

分别是工程学、材料科学、化学、计算机科学、农业科学、物理学、地球科学、环境学/生态学、生物学与生物化学、社会科学总论、药理学与毒理学、植物学与动物学。其中，工程学学科进入 ESI 全球前万分之四。软科《世界一流学科排名（2024）》中，学校仪器科学、食品科学与工程、矿业工程 3 个学科进入世界前 50 名，另有 1 个学科进入世界 51—75 名，4 个学科进入世界 101—150 名。

表 4-5　2018 年至今学校新增 ESI 全球排名前 1% 学科统计表

入选时间	学校新增 ESI 学科名称	学校入选 ESI 学科数
2018 年 1 月	计算机科学	4
2019 年 1 月	农业科学	5
2020 年 5 月	地球科学	6
2021 年 5 月	环境学/生态学	7
2022 年 3 月	社会科学总论	8
2023 年 9 月	生物学与生物化学	9
2024 年 7 月	物理学	10
2024 年 9 月	植物学与动物学	11
2025 年 5 月	药理学与毒理学	12

第五章　深化高水平专业内涵建设

学校紧密对接国家社会需求，主动适应产业发展趋势，主动服务制造强国战略，以新工科建设为抓手，按照"新的工科专业、工科专业的新要求、交叉融合再出新"，超前布局持续优化专业结构，基于人工智能、大数据技术多维度全面分析专业需求，建立健全覆盖招生、培养、就业的专业动态调整机制。引导传统专业主动适应新兴技术和产业发展趋势，强化专业交叉融合，突出特色内涵发展，建设若干交叉微专业，更好地满足新兴产业和未来产业人才需求。目前，学校本科专业涵盖8个学科门类42个专业类，48个专业入选国家级一流本科专业建设点，12个专业入选省级一流本科专业建设点，21个专业通过国家专业认证（评估），6个专业通过国际认证，2个专业入选安徽省特色专业（群）建设，新工科专业布局与国家新兴产业高度契合，已实现全面服务支撑安徽省战略性新兴产业。

第一节　优化调整专业结构

学校主动适应国家和区域经济社会发展、知识创新、科技进步、产业升级需要，聚焦高质量发展，瞄准关键核心技术，推进前沿科学中心和集成攻关大平台建设，以新工科建设为抓手，持续调整优化专业结构，做好专业优化、调整、升级工作。

一、动态调整专业

面对推进新型工业化战略需求，学校构建招生培养与就业联动机制，有组织进行专业的撤并转增，不断提升学科专业与国家战略急需的适配度。2015—2025

年，学校撤销专业 13 个。

表 5-1 2015—2025 年学校撤销专业一览表

序号	学院	专业名称	专业代码	专业类名称	门类名称	修业年限	开设年份	撤销年份
1	马克思主义学院	社会工作	030302	社会学类	法学	4	2002	2020
2	机械工程学院	船舶与海洋工程	081901	海洋工程类	工学	4	2011	2020
3	经济学院	财政学	020201K	财政学类	经济学	4	1997	2021
4	汽车与交通工程学院	农业机械化及其自动化	082302	农业工程类	工学	4	1980	2021
5	管理学院	旅游管理	120901K	旅游管理类	管理学	4	2000	2021
6	管理学院	劳动与社会保障	120403	公共管理类	管理学	4	2001	2021
7	仪器与光电工程学院	医学信息工程	080711T	电子信息类	工学	4	2013	2021
8	微电子学院	电子科学与技术（第二学位备案专业）	080702	电子信息类	工学	2	2014	2021
9	经济学院	投资学	020304	金融学类	经济学	4	2014	2021
10	食品与生物工程学院	生物科学	071001	生物科学类	理学	4	2017	2021
11	土木与水利工程学院	农业水利工程	082305	农业工程类	工学	4	1958	2023
12	管理学院	人力资源管理	120206	工商管理类	管理学	4	2016	2023
13	计算机与信息学院	数据科学与大数据技术	080910T	计算机类	工学	4	2019	2024

学校结合国家发展改革委、教育部、财政部联合印发的《关于加强经济社会发展重点领域急需学科专业建设和人才培养的指导意见》（发改社会〔2021〕261号）要求，响应安徽省十大新兴产业发展需求，聚焦人工智能、新一代信息技术、量子信息、集成电路、新能源汽车和智能（网联）汽车、新能源和节能环保等重点发展领域，谋划优先设置支撑创新发展的前沿交叉专业，填补区域专业布点空白，以满足新兴产业和未来产业人才需求。2015—2025 年，学校新增 28个专业，其中 2024 年获批电子信息材料、量子信息科学、数字经济 3 个专业，是全国首批获准设置电子信息材料专业的学校之一。

2021 年 7 月，学校获批为"教育部中外人文交流中心高层次国际化人才培养创新实践项目基地高校"，在此项目框架下，学校开设"全球经贸治理""国际组织与跨文化交流"两个微专业，加快培养具有扎实专业知识、出众学术探索能力、敏锐创新意识和出色国际胜任力的高层次国际化人才，已有 167 名学生参与学习。2025 年 3 月，教育部部署实施高校学生就业能力提升"双千"计划，推动全国范围内开设 1000 个微专业或专业课程群以及 1000 个职业能力培训课程。2025 年 5 月 30 日，教育部办公厅印发《关于开展 2025 届高校毕业生就业"百日冲刺"行动的通知》（教就业厅函〔2025〕17 号）指出，要深入围绕人工智能、低空经济等 12 个急需紧缺产业领域的 60 个重点建设方向，加快"微专业"和职业能力培训课程建设，尽快完成开设、招生、开课任务，帮助社会需求不足的相关专业的毕业生补齐知识和技能短板，提高就业竞争力。为全面推进拔尖创新人才培养，满足学生的个性化发展和多样化需求，学校充分发挥学科综合优势，整合优质资源，聚焦战略性新兴产业领域，深化科教融汇、产教融合，打造能主动适应新技术、新业态、新模式、新产业需求的微专业。微专业具有"小学分、高聚焦、精课程、跨学科、灵活性"的鲜明优势，课程成绩单独管理，完成微专业课程学习并达到要求者，学校发放微专业证书。目前，学校开设新能源汽车工程、智能感知与机器人控制、合成生物与食品智能制造、商业数据分析与决策、半导体材料与器件 5 个省级微专业，已有 232 名学生申请学习。

表 5-2　2015—2025 年学校新增专业一览表

序号	学院	专业名称	专业代码	学位授予门类	开设年份
1	食品与生物工程学院	药学	100701	理学	2015
2	经济学院	国际经济与贸易（中外合作办学）	020401	经济学	2015
3	管理学院	人力资源管理 *	120206	管理学	2016
4	数学学院	统计学	071201	理学	2016
5	电气与自动化工程学院	机器人工程	080803T	工学	2017
6	土木与水利工程学院	城市地下空间工程	081005T	工学	2017
7	食品与生物工程学院	生物科学 *	071001	理学	2017
8	机械工程学院	智能制造工程	080213T	工学	2018
9	计算机与信息学院	智能科学与技术	080907T	工学	2018
10	管理学院	大数据管理与应用	120108T	管理学	2018
11	外国语学院	印度尼西亚语	050212	文学	2018
12	文法学院	网络与新媒体	050306T	文学	2018

（续表）

序号	学院	专业名称	专业代码	学位授予门类	开设年份
13	计算机与信息学院	数据科学与大数据技术 *	080910T	工学	2019
14	资源与环境工程学院	环境生态工程	082504	工学	2019
15	汽车与交通工程学院	新能源科学与工程	080503T	工学	2019
16	仪器与光电工程学院	智能感知工程	080303T	工学	2020
17	电气与自动化工程学院	电气工程与智能控制	080604T	工学	2020
18	资源与环境工程学院	遥感科学与技术	081202	工学	2020
19	汽车与交通工程学院	智能车辆工程	080214T	工学	2020
20	化学与化工学院	化学	070301	理学	2021
21	化学与化工学院	精细化工	081308T	工学	2021
22	土木与水利工程学院	智能建造	081008T	工学	2021
23	资源与环境工程学院	地球信息科学与技术	070903T	理学	2021
24	汽车与交通工程学院	智慧交通	081811T	工学	2021
25	食品与生物工程学院	食品营养与健康	082710T	工学	2022
26	材料科学与工程学院	电子信息材料	080421T	工学	2023
27	物理学院	量子信息科学	070206T	理学	2023
28	经济学院	数字经济	020109T	经济学	2023

* 备注：人力资源管理专业于2023年撤销；生物科学专业于2021年度撤销；数据科学与大数据技术专业于2024年撤销。

2024年，学校紧密对接国家战略性产业、区域重点发展领域和未来科技领域人才需求，利用人工智能、大数据技术多维度全面分析专业需求，涵盖专业需求、学生兴趣和师资情况3个要素，包括全国、长三角地区和安徽省三个范围的社会需求度、产业行业人才需求趋势、专业录招比、转专业情况、高考景气度、生师比、教师人数、录取人数等8个指标，分别进行全校和89个专业的专业动态调整综合分析。综合专业动态调整AI分析结果、同一学科支撑专业建设内涵、近五年招生计划、学校"十四五"学科发展规划等多种要素，经专业、学院、学校多轮研究论证，通过整合、减招、停招、撤销等方式，有组织调整需求不大、竞争力不强、办学资源支持不足、与学科发展长期规划关联薄弱的专业，优化现有本科专业存量。2025年，学校本科招生专业调整至84个，较2023年减少了11个，招生专业结构进一步优化。

二、建设一流本科专业

2019 年，教育部办公厅印发《关于实施一流本科专业建设"双万计划"的通知》（教高厅函〔2019〕18 号）。该通知指出，在不同类型的普通本科高校建设一流本科专业，鼓励分类发展、特色发展，分年度开展一流本科专业点建设。学校高度重视一流本科专业建设工作，制定《合肥工业大学一流本科专业建设实施方案》（合工大政发〔2019〕73 号），按照一流师资、一流教学设备、一流课程、一流教材、一流教学管理等"五个一流"建设标准，统筹规划，分层、分级、分期、分批开展一流本科专业建设，引领带动学校其他专业的建设和整体专业结构的优化。学校通过专业调整和重点建设，一半以上专业成为国内一流专业，部分专业在国际上具有良好声誉，形成传统优势学科专业与新兴学科专业、基础性学科专业与应用型学科专业交相辉映的格局。目前，学校有 48 个专业入选国家级一流本科专业建设点、12 个专业入选省级一流本科专业建设点。

表 5-3　学校国家级一流本科专业建设点一览表

序号	专业名称	专业代码	学院	获批年度
1	金融工程	020302	经济学院	2019
2	思想政治教育	030503	马克思主义学院	2019
3	信息与计算科学	070102	数学学院	2019
4	机械设计制造及其自动化	080202	机械工程学院	2019
5	车辆工程	080207	汽车与交通工程学院	2019
6	测控技术与仪器	080301	仪器科学与光电工程学院	2019
7	金属材料工程	080405	材料科学与工程学院	2019
8	电气工程及其自动化	080601	电气与自动化工程学院	2019
9	电子信息工程	080701	计算机与信息学院	2019
10	自动化	080801	电气与自动化工程学院	2019
11	计算机科学与技术	080901	计算机与信息学院	2019
12	土木工程	081001	土木与水利工程学院	2019
13	水利水电工程	081101	土木与水利工程学院	2019
14	化学工程与工艺	081301	化学与化工学院	2019
15	制药工程	081302	食品与生物工程学院	2019
16	资源勘查工程	081403	资源与环境工程学院	2019
17	食品科学与工程	082701	食品与生物工程学院	2019

（续表）

序号	专业名称	专业代码	学院	获批年度
18	建筑学	082801	建筑与艺术学院	2019
19	信息管理与信息系统	120102	管理学院	2019
20	电子商务	120801	管理学院	2019
21	地质学	070901	资源与环境工程学院	2020
22	材料成型及控制工程	080203	材料科学与工程学院	2020
23	新能源材料与器件	080414T	材料科学与工程学院	2020
24	电子科学与技术	080702	微电子学院	2020
25	光电信息科学与工程	080705	仪器科学与光电工程学院	2020
26	给排水科学与工程	081003	土木与水利工程学院	2020
27	测绘工程	081201	土木与水利工程学院	2020
28	工商管理	120201K	管理学院	2020
29	会计学	120203K	管理学院	2020
30	物流管理	120601	管理学院	2020
31	工业工程	120701	机械工程学院	2020
32	国际经济与贸易	020401	经济学院	2021
33	英语	050201	外国语学院	2021
34	数学与应用数学	070101	数学学院	2021
35	应用化学	070302	化学与化工学院	2021
36	工业设计	080205	建筑与艺术学院	2021
37	无机非金属材料工程	080406	材料科学与工程学院	2021
38	通信工程	080703	计算机与信息学院	2021
39	集成电路设计与集成系统	080710T	微电子学院	2021
40	物联网工程	080905	计算机与信息学院	2021
41	建筑环境与能源应用工程	081002	土木与水利工程学院	2021
42	能源化学工程	081304T	化学与化工学院	2021
43	交通工程	081802	汽车与交通工程学院	2021
44	环境工程	082502	资源与环境工程学院	2021

（续表）

序号	专业名称	专业代码	学院	获批年度
45	食品质量与安全	082702	食品与生物工程学院	2021
46	城乡规划	082802	建筑与艺术学院	2021
47	市场营销	120202	管理学院	2021
48	环境设计	130503	建筑与艺术学院	2021

表5-4　学校省级一流本科专业建设点一览表

序号	专业名称	专业代码	学院	获批年度
1	集成电路设计与集成系统	080710T	微电子学院	2019
2	交通工程	081802	汽车与交通工程学院	2019
3	环境工程	082502	资源与环境工程学院	2019
4	工业工程	120701	机械工程学院	2019
5	环境设计	130503	建筑与艺术学院	2019
6	经济学	020101	经济学院	2021
7	法学	030101K	文法学院	2021
8	应用物理学	070202	物理学院	2021
9	微电子科学与工程	080704	微电子学院	2021
10	软件工程	080902	软件学院	2021
11	勘查技术与工程	081402	资源与环境工程学院	2021
12	生物医学工程	082601	仪器科学与光电工程学院	2021

第二节　推进专业认证（评估）

　　2016年6月，中国正式加入国际上最具影响力的工程教育学位互认协议之一《华盛顿协议》，通过中国工程教育专业认证协会认证的工科专业，毕业生学位可以得到《华盛顿协议》其他成员组织的认可。学校高度重视专业认证和专业评估工作，深入贯彻"以学生为中心、产出为导向、持续改进"三大核心理念，以认证为抓手，着力强化教学过程管理，促进专业教学质量全面提高。截至2025年9月，学校有21个专业通过国家专业认证（评估）、6个专业通过国际认证。

一、专业认证

2015 年之前，学校 10 个专业首次通过教育部工程教育认证。2015—2025 年，学校新增车辆工程、资源勘查工程、测绘工程、交通工程、交通运输、电子信息工程、自动化 7 个专业首次通过教育部工程教育认证。目前，学校共有 17 个专业通过教育部工程教育认证，其中，金属材料工程、机械设计制造及其自动化、车辆工程、制药工程、测绘工程、测控技术与仪器、资源勘查工程等 7 个专业正在申请新一轮专业认证。此外，2024 年 12 月，中国工程教育专业认证协会委派专家组首次对学校地下水科学与工程专业开展现场考查。现场考查是专业类认证委员会委派的现场考查专家组到接受认证专业所在学校开展的实地考查活动，是工程教育认证工作 6 个基本程序中的第 4 个程序。

表 5-5　学校通过工程教育认证专业一览表

序号	学院	专业	首次通过时间	当前起始年月	终止年月
1	土木与水利工程学院	土木工程	1997 年 6 月	2021 年 1 月	2026 年 12 月
2	机械工程学院	机械设计制造及其自动化	2010 年 1 月	2019 年 1 月	2024 年 12 月
3	食品与生物工程学院	食品科学与工程	2011 年 1 月	2020 年 1 月	2025 年 12 月
4	化学与化工学院	化学工程与工艺	2012 年 1 月	2024 年 1 月	2029 年 12 月
5	计算机与信息学院（人工智能学院）	计算机科学与技术	2012 年 1 月	2022 年 1 月	2027 年 12 月
6	食品与生物工程学院	制药工程	2013 年 1 月	2019 年 1 月	2024 年 12 月
7	材料科学与工程学院	金属材料工程	2013 年 1 月	2019 年 1 月	2024 年 12 月
8	仪器科学与光电工程学院	测控技术与仪器	2013 年 1 月	2019 年 1 月	2024 年 12 月
9	电气与自动化工程学院	电气工程及其自动化	2013 年 1 月	2022 年 1 月	2027 年 12 月
10	土木与水利工程学院	水利水电工程	2014 年 1 月	2020 年 1 月	2025 年 12 月
11	汽车与交通工程学院	车辆工程	2016 年 1 月	2019 年 1 月	2024 年 12 月
12	资源与环境工程学院	资源勘查工程	2016 年 1 月	2019 年 1 月	2024 年 12 月
13	土木与水利工程学院	测绘工程	2019 年 1 月	2019 年 1 月	2024 年 12 月
14	汽车与交通工程学院	交通工程	2021 年 1 月	2021 年 1 月	2026 年 12 月

（续表）

序号	学院	专业	首次通过时间	当前起始年月	终止年月
15	汽车与交通工程学院	交通运输	2022 年 1 月	2022 年 1 月	2027 年 12 月
16	计算机与信息学院（人工智能学院）	电子信息工程	2022 年 1 月	2022 年 1 月	2027 年 12 月
17	电气与自动化工程学院	自动化	2023 年 1 月	2023 年 1 月	2028 年 12 月

二、专业评估

2015 年之前，学校给排水科学与工程、建筑学 2 个专业首次通过住房和城乡建设部高等教育专业评估（认证）。2015—2025 年，学校新增建筑环境与能源应用工程、城乡规划 2 个专业首次通过住房和城乡建设部高等教育专业评估（认证）。目前，学校共有 4 个专业通过住房和城乡建设部高等教育专业评估（认证），且均在有效期届满前重新提出评估（认证）申请。其中，2023 年 2 月，学校建筑环境与能源应用工程专业通过住房和城乡建设部高等教育专业评估（认证），合格有效期为 6 年，自 2022 年 5 月起至 2028 年 5 月止；2023 年 4 月，学校建筑学专业通过住房和城乡建设部高等教育专业评估（认证），合格有效期为 6 年，自 2022 年 5 月起至 2028 年 5 月止；2024 年 6 月，学校给排水科学与工程专业通过住房和城乡建设部高等教育专业评估（认证），合格有效期 6 年，自 2024 年 5 月起至 2030 年 5 月止；2025 年 6 月，学校城乡规划专业通过住房和城乡建设部本科教育评估（认证），合格有效期 6 年，自 2025 年 5 月起至 2031 年 5 月止。

表 5-6　学校通过住建部高等教育专业评估（认证）专业一览表

序号	学院	专业	首次通过时间	当前起始年月	终止年月
1	土木与水利工程学院	给排水科学与工程	1996 年 5 月	2024 年 5 月	2030 年 5 月
2	建筑与艺术学院	建筑学	2013 年 5 月	2022 年 5 月	2028 年 5 月
3	土木与水利工程学院	建筑环境与能源应用工程	2017 年 5 月	2022 年 5 月	2028 年 5 月
4	建筑与艺术学院	城乡规划	2017 年 5 月	2025 年 5 月	2031 年 5 月

三、国际认证

学校 6 个专业通过国际认证。2016 年，学校管理学院正式成为国际精英商学院协会（AACSB）会员。正式成为 AACSB 会员是申请 AACSB 认证的关键环节，为未来启动 AACSB 认证奠定了基础。2024 年 3 月 5 日，学校信息管理与信息系统、电子商务、工商管理、会计学、市场营销、物流管理等 6 个本科专业通过 AACSB 商科认证，成为中国内地第 49 所通过 AACSB 商科教育认证的院校。AACSB 认证院校均通过商科教育同行的严格评审，确保以充分的资源、能力和决心为学生提供以未来为导向的一流商科教育，为业界输送具备专业素养的高端管理人才。

第六章 提升科技创新能力

学校紧紧围绕国家创新驱动发展战略，坚持面向世界科技前沿、面向经济主战场、面向国家重大需求、面向人民生命健康，通过系统推进有组织科研体系建设，持续优化"一站式"科研服务平台，全面提升基础研究水平和原始创新能力，在高能级科研平台建设、高层次科研项目攻关、高质量成果产出等方面取得系列突破。同时，学校以促进成果应用为导向，以服务产业发展为牵引，持续推动产学研合作和科技成果转化"双轮驱动"，积极探索发展"合工大模式"，打造三级贯通的企业孵化成长体系，科技成果转化成效显著，服务国家重大战略和区域经济社会发展能力不断提升。

第一节 增强科技创新驱动发展能力

学校积极加强需求引导型基础研究，聚焦前沿技术和颠覆性技术创新，通过建设高能级科创平台，组建高水平研究团队，组织跨学科、多领域协同攻关，抢占科学研究制高点，智能微创诊疗装备系统、飞机雷电防护关键技术、非接触式智能生理检测装置等多项技术被成功应用到辽宁号航母、天问一号、嫦娥五号、C919、中国空间站等国家重大工程，助力高水平科技自立自强。

一、建设高能级科创平台

学校聚焦科技前沿，整合优势资源，建优建强现有科研平台，积极拓建高能级创新平台，构建起了层次分明、覆盖广泛、特色鲜明、运行高效的科研创新基地平台体系。学校在多个学科领域的科研创新平台建设上取得新突破。2016 年12 月，获批可再生能源接入电网技术国家地方联合工程实验室、智慧养老国际科技合作基地。2018年2月，获批先进能源与环境材料国际科技合作基地。2021年12月，数据科学与智慧社会治理实验室获批教育部首批哲学社会科学实验室（试点）（全国仅9个）。2023年3月，获批电能高效高质转化全国重点实验室（共建），实现了学校在全国重点实验室序列的突破。2025年7月，学校首次获批3个国防重点学科与技术研究中心。截至2025年9月，学校现有省部级及以上科研基地平台95个。十年来，学校新增7个国家级科研基地平台、46个省部级重点科研基地平台。

二、提升科技创新能力

学校以国家重大需求为导向，凝练科研方向，积极组织重大基础共性问题和重大工程技术难题研发，推动跨学科、多领域的前沿基础研究和应用基础研究，提升高水平科学研究能力。推动加强战略性、全局性、前瞻性问题研究，着力提升解决重大问题能力和原始创新能力。持续加强项目申报全过程组织，精准对接大项目研发需求。国家自然科学基金、国家重点研发计划等国家级重大重点项目不断取得突破，科研实力持续攀升，质量和层次显著提升。

十年来，学校共获批国家自然科学基金各类项目1723项，总合同经费11.195亿元；获批国家社会科学基金各类项目70项，总合同经费1596万元。其中，获批基础科学中心项目（现卓越研究群体项目）1项、重大项目1项、重大研究计划集成项目1项、国家重大科研仪器研制项目4项、创新研究群体项目1项、国家杰出青年科学基金项目［现青年科学基金项目（A类）］3项、优秀青年科学基金项目［现青年科学基金项目（B类）］17项、其他重点类项目52项（不含上述项目）。2015年首次获批创新研究群体项目、国家重大科研仪器研制项目和装备发展部装备预研基金重点项目。2016年首次获批中央军委科技委科技创新特区项目1项、国家重点研发计划牵头项目1项、国家自然科学基金重大项目1项。2017年首次获批国家杰出青年科学基金项目。2019年，语言学学科首次在国家社科基金重点项目上获得突破。2020年首次获批中央军委科技委基础加强计划重点基础研究项目和装备发展部电子元器件和测试仪器工程研制项目。2021年首次获批国家自然科学基金基础科学中心项目（现卓越研究群体项目）1项，也是安徽省首个获批主持的基础科学中心项目；首次获批主持千万级国防创新特区重点项目1项。2022年首次获批主持装备发展部重大基础研究项目1项。2023年获批主持首批次长三角科技创新共同体联合攻关重点任务4项课题。2025年首次获批牵头长三角科技创新共同体联合攻关基础研究项目2项。另学校获批安徽省自然科学基金各类项目687项，其中杰青延续资助项目1项、杰青项目34项。

表 6-1 2015—2025 年学校承担国家级、省部级项目统计一览表（部分）

年度	国家级			省部级	
	国家自然科学基金	国家重点研发计划项目		安徽省自然科学基金	其他主持项目
		主持项目	主持课题		
2015	164	0	0	70	30
2016	146	1	6	48	15
2017	138	1	11	54	13
2018	173	2	8	58	12
2019	140	1	6	59	13
2020	128	7	15	54	16
2021	170	4	7	53	28
2022	175	4	17	89	27
2023	174	2	14	114	24
2024	166	3	12	88	17
2025	149	3	2	/	3
合计	1723	28	98	687	198

注：此表不包含国家社会科学基金、国防军工重大重点项目、长三角科技创新共同体联合攻关专项、教育部人文社科项目、安徽省哲学社会科学规划项目、安徽省重点研发计划（科技强警）项目。

十年来，学校获批国家重点研发计划、国家重大科技专项项目 406 项（其中获批牵头项目 28 项、主持课题 98 项），合同经费合计 8.0839 亿元；长三角科技创新共同体联合攻关专项 13 项，其中牵头基础研究项目 2 项、主持课题 7 项、承担子任务 4 项；教育部人文社科项目 111 项。获批省部级主持项目 198 项，其中省科技重大专项 39 项、省重点研发项目 106 项、省发改委项目 4 项、其他省厅重大重点项目 35 项、国家有关部门项目 14 项；牵头揭榜省科技重大专项揭榜项目 8 项。另学校获批安徽省哲学社会科学规划项目 194 项，安徽省重点研发计划（科技强警）项目 22 项。

表 6-2 2015—2025 年学校科研项目立项和获得经费情况一览表

年度	纵向科研			横向科研		
	立项数	立项合同经费（万元）	到账经费（万元）	立项数	立项合同经费（万元）	到账经费（万元）
2015	948	21400	19468	591	15390	14263
2016	666	27164	20685	549	12843	10944

（续表）

年度	纵向科研			横向科研		
	立项数	立项合同经费（万元）	到账经费（万元）	立项数	立项合同经费（万元）	到账经费（万元）
2017	770	25375	23345	749	19846	12436
2018	810	31679	27127	652	17482	12709
2019	874	29930	28235	759	18360	13700
2020	882	39248	31583	850	22745	15753
2021	855	46120	33258	1175	34533	21974
2022	890	45598	38715	1209	41356	26899
2023	992	43170	38256	1196	48790	32980
2024	1020	43543	41337	1267	56022	37918
2025	573	18681	26949	791	36551	24256
合计	9280	371908	328958	9788	323918	223831

2024 年 7 月，雷击接闪与主动防护研究重大科研装置获批教育部 2024 年中央预算内投资科研能力建设专项，项目总投资 18220 万元；同年 12 月，高端光电仪器及装备创新服务平台，新能源汽车智能底盘一体化设计、验证与测试平台 2 个项目获批教育部 2024 年中央预算内投资科研能力建设专项，项目总投资分别为 44487 万元、19286 万元。

三、促进高质量科研成果产出

学校坚持目标导向、需求导向、问题导向，充分发挥基础研究项目的引导作用，重点资助青年教师、重点科研基地学术团队等，鼓励学科交叉融合，通过强化申报指导、优化管理流程、完善成果培育体系等措施，推动重大科研成果的培育，促进科研成果产出规模稳步增长、水平持续提高。

十年来，学校获国家级奖励 14 项，包括全国创新争先奖 2 项、国家科学技术进步奖二等奖 4 项（参与）、中国专利奖优秀奖 6 项、中国青年科技奖 1 项、全国科创名匠 1 项；获省部级奖励 330 项、社会力量奖 111 项，获奖层次和数量稳步提升。杨善林院士 2015 年获复旦管理学杰出贡献奖，2019 年获高等学校科学研究优秀成果奖（科学技术）科技进步一等奖，2020 年担任第一完成人的"人机协同的智能移动微创腔镜系统"项目获评世界互联网最具领先性的 15 项科技成果之一。梁樑教授 2021 年获安徽省重大科技成就奖。汪萌教授 2024 年获第六届科学探索奖。

在人文社科领域，学校获教育部高等学校科学研究优秀成果奖（人文社会科学）6 项，获安徽省社会科学奖 24 项。学校 85 项决策咨询成果获各级批示，其中，26 项获中央部委或安徽省委、省政府正职领导肯定性批示（国家级批示 20 项），44 项被省部级及以上部门采纳应用。2016 年学校有 3 份咨政报告首次被中央网信办和国务院办公厅采纳，2020 年有 1 项研究成果入选《习总书记关于扶贫工作的重要论述学习文集（2020）》。

学校推进国家知识产权试点高校建设工作，健全重大项目知识产权管理流程，强化高价值专利的创造、运用和管理，成立科技成果转移转化工作领导小组（知识产权管理委员会），印发《合肥工业大学国家知识产权试点高校建设工作方案》（合工大政发〔2021〕23 号）、《合肥工业大学知识产权基金管理办法（试行）》（合工大政发〔2022〕53 号）等文件，加强知识产权管理与服务体系建设，提升知识产权的"高质量创造、高效益运用、高标准保护、高水平管理"能力。十年来，学校获批授权专利 10678 项（其中发明专利 9434 项、实用新型专利 1080 项、外观设计专利 42 项、国际专利 122 项），授权软件著作权 1493 件，其他知识产权 6 件。发明专利的授权量连续 10 年位居安徽省高校科研院所第一。

表 6-3　2015—2025 年学校专利授权及软件著作权登记一览表

年度	专利				软件著作权	其他知识产权
	国内专利			国际专利		
	发明专利	实用新型专利	外观设计专利			
2015	355	80	2	0	19	0
2016	398	86	2	1	102	0
2017	485	123	0	5	99	0
2018	550	99	0	2	113	0
2019	637	107	5	1	126	0
2020	895	121	3	11	161	0
2021	999	174	5	21	210	0
2022	1569	99	8	25	197	4
2023	1144	72	3	26	191	1
2024	1538	59	5	20	198	1
2025	864	60	9	10	77	0
合计	9434	1080	42	122	1493	6

同时，学校在高水平学术论文发表方面取得新进展。十年来，共发表高水平

论文 27996 篇。其中，以学校为第一作者发表的高水平论文占比超 70％，共计 19889 篇，高被引论文 337 篇。

表 6‑4　2015—2025 年学校论文发表情况一览表

年度	SCI—E/SSCI 论文数	第一作者百分比	第一作者论文数	高被引论文
2015	1121	71.90％	806	11
2016	1336	70.96％	948	18
2017	1554	75.29％	1170	12
2018	1986	75.08％	1491	20
2019	2496	75.36％	1881	43
2020	2695	74.58％	2010	24
2021	3174	71.68％	2275	33
2022	3469	70.94％	2461	43
2023	3675	69.58％	2557	54
2024	4270	68.06％	2906	63
2025	2301	68.27％	1571	16
合计	28077	71.97％	20076	337

注：
1. 数据来源：Web of science 检索平台和 Incites 数据库。
2. 文献数据为 WOS 平台的 SCI—E 和 SSCI 论文。
3. 检索时间：2025 年 8 月 31 日。

第二节　提升产学研用协同效能转化

学校推动产学研用深度融合，促进科技成果有组织转化，通过探索创新"合工大模式"，打造三级贯通的企业孵化成长体系，持续提升产学研用协同转化效能，加速科技创新成果在产业链上的落地应用，完成从科学研究、实验开发、推广应用"三级跳"，实现科技供给与产业需求"双向奔赴"，不断提升科技创新对经济社会发展的贡献度。

一、探索发展"合工大模式"路径

"十三五"期间，学校充分发挥工科办学特色和产学研合作传统优势，聚焦安徽省十大新兴产业的关键技术需求与卡脖子难题，创立了"企业出题、政府立题、高校解题、市场阅卷"的政产学研用合作模式——"合工大模式"。

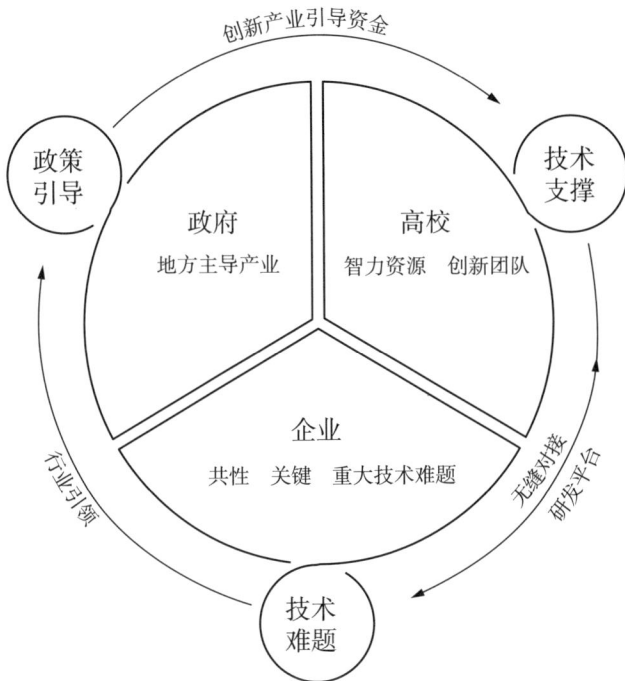

图 6-1 "合工大模式"协同机制

2016年12月13日，学校与天长市签署共建创新平台合作协议，校市双方共同设立"天长—合工大产业创新引导资金"，"合工大模式"的探索与发展正式开启。2019年1月13日，学校与天长市人民政府签署《滁州天长市人民政府—合肥工业大学深化校地全面合作协议》，并于2020年建设首个校地产业技术研究院——合肥工业大学天长产业技术研究院，首批投入近700万元。研究院作为天长市科技创新的典型，为学校政产学研合作和天长市科技创新提供探索与实践模板。2021年9月，国务院第八督查组在天长市调研督查中，要求将此模式作为科技创新体制改革的样板予以推广。"合工大模式"先后在合肥市长丰县、阜阳市临泉县等7个具有特色产业的县域进行创新推广，通过政产学研深度合作，构建了创新驱动发展的校地协同新机制。

2019年5月22日，学校与蚌埠市人民政府签订共建产业创新平台及引导资金协议，标志着"合工大模式"首次由县级区域跃升到地市级，构建校内虚拟平台和区域创新平台，打造集创新研发、成果转化、科技金融与产业孵化于一体的深度融合创新生态。

2021年5月26日，学校与上海浦东新区合作成立上海浦东新区合工智能技术研究院。9月25日，学校与金华市婺城区人民政府、浙江万里扬股份有限公司签订合作协议共建"金华市婺城区新能源汽车技术和智能制造创新中心"。至此，"合工大模式"首次在长三角地区推广应用，标志着学校在服务长三角高质量一体化发展中迈出关键一步。

同时，学校探索推进成果转化型"合工大模式"，形成"成果＋运营＋资本"的转化机制。2022年12月，推动食品与生物工程学院先进发酵食品团队与黄山市企业共同创建"发酵食品研究中心＋健康食品检测中心＋健康食品产业化实体企业"综合性科技成果转化平台，成功探索首个"合工大模式"成果转化型案例，为增强学校科技成果在地方转化提供了新思路。

"合工大模式"持续深化升级，通过校企共建高水平科技创新合作平台，聚力攻克关键领域"卡脖子"技术难题，创新打造"科创引领＋产业赋能"融合发展新模式。2022年2月18日，学校与蔚来汽车共建"合工大—蔚来创新研究院"，探索校企合作新机制，标志着"合工大模式"首次拓展至行业领军企业。

表6-5　"合工大模式"推广对接一览表

时间	对接区域/企业单位
2016年12月13日	滁州市天长市
2017年9月12日	合肥市长丰县
2017年11月30日	阜阳市临泉县
2018年6月1日	马鞍山市含山县
2018年8月31日	芜湖市无为县
2019年5月22日	蚌埠市
2021年2月23日	黄山市
2021年4月26日	安庆市桐城市
2021年5月15日	安庆市
2021年5月26日	上海浦东新区
2021年9月25日	金华市婺城区人民政府、浙江万里扬股份有限公司
2022年2月18日	蔚来控股有限公司
2022年8月17日	黄山市休宁县
2022年11月10日	芜湖市
2023年7月11日	滁州市
2023年12月28日	六安市

（续表）

时间	对接区域/企业单位
2024 年 6 月 6 日	安徽江淮汽车集团股份有限公司
2024 年 7 月 1 日	合肥国轩高科动力能源有限公司
2025 年 4 月 15 日	淮南市寿县
2025 年 4 月 27 日	安徽开阳科技有限公司

经过近 10 年的探索发展，"合工大模式"立足安徽，融入长三角，探索打破既往点对点、碎片化、无统筹、无计划的产学研合作传统做法，形成面对面、有规模、有统筹、有计划的技术转移新模式。基于此模式，学校获评 2019 年中国产学研合作创新奖和 2022 年中国技术市场协会金桥奖"突出贡献集体奖"。该模式已由主要依托产业创新引导资金开展校地校企联合科技项目攻关的"需求传导型合工大模式"1.0 版，到目前的"成果转化＋转移中心＋公共平台＋科技金融"为一体的"成果转化型合工大模式"2.0 版。截至 2025 年 9 月，"合工大模式"已在 14 个省内地市（县）区域及行业领军企业创新拓展，累计年度产业创新引导资金协议规模达 13000 万元。

二、打造三级贯通的企业孵化成长体系

学校积极落实教育、科技、人才一体化发展战略，充分发挥学校科技优势，持续推进科技成果转移转化，打通创新链与产业链结合的关键环节，推动建设环合工大科创圈，依托"工大智谷"、智能制造技术研究院等新型研发机构及政府产业园区，打造"高校（"工大智谷"等）— 新型研发机构（智能制造技术研究院等）— 高新技术产业园区"三级贯通的企业孵化成长体系，建设一站式创业支持服务体系，探索教师不出校门即可创业的生态圈，形成具有合肥工大特色的成果转移转化新品牌，深度推进城校融合、产城融合、创新链产业链融合，为区域经济社会高质量发展及全面建成社会主义现代化强国作出工大贡献。

（一）"工大智谷"

学校充分发挥教育、科技、人才汇聚作用，全力打造具有重要影响力的科技创新策源地，持续深化以"企业出题、政府立题、高校解题、市场阅卷"为特色的政产学研用"合工大模式"，打通科技成果转移转化"最初一公里"和"最后一公里"，探索形成"工大智谷"科技成果转化新模式。

"工大智谷"依托学校科研力量，与地方政府密切合作，深度整合政府、高校、市场资源，融合创新链、产业链、人才链、资金链，挖掘、培育、孵化学校

科创市场主体并提供全方位服务，打造教师不出校门即可创业的支持体系，解决科技成果既能有效转化，又能快速从 1 成长到 10 的难题。

2022 年 12 月 9 日，学校与合肥市包河区人民政府签署《共建"工大智谷"合作协议》，正式启动"工大智谷（包河）"建设。"工大智谷（包河）"以学校屯溪路校区产业楼为基地，包河区成立专门公司负责运营，整合金融机构、市场支持、企业服务等资源，保姆式服务创业团队，打造教师不出校园即可创业的良好生态。成立以来，"工大智谷（包河）"已被认定为合肥市科技企业孵化器、安徽省科技企业孵化器，孵化科创型企业（团队）31 家（含准入驻企业团队），其中 5 家企业获合肥市、包河区两级种子基金、成果转化平台支持，3 家企业获得科大硅谷"初创贷"支持。1 家企业在第十三届中国创新创业大赛全国赛初创组中获第三名，1 家企业在"创赢未来"第三届长三角 G60 科创走廊科技与产业创新大赛中获优胜奖。入驻企业冠盾科技研发的产品"融合量子密钥的车联网通信安全防护系统"入选 2024 年安徽省新产品名单，并通过合肥市 2024 年三新产品认定。入驻企业熊储能源研发的产品"动力型钠离子电池系统"通过合肥市 2024 年三新产品认定。

2023 年 7 月 11 日，学校与滁州市签订全面战略合作协议，共建"工大智谷（滁州）"协同创新中心，创新发展"需求传导型＋成果转化型"政产学研金用六位一体的"合工大模式"。2023 年 12 月 28 日，学校与六安市人民政府签订全面战略合作协议，共建"工大智谷（六安）"协同创新中心，构建"研发＋孵化＋转化"产业创新三圈生态，推进产业链、创新链、资本链、人才链深度融合。

（二）合肥工业大学智能制造技术研究院

合肥工业大学智能制造技术研究院（以下简称智能院）成立于 2014 年，是由教育部、工信部、安徽省政府支持，合肥市政府与合肥工业大学共建的主要开展科技成果转化及产业化、高科技企业培育、产教融合人才培养的新型研发机构。

智能院边建设边运营，在奋斗中求发展。2015 年 5 月，智能院与首批学校成果转化培育项目、企业签约，以智能制造发展为方向的 11 家企业正式入驻。2021 年 1 月，智能院研发中心正式启用。2024 年 4 月，智能院十周年庆典活动成功举办。经过多年的发展，智能院以科技成果转化、科创企业孵化为重要任务，持续发挥学校平台与资源优势，加速高水平科技成果转化与产业化。智能院 2016 年被列为省级"全创改"试点单位，2017 年入选合肥综合性国家科学中心，2018 年被认定为安徽省首批新型研发机构，2023 年被认定为安徽省首批高水平新型研发机构；获批发改委新型研发机构科教融合产业创新人才培养平台，工信部校企协同就业创业创新示范实践基地，省级大学科技园、科技企业孵化器、技术转移服务机构、创业研究院、小微企业示范基地；获 2021 年合肥市经济高质量发展贡献奖先进集体、第十六届合肥市文明单位称号。

智能院深化体制机制改革，探索出了一条独具特色的事业单位企业化运行新型研发机构发展模式，打破传统"一纸契约"专利转让合同，探索出校企"共生"式合作模式。截至 2025 年 9 月，智能院已累计培育孵化科技型企业 202 家。其中，国家级高新技术企业 46 家，安徽省专精特新企业 3 家，安徽省创新型中小企业 28 家，安徽省、合肥市大数据企业 20 家，安徽省"三首"产品 7 项，孵化企业累计营收超 58 亿；获批组建科技研发相关平台和资质 46 个，累计组织百余个科研团队为 700 余家规上企业提供技术支持；投入科技成果培育与转化专项资金 5685 万元，设立项目 150 余项，支持校内团队、共建单位开展技术研发、成果培育，完成转化 40 余项；申请各类知识产权 627 项（含发明专利 400 项、国际专利 7 项），授权各类知识产权 368 项（含发明专利 150 项、国际专利 4 项）；承接政府科技计划项目及企事业单位委托类项目近 300 项，累计经费近 2 亿元；帮助学校团队和入驻企业获得融资金额超 8000 万元；获安徽省科学技术奖等省部级、行业协会等荣誉 6 项；累计培养"双导师制"硕士研究生 5000 名，引入智能制造领域高层次人才 120 余名，共建研究生联合培养基地 30 家。

三、学校科技成果转化典型案例

学校依托"合工大模式"、三级贯通企业孵化成长体系等，构建起"平台支撑—科技支撑—人才支撑—金融支撑—市场支撑"五位一体的科技企业培育体系，为学校科研团队提供初期需要的研发空间、资金和资源支持，切实打通了科技成果转化"最后一公里"。十年间，学校完成专利转让、许可、作价入股等成果转化项目累计 272 个，涉及专利、软件著作等知识产权 742 件，项目合同总金额 10068 余万元。其中，以知识产权作价投资企业 31 家，知识产权总估值 7000 余万元，一大批由学校教师科研团队创办或作价入股的企业呈现蓬勃发展态势。

（一）张兴教授科研团队

电气与自动化工程学院张兴教授团队自 1998 年以来长期专注于同我国新能源发电逆变器龙头企业——阳光电源股份有限公司的产学研合作。近 30 年来，团队围绕新能源发电相关领域，从光伏、风电、储能、电动汽车的电能变换关键问题出发，研究并探索新能源变流技术在典型应用场景下的核心设备及其共性技术问题，取得了多项成果的产业化，助推阳光电源股份有限公司成长为我国新能源发电逆变器龙头企业，品牌价值突破千亿元，为国家新能源发电变流装备的产业化作出了显著贡献。团队与阳光电源开展持续而紧密的产学研合作，实现了从早期的光伏、风电变流器的国产化，到现在的行业技术方向的引领，重塑了新能源变流器的国际竞争格局，形成了"以长期信任为基础、以国家项目为纽带、以全链条创新为核心"的独特合作模式，为"高校—产业"协同发展提供了全新范式，兼具科技创新高度与产业转化深度。双方共同申请并获批国家科技进步奖 2 项，省部级科技进步奖近 10 项。

（二）林巨广教授科研团队

机械工程学院林巨广教授团队专注于智能装备和新能源汽车电机电控的研发，为汽车尤其是新能源汽车提供车身、动力总成以及动力电池的智能制造解决方案，同时为新能源汽车提供电机电控产品的全生命周期服务。2005 年 1 月，学校以专有技术作价 200 万元出资，成为安徽巨一科技股份有限公司诞生与腾飞的关键起点。依托学校强大的科研平台与人才优势，公司在汽车智能装备领域实现重大突破，与国际头部装备制造企业同台竞技；公司电机电控业务的发展也是产学研用合作的成果，拥有的 20－300kW 电机电控系列产品引领行业技术进步与发展。公司客户群已覆盖特斯拉、比亚迪、理想、奇瑞等全球主流的整车和零部件生产企业，充分体现了学校平台所孵化企业参与全球竞争、服务高端市场的强大能力，是"合工大智慧"走向世界的生动实践。巨一科技与学校开展深度产学研协同创新，提供源源不断的技术支撑和创新动力，已累计授权各类专利超1000 项；参与制定国家标准 9 项、行业标准 5 项；相关成果获安徽省科技进步奖一等奖 4 项、中国专利优秀奖 5 项、安徽省专利金奖 4 项；建有国家企业技术中心、国家地方联合工程研究中心两个国家级研发平台；连续 4 年入选安徽省民营企业百强，2 次获"安徽省优秀民营企业"称号。2021 年 11 月，公司成功登陆上交所科创板，成为 A 股中唯一一家同时以智能装备与电机电控零部件为主业的科创板上市企业，彰显了学校科技成果转化的卓越成效。巨一科技通过持续的自主创新与市场开拓，有力践行了"中国汽车中国装备造、中国汽车装备和零部件造世界车"的产业抱负，成为学校八秩华诞校史上熠熠生辉的科技成果转化典范。

（三）董宁研究员科研团队

仪器科学与光电工程学院董宁研究员团队瞄准机器视觉领域技术空白，多年来深耕工业相机、图像采集卡等核心产品研发，自主突破多项关键核心技术，发表多篇高水平论文，获多项授权发明专利，为相关技术国产化奠定坚实基础。为加速科技成果落地转化，2011 年，董宁研究员带领团队创办合肥埃科光电科技股份有限公司（股票代码：688610），公司总部位于合肥高新区，依托学校科研优势，将团队研发的机器视觉领域技术成果产业化，产品涵盖工业相机、图像采集卡、智能光学单元等数百种型号，广泛应用于电子制造、新型显示、半导体等高端制造领域。团队凭借过硬的技术实力和市场潜力，推动公司不断发展壮大。依托团队雄厚研发实力，公司获批建立"国家级博士后科研工作站""精密视觉感知安徽省重点实验室"等高端创研平台，获安徽省科技进步奖一等奖，承担国家重点研究计划、安徽省"三重一创"重大专项等重点项目，拥有知识产权专利300余项。在成果转化成效方面，公司核心产品率先打破国外厂商对中国工业相机和图像采集卡市场的长期垄断，显著降低高端装备智能制造核心部件的"卡脖子"风险，为提升制造业高品质高精度生产与检测提供强有力的国产化支撑，服务于众多行业龙头企业。2023年在董宁研究员团队的推动下，公司成功登陆科创板，成为"国内工业相机第一股"，进一步拓宽了科技成果转化的市场化路径。如今，伴随智能对焦系统、线光谱共焦传感器等创新产品的成熟，公司已实现从机器视觉核心零部件提供商向高端工业传感器提供商的战略升级，持续为国内高端装备的自主可控提供核心支撑，助力中国智能制造水平的全面提升，成为高校科技成果转化与产业化的又一标杆。

（四）吴玉程教授科研团队

材料科学与工程学院吴玉程教授团队围绕国家重大需求和安徽区域经济发展特色，深耕热沉材料和电磁功能材料20年，掌握了湿法钨（钼）－铜粉体制备及其近净成形全套关键技术，在该领域发表高水平论文100余篇，授权发明专利50余项。2022年，学校以10件知识产权作价2100万元，联合安徽恒均粉末冶金科技股份有限公司注册成立"安徽亿恒新材料科技有限公司"，是学校首个超过千万元科技成果转化项目。公司成立后，获得芜湖天使投资基金有限公司、芜湖市繁昌区兴农产业投资基金有限公司等超千万元融资。团队于2022年5月创办合肥迈微新材料技术有限公司，该公司依托学校科研优势，以"宽频带吸波材料及电磁屏蔽涂料"为核心，成立当年即获千万级融资，实现营业额400万元。2023年，团队再次将电磁功能材料相关专利评估223万元，入股合肥迈微新材料技术有限公司，当年公司营业额突破千万。2024年完成Pre－A轮融资，融资金额近2000万元，估值超亿元。同年，公司产品"铁氧体吸波贴片"获评安徽省首批次新材料，技术等级达到国际先进水平。该产品是我国首款具有自主知识产权的UHF频段铁氧体基吸波体，打破了国外技术垄断，实现国产替代，解决了以往国内电磁兼容特性检测依赖进口设备成本昂贵、技术不可控的难题，成为高校科技成果转化、服务产业发展的典范。

（五）张久兴教授科研团队

材料科学与工程学院张久兴教授团队二十年磨一剑，长期从事新型功能材料和金属纳米材料及其制备新技术研究与开发，主要包括稀土电子阴极材料、稀土永磁材料、稀土金属纳米材料、稀土热电能源转换材料、硬质合金材料、放电等离子烧结新技术新材料（SPS）等。相关成果对标美日欧新材料企业第一梯队，填补航天航空、医疗健康、高端制造、精密光学、电子信息等领域的高端创新材料的国内空白，解决了进口材料替代问题，保障国家产业链安全。2022年，学校以4件知识产权作价191.18万元，入股安徽尚欣晶工新材料科技有限公司，该公司也成为国内第一家用SPS技术实现先进金属材料制备和产业化的公司，在高端难熔金属、超硬硬质合金、特种功能材料领域具有显著优势，为医疗健康、精密光学、高端制造等领域提供创新材料，实现了原创技术的应用。当年底，公司即完成天使轮融资，投后估值3.5亿元。引入学校团队技术后，公司创新建立了中国首条、具有国际领先水平的集稀土金属纳米粉末制备与SPS烧结一体化的研发平台；建成了国内唯一、国内最完整、达到国际先进水平的高熔点单晶材料研究平台，实现了从0到1、从无到有的突破，被评为"2023年安徽省新材料产业十大标志性事件"，张久兴教授获评"2023年安徽省优秀科学家"殊荣。2024年7月，相关产品通过安徽省新产品认定，在多家上市公司完成进口替代，单笔订单破千万元。

（六）李兴江教授科研团队

食品与生物工程学院李兴江团队专注"食品微生物发酵工程"二十年，以发酵食品微生物为研究对象，通过"微生物菌群黑盒子解析—关键菌株分子改造—系统合成生物学定向调控"三位一体的系统性生物技术，提升发酵食品的品质与价值。近5年发表了以合肥工业大学为第一单位、以李兴江为独立通讯作者的中科院1区TOP顶刊论文30篇（其中IF≥10分论文10篇、最高IF=17分2篇），授权发明专利10件，以第1起草人身份立项国家行业标准与省地方标准各1件，以主要身份参与制定国家标准1件，相关成果广泛应用于国内发酵食品主流领军企业（丰原集团、中粮集团、皖神集团、古井健康公司等），为我国发酵食品行业的"芯片/即菌种"定向调控和生物合成技术及其科技赋能作出重要贡献。2022年12月，李兴江通过名下专利作价入股方式创办工大生物科技（黄山）有限公司（学校党委常委会决议通过，李兴江个人占股24.5%、学校占股10.5%，注册投资1000万元，李兴江担任公司法人、董事长）。次年，李兴江发酵食品团队获安徽省科技进步奖二等奖（李兴江排序第1），并带领公司连续三年实现科技进步与产品增值（2023年公司实现销售220万元/利润39万元、2024

年实现销售 1338 万元/利润 272 万元、2025 年上半年实现销售 3555 万元/利润 389 万元）。在非粮生物炼制大宗酸醇关键共性技术研发与应用领域，李兴江牵头主持的安徽省攻坚计划项目（丰原集团为依托企业、合肥工业大学为技术主导单位，联合中国科技大学、中国科学院合肥物质院等单位），合同经费 1 亿元，重点解决我国非粮生物炼制大宗有机酸及燃料乙醇的关键卡脖子技术（原料预处理及五六碳共代谢技术、高耐受生物转化体系构建技术）。

（七）白先旭教授科研团队

汽车与交通工程学院白先旭教授团队自 2007 年起深耕电控悬架领域，凭借全栈自主研发能力与全技术链知识产权，攻克技术瓶颈，研发出高适应性、高智能性的智能电控悬架控制器，实现对多种悬架系统的精准适配。团队于 2023 年创办工大智骋（合肥）汽车科技有限公司，聚焦"新一代电控悬架核心技术"研发与产业化，致力于提升智慧出行品质。在成果转化落地过程中，公司依托合工大智能院成果转化平台提供的创业辅导、路演推介、融资对接等服务，成功获得合肥市科创集团等机构近千万元融资。同时，团队凭借领先技术屡获殊荣，斩获第九届安徽省专利金奖、合肥市科技成果转化团队之星等多项荣誉。目前，公司已推出御浪 eMC 电控悬架系统、天柱 Amc 全主动悬架系统、PSI5 全周期系列产品等，以硬核技术推进自主品牌电控悬架系统国产化进程，成为高校科技成果转化驱动产业升级的生动范例。

（八）罗派峰教授科研团队

材料科学与工程学院罗派峰科研团队经过十余年研发，开发出钙钛矿电池 CVD 干法制备专利技术，包括钙钛矿光吸收层薄膜的 CVD 制备技术、钙钛矿薄膜大面积衬底制备技术、热稳定无机钙钛矿材料的气相沉积制备技术、稳定钙钛矿材料的 CVD 制备及其气相钝化技术等新型制备专利方法，具有薄膜质量高、成本低、重复性好、良率高等优势，并自主设计研发出 CVD 核心装备。为推动相关成果产业化落地，2024 年学校以 5 件知识产权作价 93.31 万元，入股合肥普斯凯新能源科技有限公司（入驻合肥工业大学智能制造技术研究院，为学校培育孵化企业），并获得阳光电源产业基金、科大硅谷基金、合肥市种子基金、创新投资私募等数千万融资。公司已建成全国首条钙钛矿电池 CVD 气相干法中试线，首批 $300 \times 300 mm^2$ 大面积电池模组已成功下线。公司获第十三届中国创新创业大赛总决赛银奖、全国赛一等奖，第八届"创客中国"安徽省中小企业创新创业大赛一等奖、合肥市科技成果转化"团队之星"、2024 合肥市新型研发机构重大成果等荣誉。

第三节　深化科研体制机制改革创新

学校持续推进科研体制机制改革创新，着力构建高效完善的科研管理体系。通过全面升级"一站式"科研业务服务平台，显著提升科研服务效能，打造特色科研服务品牌。不断完善科研政策体系，修订管理制度，强化校内科研项目的引导作用，为重点领域和基础研究提供有力支撑。积极推进有组织科研模式创新，加强教师科研能力培养，持续提升服务国家重大战略需求的科研创新能力。

一、提升"一站式"科研业务服务能力

学校认真贯彻落实党中央、国务院关于推进科技领域"放管服"改革的决策部署，加强事中事后监管，管好底线与秩序，打造"一站式"科研服务平台，搭建起"线上线下"一体化的科研业务服务管理架构，形成了精细规范、快捷方便、协同高效的科研管理体系。

学校按照"简政放权要做减法、有效监管要做加法、提高服务要做乘法"的管理理念，推进精细化科研管理。2016 年 5 月，学校设立科技服务大厅，坚持以广大教师、科研人员为中心推进"一站式"科研管理服务，根据不同管理类别分设办事窗口，开通绿色通道，运行学术论文网上认领系统，实现了"办理业务不上楼、认领成果不填表、科研考核不扰民"的科研服务"三不"原则。2022 年科研管理系统实现了离校人员在线审核、科研用章的线上全流程管理、科研用章办理单导出及套打等功能。2023 年科研管理信息系统实现了科研项目经费到账认领可直接读取财务系统到账信息的功能。学校搭建起线上科研管理信息系统、线下科技服务大厅"一站式"服务一体化的科研管理架构，形成了精细、规范的信息化服务平台和快捷方便的"一站式"服务环境。

2024 年，学校积极推进"一站式"科研业务服务从"1.0 版本"向"2.0 版本"升级，以数字化转型推动科研创新发展，统筹推进"有温度服务"的提升，即"业务提醒不拖延、制式合同不外延、高频事项不见面"。2025 年注重改革引领和数字赋能双轮驱动，3 月起，专利审批、打印、盖章集成服务试运行，4 月正式全面推行专利申请业务不见面办理服务，实现了专利申请业务办理模式从"只跑一次"向"零跑腿"的跨越。

二、推进有组织科研体系建设工作

学校持续深化科研体制机制改革，创新科研管理模式，强化科研工作的顶层设计和政策引导。坚持质量优先和内涵式发展原则，通过加强有组织科研体系建设，着力

提升创新能力，不断提升服务国家重大战略需求的能力，推动科研工作高质量发展。

十年来，学校科研院、财务处等管理部门协作配合，先后制定、修订科研管理相关政策十余项，鼓励科研人员静心开展原创性研究。2016年学校印发《合肥工业大学外国文教专家经费管理暂行办法》（合工大政发〔2016〕116号），进一步规范学校外国文教专家经费的管理，提高经费使用效益，保证专家经费的合理使用。2019年学校印发《合肥工业大学科研经费管理办法（修订稿）》（合工大政发〔2019〕80号）、《合肥工业大学科研经费管理办法实施细则（修订稿）》（合工大政发〔2019〕81号）、《合肥工业大学科研项目管理办法（修订稿）》（合工大政发〔2019〕94号）、《合肥工业大学科研项目管理实施细则（修订稿）》（合工大政发〔2019〕95号），着力加强和完善学校科研项目的管理工作，提高科研经费使用效益，促进学校科研事业的可持续发展。2017年至2025年，学校印发《合肥工业大学校企共建科研平台管理暂行办法》（合工大政发〔2017〕36号）、《合肥工业大学科技成果资产评估项目备案管理实施细则》（合工大政发〔2018〕74号）、《合肥工业大学促进科技成果转移转化实施办法（修订稿）》（合工大政发〔2025〕60号），持续推动校企合作与科技成果转移转化，提升服务区域经济社会发展能力。2020年学校印发《合肥工业大学实验室安全准入制度》（合工大政发〔2020〕65号）、《合肥工业大学实验室安全责任追究暂行规定》（合工大政发〔2020〕66号）、《合肥工业大学科研项目安全风险管理办法》（合工大政发〔2020〕67号），重点加强学校科研项目的安全管理和风险防控，确保科研工作的安全、有序开展。

学校积极鼓励青年科技人员瞄准国家战略需求和世界科技前沿，聚焦基础研究及应用基础研究领域的关键科学问题，勇于在"无人区"开展颠覆性科学探索。实施人才和团队分层次培育计划，设立"学术新人提升计划""学术人才自主创新""优秀青年人才培育计划"等多种专项计划，鼓励科研人员面向世界科技前沿、面向经济主战场、面向国家重大需求、面向人民生命健康，聚焦战略价值突出、技术突破显著的原创性和颠覆性技术进行开创性探索，为国家培育和储备具有颠覆性技术潜力的项目，培养前瞻性人才。

十年来，学校设立专项计划3101项，合同金额达38797万元，有效提升了教师的基本科研能力，形成了良好的知识创新和技术创新氛围，促进了创新成果的产出。其中，学术新人提升计划A项目320项、B项目552项，学术人才自主创新项目94项，优秀青年人才培育计划（A项目、B项目）68项，青年教师科研创新启动专项A项目347项、B项目74项，科学前沿创新专项49项，共性技术研发平台专项41项，军工培育项目36项，哲学社会科学培育计划项目229项等。2015年至今，在基本科研业务费项目资助下，共有19位教师获得国家级人才称号，5位教师获批国家自然科学基金重点类项目6项。

第三编　底气：卓越人才培养

卓越人才培养始终是学校最大的底气。十年来，学校始终聚焦为党育人、为国育才，坚持人才培养中心地位，围绕"培养德才兼备、能力卓越，自觉服务国家的骨干与领军人才"的人才培养总目标，深化改革，集聚资源，创新模式，推动人才培养质量持续提升。

不断优化人才培养体系。学校创立并实施"立德树人、能力导向、创新创业"三位一体教育教学集成体系。落实立德树人根本任务，强化思政引领铸魂育人，推进思政课程与课程思政同向同行，引导学生扣好人生第一粒扣子；实施能力导向人才培养方案，坚持人才培养方案周期性修订与课程讲授效果实时改进相结合，提升教学效果，不断夯实学生专业基础；加强创新创业教育、"第二课堂成绩单"建设，充分激发创新人才培养活力，培养学生创新能力、创造能力、创业能力。通过教育教学集成体系的有效实施，学校人才培养质量不断提升，"工程基础厚、工作作风实、创业能力强"的人才培养特色不断彰显。

不断加强人才培养保障条件建设。持续加强高素质专业化师资队伍建设，坚持用教育家精神铸魂强师，实施人才强校战略，深化人事制度改革，打造了一支师德高尚、业务精湛、结构合理、充满活力的高素质专业化教师队伍。不断加强学术委员会建设，充分发挥学术委员会在学术治理中的重要功能。推动教职工参与民主治理，提升学校治理能力和水平。不断拓展办学资源，推行零基预算改革，推进资金使用和资产利用绩效评价。加强基础设施建设，建成标志性教学科研楼群，优化校园功能布局。深化智慧校园建设，构建 5G 网络全覆盖、数据互联互通、智慧服务平台优化的教育管理生态。推进学术资源与实验室建设，进一步提升资源保障与服务能力。创新学生管理模式，升级学生住宿与餐饮体验，优化学习和创新空间，提升医疗保障工作。通过系列建设，学校人才培养条件进一步优化，师生的体验感和幸福感进一步提升，卓越人才培养的基础更加扎实。

十年来，学校生源质量、人才培养质量均不断提升，"千人一领军"人才培养品牌持续擦亮，学校获批"国家级创新创业学院""现代产业学院"等国家级平台，获得 7 项国家级教学成果奖，深度融入安徽高等研究院建设，社会影响力和贡献度不断扩大，为以中国式现代化全面推进强国建设、民族复兴伟业提供了强有力的人才支持。

第七章 持续擦亮"千人一领军"人才培养品牌

学校深入落实立德树人根本任务，聚焦为党育人、为国育才，明确了"培养德才兼备、能力卓越，自觉服务国家的骨干与领军人才"的人才培养总目标，制定并深入推进"立德树人、能力导向、创新创业"三位一体教育教学集成体系和"第二课堂成绩单"制度，探索实践"产教融合、教研一体、协同育人、联合攻关"的人才培养新模式，持续推进教育教学改革，不断优化学生教育管理与就业工作，大力推进卓越工程师人才培养，稳步推进继续教育与留学生教育，人才培养质量持续提高。学校培养的每千名毕业生中至少有一人成长为行业领军人才，"千人一领军"的人才培养成效被新华社等主流媒体广泛报道。

第一节 强化思政引领铸魂育人

学校紧紧围绕立德树人根本任务，以培养担当民族复兴大任的时代新人为目标，深入落实"时代新人铸魂工程"和"新时代立德树人工程"，坚持强基础、塑体系、创品牌、提质效，着力构建"大思政"育人格局，系统推进思政课程改革创新与课程思政内涵建设，通过汇聚优质资源、创新育人模式、打造特色品牌，持续推动思想政治教育提质增效，形成了具有鲜明工科特色的新时代思想政治工作新范式，为培养德智体美劳全面发展的社会主义建设者和接班人提供了有力支撑。

一、大力推进思政课程内涵式发展

思想政治理论课是落实立德树人根本任务的关键课程，是高校思想政治教育的主渠道和主阵地。学校紧紧围绕"培养什么人、怎样培养人、为谁培养人"的根本问题，坚持思政课建设与党的创新理论武装同步推进，守正创新推动思政课建设内涵式发展，不断提高思政课的针对性和吸引力。

加强思政课程建设顶层设计　学校党委高度重视思政课建设，认真贯彻落实习近平总书记关于思想政治理论课建设的重要论述精神，全面贯彻落实《关于深化新时代学校思想政治理论课改革创新的若干意见》《新时代学校思想政治理论课改革创新实施方案》《高等学校思想政治理论课建设标准》《全面推进"大思政课"建设的工作方案》等文件精神，着力构建"党委统一领导、校长行政负责、部门院系支持配合、马克思主义学院组织实施、广大师生积极参与"的思政课建设工作格局。成立由党委书记、校长任双组长的学校思想政治教育工作领导小组，通过"优制度""建小组""进规划""列台账"等顶层设计，确保思政课建设的各项决策部署一贯到底。

优化思政课课程体系建设　持续优化和完善"必修课＋选修课"的思政课课程体系。2022 年 9 月，开设"习近平新时代中国特色社会主义思想概论"课程。同时，独立设置"习近平新时代中国特色社会主义思想概论"教研室，并通过引入青年博士和高层次人才、加强培训与学术交流、用好校外兼职力量等多种策略，组建了一支结构合理的优质师资队伍。开设优化思政课选修课，以线上线下相结合的形式，新增"中国共产党党史""马克思主义经典著作选读""全球视野中的国际政治""新中国外交史""改革开放史""新中国史"等"四史"类线下思政课选修课。增加"红色经典影片与近现代中国发展""中华民族精神"等"四史"类线上慕课 10 余门，进一步完善优化了思政课课程体系。

推进思政教学改革创新　大力实施"'四史'融入高校思政课教学改革创优行动"，将"百年党史"作为融入主线，以"中国近现代史纲要""毛泽东思想和中国特色社会主义理论体系概论"为两门重点课程，从"史实、人物、规律"三个维度挖掘可以融入思政课的"四史"资源，系统研究"四史"融入思政课的路径、载体和方法。持续提升思政课教学质量，通过名师讲座、教学沙龙、观摩教学等多种形式，开展"专题聚焦""难点研讨""同课异构"等深度备课交流，着力提升学生需求侧与教学供给侧的适切度、教学方法与教学内容的匹配度、智能化教学方法与传统教学方法的互补度、学生专业要求与思政课内容的融合度、理论教学与实践教学的统筹度。2020—2025 年，承担各级各类教研项目 100 余项，其中国家级教科研项目 20 余项；获批省级教学改革质量工程项目 70 余项，其中省级教学团队 5 个、省级精品课程和一流课程 5 门；获省级以上教学奖励 20 余项，其中省级教学成果奖特等奖 2 项、一等奖 3 项；组织提交有关思政课教学改革创新智库报告 10 余项，被采纳和批示 5 项。

统筹贯通思政课实践教学与大学生社会实践　学校构建"校内实践＋校外研

学"的思政课实践教学体系，针对每门思政课的课程内容特征以及学生的兴趣，组织品牌实践活动。其中，"中国近现代史纲要"课程打造出了"微创作"竞赛的品牌活动，分门别类地创作微小说、微故事、微剧本、微视频等，目前创作的各类作品已超过5000篇。"思想道德与法治"课程打造了"大学生道德情景剧大赛"品牌，使学生在表演情境中体悟"德"与"法"的价值；"马克思主义基本原理概论"课程打造了安徽省"新时代•新思想•新青年"大学生学习马克思主义理论成果大赛，引导学生读经典、悟原理；"毛泽东思想和中国特色社会主义理论体系概论"课程和"习近平新时代中国特色社会主义思想概论"课程通过"国情国力调查报告"的实践成果大赛活化教学内容，并将其作为课程教学和课程考核的一个必修环节。依托学校"大思政"工程素质教育实践基地，加强与党委学生工作部、校团委协同，通过理念、主题、组织、方式和成果统筹等"五大统筹"，实现思政课教学实践与大学生社会实践"无缝对接"，每年超2000名师生奔赴全国各地开展社会实践，实践成果获省部级以上竞赛奖项百余项。

强化数智技术赋能　以新兴信息技术赋能思政课教学，硬件方面建成了情境模拟实验室、社会调查与舆情分析实验室、大学生社会责任与社会交往实验室和沉浸式智慧教室等，软件方面搭建了超星思想政治理论课资源平台和虚拟仿真实验平台，以信息化推进教学内容向深里走、教学方式向学生心里走，提升教学效果。借助信息化资源平台，形成"基础内容线上学＋重难点问题线下讲"的基本模式，以数字化赋能教学内容的立体化、赋能教学场域的多样化、赋能教学评价的科学化，持续推进数字智能技术与思政课的深度融合。

二、持续推动课程思政高质量发展

学校围绕构建高水平人才培养体系，坚持"一院一品牌、一课一特色"原则，将教师党支部作为课程思政建设的有效切入点和精准发力点，将教师言传身教能力提升作为关键点，创新探索"教师党支部建设之课程思政"特色路径，推动思政元素自然融入专业教学，形成"课程门门有思政、教师人人讲育人"的良好态势。

筑牢课程思政组织根基　学校创新实施"教师党支部建设之课程思政"项目，构建"学校党委、学院党委、教师党支部、党员教师"四位一体协同机制。学校党委将其列为书记校长履职亮点项目，成立由主要领导牵头的领导小组，统筹推进项目实施；学院党委成立书记、院长任组长的工作组，具体督导落实；教师党支部作为核心实施主体，实现"一支部一项目"全覆盖。项目推行"双负责人制"，党支部书记牵头组织主题研讨、集体备课，课程教师负责教学设计与实施，形成"支部引领＋教师主导"的育人合力。2019年以来，组织校内外"课程思政教学设计与实施"专题培训 20 余期，覆盖教师 200 余人次；开展专题研讨会、辅导报告 100 余场，帮助教师精准把握思政内涵。通过四级联动机制，有效破解了党支部建设"虚""空"问题，使党建工作与教学工作深度融合，为课程思政提供了坚实组织保障。

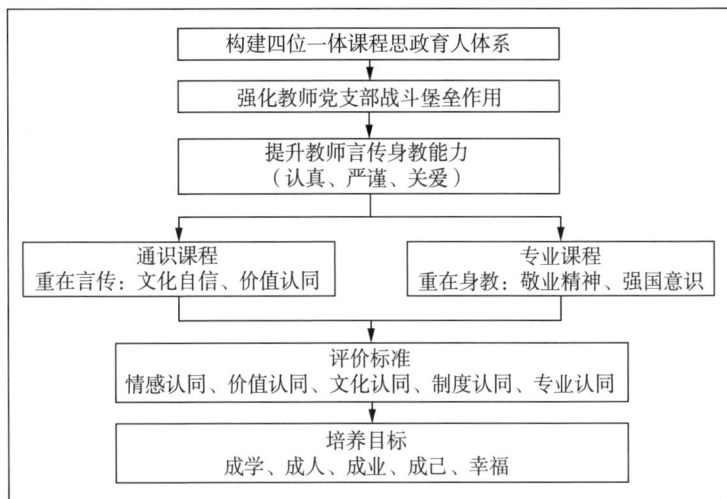

图 7-1 学校课程思政实施路径

挖掘思政元素育人价值　学校立足学科特色，以课程为载体系统挖掘思政资源，坚持价值塑造、能力培养、知识传授一体推进，打造"一院一品牌、一课一特色"格局，建设"课程思政"示范课程 308 门。创建安徽省课程思政示范中心，培训课程超过 350 门，视频资源超过 2000 余学时。各教师党支部带领教师团队深耕课程思政元素。化学与化工学院"化工原理"课程以行业先驱事迹为切入点，厚植敬业奉献精神；机械工程学院"机械原理"课程结合国产装备技术突破历程，培育学生科技报国情怀；2021 年启动第二期"课程思政"公开课展示活动，近 40 门专业课程和公共基础课公开授课，全校师生可实时观摩学习。通过优化教学设计，思政元素自然融入课堂教学各环节，形成"知识传授中渗透价值引领"的生动课堂。

提升教师育德能力　通过"校内打磨、校外研修、以赛促教"，不断提升教师育德能力，着力打造"政治素质过硬、育人能力突出"的教学队伍。深化教师党支部书记"双带头人"培育工程，推动支部班子成员带头参与课程思政建设。党支部定期开展集体备课、教学沙龙，交流思政融入技巧。组织教师赴上海等地学习"课程思政"先进经验。举办课程思政说课比赛，参赛教师涵盖教授、副教授、讲师各层级，老中青搭配展示教学成果。教师在支部活动中强化"每门课程都有育人功能"的意识，将"认真、严谨、关爱"的身教素养融入教学，实现"用价值体系育"与"用知识体系教"有机统一，培育出一批政治觉悟高、育人能力强的教学骨干。全国首批"双带头人"支部书记工作室负责人牛漫兰带领支部制定细化到章节的"思想政治教育大纲"，覆盖全院120门本科生专业课，形成示范效应。

项目实施以来，逐步形成"课程门门有思政""教师人人讲育人""支部个个树品牌"的良好态势，相关经验被《光明日报》《学习强国》《安徽日报》报道，学校教师党支部工作案例"'思政飘香'浸润校园，'四个融入'润物无声"入选由中组部、教育部组织编写的《基层党组织书记案例选编》。

三、强化学生思想政治教育

学校认真贯彻落实《关于加快构建高校思想政治工作体系的意见》《关于新时代加强和改进思想政治工作的意见》《教育强国建设规划纲要（2024—2035年)》等文件要求，深入学习全国高校思想政治工作会议精神、全国教育大会精神，锚定教育强国建设核心课题，以增强学生思政教育的实效性和针对性为目标，扎实推动时代新人铸魂工程、新时代立德树人工程在学校落地落实，通过完善育人体系、丰富育人内容、创新育人载体、建强育人队伍等举措，全方位探索新形势下大学生思政教育的有效途径，构建起特色鲜明、内涵丰富的学生思政育人体系，打造了一批符合学生成长特点、具有工大办学特色的思政育人品牌，显著提升了思政引领力，为培养德才兼备的时代新人提供了有力支撑。

（一）全面提升思政引领力

学校深入贯彻落实新时代高校思政工作要求，深耕精准化思政教育，创新导学协同育人模式，系统推进本研一体化培养，构建起全链条、全覆盖的育人体系，推动思想政治教育与人才培养深度融合，形成特色鲜明的思政工作格局。

构建责任体系 学校全面完善书记校长带头抓学生思想政治教育工作的领导机制，从顶层设计层面系统构建"大思政"工作架构，形成"党委统一领导、校长行政负责、部门院系支持配合、广大师生积极参与"的学生思想政治工作体系。深刻认识到思想政治教育工作的长期性与战略性，将其纳入学校"十三五""十四五"发展规划和"双一流"建设方案，使思想政治教育与学校整体发展同频共振。为确保思想政治教育工作有序推进，学校建立党委常委会定期专题研究、校院两级党政联席会议研判等机制，常态化开展学生思想状况滚动调研，深入研究思想政治教育工作的新情况、新问题，通过开展思政工作述职评议、督查考核等制度，确保各项部署落地见效。

深耕精准思政　强化价值引领，学校党委书记、校长带头示范，在开学典礼、毕业典礼、颁奖典礼等场合讲授思政大课；校领导、处级领导干部等深入学生一线讲授专题党课、思政课，作形势与政策报告会；依托小班辅导、主题班会、特色党团实践活动等，常态化开展"习近平总书记与大学生在一起""中国共产党人精神谱系宣讲"等品牌活动。推进全链育人，聚焦本硕博"全程融通"一体化思政育人，印发《关于在全体学生中推进"全程融通"一体化育人工作的实施方案》（合工大学函〔2022〕16号），分层分类推进思政教育工作落地落细。创新主题教育，学校注重行动化设计、目标化管理、品牌化支撑，围绕重要节日、重大事件、重点活动，以"一季一工程""一月一主题""一院一行动"为原则，推进爱国主义计划、新生培根计划、爱校荣校计划、典型引领计划、文明修身计划、美育涵养计划等"六大计划"，引导学生在系列学思践悟活动中涵养情怀、提升素养。

加强和改进研究生思想政治教育　学校实施导学思政育才工程，以"导学关系"为依托，创新思政育人载体，强化导学团队建设，积极构建多元导学互动场景，不断完善符合新时代研究生特点的"导学思政"体系。强化日常思想引领，围绕理想信念教育、爱国主义教育等开展主题思政教育，依托入学季、毕业季、奖助季开展"三季"教育，2022年启动"最美科研团队""最美科研人""最美致谢词"等系列成果征集、评选和展示，共计评选102项。涵育科学家精神，打造"学术人生访谈""博睿沙龙""斛兵青年说"等学术交流精品活动，构建"耕研学林"基层学术阵地19个。强化研究生骨干引领，2022年以来开设4期"双领骨干"培训班，近500名研究生党支部骨干顺利结业。建强专兼职队伍，构建以研究生专职辅导员为主体、兼职辅导员为补充、学生工作助理为协同的"专—兼—助"三级工作体系，2022年印发《合肥工业大学青年教师兼职研究生辅导员选聘管理办法（试行）》，连续4年共聘任兼职研究生辅导员36人。

（二）落实时代新人铸魂工程

党和国家始终重视培养契合社会发展、时代需要的人才。2023年，教育部思想政治工作司印发工作要点，明确指出要以全面实施"时代新人铸魂工程"为牵引，着力构建高校思想政治工作新生态。2023年2月15日，中央教育工作领导小组印发"时代新人铸魂工程"实施方案。

学校党委高度重视、快速响应，2023年7月11日，印发《合肥工业大学"时代新人铸魂工程"落实方案》（合工大党发〔2023〕67号），由党委宣传部、党委学生工作部（处）牵头抓总，校内18个相关部门、直属机构及各二级学院党组织协同联动，构建起党委统一领导、党政齐抓共管、部门各司其职、全校上下一盘棋的工作格局。学校系统梳理现有工作基础，召开工作研讨会、阶段性推进会，围绕"大思政课"建设工程推进行动、校园文化提能增效行动、"小我融入大我"社会实践育人行动、思政工作传统优势同信息技术融合行动、学生社区综合治理创新行动等"十大行动"，逐项建立落实机制，确定可操作可执行的时间表、任务书和工作台账，明确 34 个关键量化指标，对标 37 项任务挂图作战，定期总结先进经验和典型做法，分批分期推进具体工作落地，确保育人工作有质量、传统工作有突破、创新工作有亮点。

自方案出台后，学校从完善育人理念、设计项目载体、优化落实机制等方面健全工作闭环，不断提升育人实效，系列工作取得突破性进展。优化集思想性、专业性、教育性、时代性于一体的思政育人平台，推动形成"信仰的力量·国旗下的思政课""传承的力量·我们的节日""榜样的力量·朋辈领航""典礼的力量·仪式教育"等育人品牌。实施心理育人平台保障升级计划，学校获 2023 年安徽省首届高校心理健康教育工作"双十佳"先进集体。推进"教育实践、生活成长、业务服务、智慧赋能"四维联动学生社区建设，组织社区文化节，举办数智赋能学生社区高质量发展论坛，设立学生协同治理团队，着力打造学生时时可参与、处处能共鸣的思政教育场域。依托"三下乡""返家乡"活动，年均组建 400 余支团队奔赴全国各地开展实践活动，常态化开展各类社区实践活动。这些举措有力推动了学校思想政治工作提质增效，为落实立德树人任务探索出了新路径、积累了新经验。

（三）推进新时代立德树人工程

立德树人关系党的事业后继有人，关系国家前途命运。习近平总书记在 2024 年 9 月召开的全国教育大会上强调，要坚持不懈用习近平新时代中国特色社会主义思想铸魂育人，实施新时代立德树人工程。2025 年 1 月，中共中央、国务院印发《教育强国建设规划纲要（2024—2035 年）》，提出塑造立德树人新格局，培养担当民族复兴大任的时代新人，实施新时代立德树人工程。

学校坚持把推进落实新时代立德树人工程置于事业发展大局中整体谋划，围绕"加强党对教育工作的全面领导，塑造新时代立德树人新格局，健全高校'大思政课'工作体系，加强体育、美育、劳动教育和心理健康教育，打造'中国体系'原创性教材"等重大发展任务，将大思政课、课程思政、实践育人等方式有机结合，合力锻造强大思政引领力，确保系列工作落地见效。2025 年 4 月，学校围绕智能网联汽车行业的高素质人才培养，启动新时代高校"智驱领航"育人共同体建设，举办校企建设论坛，召开专场双选会，在多家车企挂牌建设育人共同体建设基地。同年 6 月，仪器科学与光电工程学院获批教育部立德树人机制综合改革试点院系，学校同步启动校级试点学院建设，支持学院发挥特色学科优势开展自主探索，强化改革试点任务的辐射传导。这些育人实践生动诠释了学校以立德树人为核心、以服务国家战略为导向的育人理念，彰显了新时代学校在培根铸魂、启智润心方面的使命担当。

第二节　本科教育教学质量持续提升

学校高度重视人才培养工作，确定了"培养德才兼备、能力卓越，自觉服务国家的骨干与领军人才"的人才培养总目标，深入实施"立德树人、能力导向、创新创业"三位一体教育教学集成体系和"第二课堂成绩单"制度，持续推进教育教学改革。

一、生源质量逐年向好

学校将提升生源质量作为服务国家战略需求与打造"千人—领军"人才培养品牌的核心环节。通过系统优化招生体制机制、创新招生宣传动员举措，持续优化生源结构，录取位次呈上升趋势，为拔尖创新人才培养奠定了坚实基础。

（一）响应国家战略，完善工作机制

学校全面贯彻教育部关于招生工作相关文件精神，成立本科招生工作领导小组，严格规范招生工作的审核与监督机制，切实保障招生质量与公平性。积极推进"学校领导领衔、学院主体推进、招办组织协调、职能部门协同、地方校友配合"招生宣传工作机制，持续落实"校院配合、重心下移"工作方式，突出学院（部）在招生宣传工作中的主体地位，打造多层次立体化宣传网络，通过开展书记校长进中学、教授进中学、线上直播与线下宣传、"我的母校我代言"等系列活动，提升学校知名度，吸引更多优质生源。

（二）紧跟社会需求，创新招生举措

学校结合学科专业建设和生源质量实际情况，瞄准社会需求、立足学科发展，编制招生计划，及时优化生源结构。2015年，本科招生类型包括本科一批、高水平运动队，艺术类，少数民族预科班，内地西藏、新疆高中班，自主招生，国防生，国家专项计划以及农村单独自主招生（新增）等9种，宣城校区首次实行按 30 个专业分别招生。2016 年，中外合作办学专业批次单列招生。2017 年全面取消艺术类校考，实行按省统考成绩录取。面对新高考改革新形势，2019 年，学校开始实行大类招生试点。2020 年按教育部要求取消自主招生。2024 年调整大类招生为专业招生，取消高水平运动队招生。

学校积极探索拔尖创新人才培养新模式，开设创新实验班。2023 年之前，面向当年新生在入学后进行校内选拔。2023 年，集成电路设计与集成系统创新实验班（与中国科学技术大学联合培养）高考时统一招生，其他创新实验班在新生入学后进行校内选拔。2024 年，集成电路设计与集成系统、电气工程及其自动化和智能车辆工程 3 个创新实验班高考时统一招生，其他创新实验班在新生入学后进行校内选拔。2025 年开设 8 个创新实验班在高考时统一招生，开设专业包括集成电路设计与集成系统、电气工程及其自动化、智能车辆工程、量子信息科学、机械设计制造及其自动化、智能感知工程、材料科学与工程、信息管理与信息系统。

（三）聚焦量质齐升，打造生源高地

学校面向全国 31 个省、市、自治区招生，2015—2020 年本科生的招生计划为 8200 人，2021—2023 年呈上升趋势，招生计划人数分别为 8400 人、8425 人、8400 人，根据教育部"优本扩容"精神，2024、2025 年连续增加 100 个计划，两校区招生人数达到 8600 人。

凭借突出的特色学科优势、扎实的人才培养基础和良好的毕业生就业情况，学校持续吸引越来越多的中高分段考生，生源质量稳步提升。近五年，合肥校区物理类专业在安徽省最高录取排名提升 1891 名、最低录取排名提升 1540 名，宣城校区物理类专业在安徽省最高录取排名提升 2220 名、最低录取排名提升 3244 名。2024 年，学校安徽创新实验班专业组（集成电路与集成系统、电气工程及其自动化、智能车辆工程）录取最低排名相较 2023 年集成电路与集成系统创新实验班提升了 700 余名，最高排名则提升了近 1500 名。近三年，学校在河南省、江苏省、陕西省、江西省、湖南省、湖北省、福建省、上海市、宁夏回族自治区等地的录取最低位次持续上升。

二、"三位一体"人才培养体系的确立

2014 年 9 月，在学校暑期务虚会上，时任副校长梁樑围绕"能力导向的一体化教学体系建设"作了专题报告，开启了"三位一体"教育教学体系的探索之路。

2015 年，学校系统思考、集成创新、深化改革，基于"以能力为导向的一

体化教学体系",建立并启动实施了"立德树人、能力导向、创新创业"三位一体教育教学集成体系。

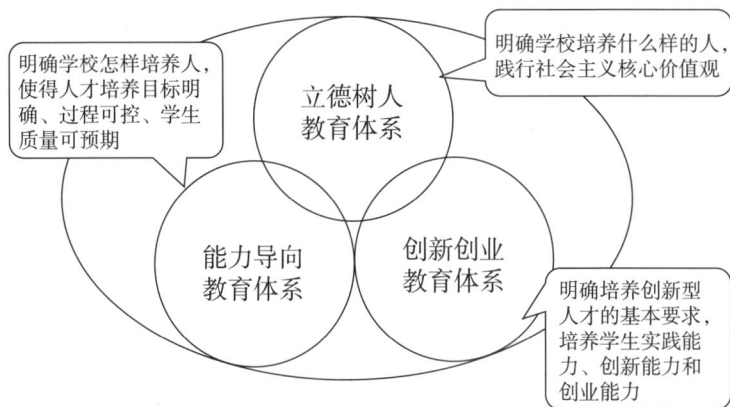

图 7-2　"立德树人、能力导向、创新创业"三位一体教育教学集成体系

立德树人教育教学体系主要是明确学校培养什么样的人,通过构建全员育人、全方位育人、全过程育人的培养体系,在大学生中培育和践行社会主义核心价值观。加强教师师德养成,让教师真正成为学生健康成长的指导者和引路人;优化学生价值塑造流程,努力践行社会主义核心价值观;改革评价方式,健全教育质量保障和改进体系。

能力导向一体化教学体系主要是明确学校怎样培养人,以学生能力培养为导向,通过一体化教学体系的实施使得人才培养目标明确、过程可控、持续改进、学生质量可预期。强化以学生为中心,强化教学过程管理,强调质量持续改进。

创新创业教育教学体系主要是明确培养创新型人才的基本要求,特别是建立学生的实践能力标准,以标准为牵引,培养学生实践能力、创新能力和创业能力。建立创新创业实践能力标准,组建创新创业指导教师队伍,开发创新创业教育题库课程。

基于"三位一体"教育教学集成体系,学校重构课程考核,以开放性作业、实践任务强化过程评价,同步实施教授必授本科课、双创指导计工作量、形成"学生自评—教师反馈—课程组改进—专业优化闭环"等一系列举措。2015 年 8 月,时任教育部副部长林蕙青一行莅临学校视察,肯定了学校在人才培养、创新创业教育、教学过程管理、实践教学和科学研究等方面的工作。

同时,学校还建立了教师队伍建设与培养体系,按照"站上讲台、站稳课堂、站好课堂"的分层、分类培养要求,通过"研究、培训、展示及应用"四位一体教师培养体系,持续提高教师课程教学设计能力,改进课堂教学方法,提升课堂教学的灵活度，提高课堂教学实效。

十年来，学校深入实施"三位一体"教育教学集成体系与互动反馈机制，通过"培养目标—教学过程—持续改进"的一体化教学体系的实施，"学生培养目标的达成度评价—教师测评报告—课程组评估报告—学院教学委员会建议"四位一体全方位评测体系的构建，教师、课程组、专业"三个循环"的全过程教学改进体系的构建，"三层次"（基础、提高、创新）和"三环节"（实验、实习、实训）实践教学体系的实施等举措，紧紧围绕立德树人根本任务，立足学生学习和思想实际，以多元化的考核方式和反馈改进机制，将教育的重心和落脚点逐步回归到学生身上，再由多维度的评价反馈机制，促进教师师德师风、教育教学水平、创新创业指导能力的提高，进而教育引导学生在学习过程中感悟知识、在实验训练中体验知识、在实践活动中运用知识，一体化地培养学生的创新思维和创新能力，实现人才培养目标明确、过程可控、持续改进、质量可预期。

在"三位一体"教育教学集成体系指导下，学校先后修订了 2015 版、2019版、2023 版人才培养方案。十年来，学校人才培养质量不断提升，"千人一领军"人才培养品牌持续擦亮，"工程基础厚、工作作风实、创业能力强"的人才培养特色持续彰显，毕业生毕业去向落实率稳定在 96％以上，涌现出"全国大学生自强之星标兵""中国大学生年度人物提名奖"等省级及以上榜样示范标兵1500 余名，到西部、基层、部队等祖国最需要的地方就业的毕业生有 3800 余人。学生广泛开展义务支教、脱贫攻坚、乡村振兴、疫情防控等志愿服务和社会实践活动，年均参与 3.1 万余人次。学生的思想品质、创新精神与实干作风得到用人单位好评。

教育教学集成体系改革实践的累积成果获 2018 年国家级教学成果奖二等奖、安徽省教学成果奖特等奖。2023 年 4 月 8 日，全国高校质量保障机构联盟（CIQA）发布《关于"全国高校质量文化建设示范案例"首批评选结果的公告》（全高质盟〔2023〕2 号），学校"'立德树人、能力导向、创新创业'三位一体教育教学质量保障体系构建与实践"案例入选"首批全国高校质量文化建设示范案例"。

三、深入贯彻实施"第二课堂成绩单"制度

在学校"立德树人、能力导向、创新创业"三位一体教育教学集成体系的指导下，学校把加强"两张成绩单"建设作为创新德智体美劳过程性评价、完善综合素质指标体系、提升人才培养质量的关键路径，既充分发挥第一课堂主渠道作用，又重视和加强第二课堂教育，创新实施"第二课堂成绩单"制度，持续优化第二课堂教育中模块项目、记录评价、智慧管理、价值应用、组织保障等关键环

节。学校自 2012 年起持续推进第二课堂教育改革创新，经过十余年持续探索，形成第一课堂、第二课堂"两个课堂"深度融合、"两张成绩单"共同纳入毕业标准的"五育并举"育人新模式。

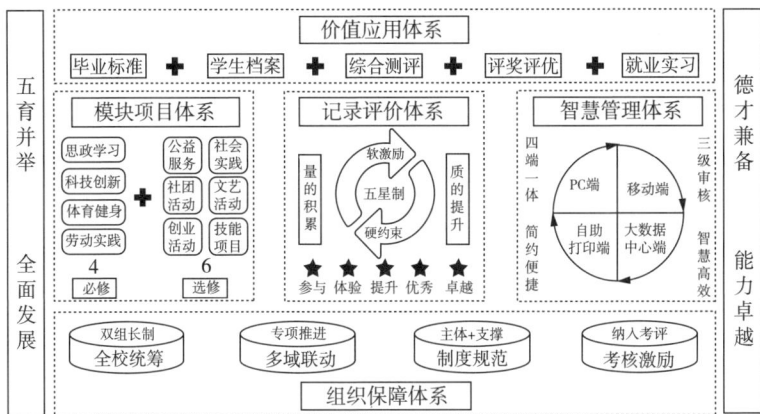

图 7 - 3　第二课堂成绩单"五位一体"教育体系

（一）聚焦人才培养目标，持续完善保障体系

2012 年，学校启动实施大学生课外实践成长档案计划，在工作理念、课程设计、制度构建、平台建设等方面探索推进第二课堂教育，这是学校第二课堂成绩单的雏形。

2016 年 9 月，共青团中央在《高校共青团"第二课堂成绩单"制度试点工作实施办法》中进一步明确了"第二课堂成绩单"的实施方案，遴选出合肥工业大学等 36 所高校作为试点高校。同年 11 月，共青团中央、教育部联合印发《高校共青团改革实施方案》，学校积极响应，印发《关于试行共青团"第二课堂成绩单"制度的通知》（合工大团函〔2016〕9 号），开启"第二课堂成绩单"建设。

2019 年，学校对"第二课堂成绩单"制度进行提档升级，相继印发《"完善德智体美劳人才培养体系，加强'两张成绩单建设'"项目实施方案》（合工大政发〔2019〕40 号）、《合肥工业大学"第二课堂成绩单"制度实施办法（暂行）》（合工大政发〔2019〕70 号）等系列制度，成立由党委书记和校长任组长，相关职能部门、各学院负责人为成员的"第二课堂成绩单"建设工作领导小组，办公室设在校团委。

学校大幅度裁减第一课堂学时学分，将"第二课堂成绩单"作为学生毕业的必要条件，并将成绩单放入学生档案，作为学生成长成才的重要印证材料之一。

形成"3＋6"模块化第二课堂育人体系，其中思政学习、科技创新、体育健身3个模块为必修，公益服务、社会实践、创业活动、文艺活动、社团活动、技能项目6个模块为选修。2019年6月，学校首次在毕业典礼上为本科毕业生颁发"第二课堂成绩单"。2020年，学校实现毕业生"第二课堂成绩单"发放全覆盖。2021年8月，学校印发《合肥工业大学学生劳动教育实践环节实施方案》（合工大政发〔2021〕102号），在原有架构基础上，增加"劳动实践"必修模块，形成更加完善的"4＋6"模块化育人体系。同年，印发《合肥工业大学学生素质综合测评暂行办法（修订稿）》（合工大政发〔2021〕105号），"第二课堂成绩单"深度融入奖学金等评优评奖。2023年，印发《致用人单位的一封信》宣传推介"第二课堂成绩单"，成为用人单位选人用人的重要凭证。

（二）强化科学化精准化管理，研发数字服务平台

2019年，学校自主研发设计了集移动端、PC端、自助打印端、大数据端"四端一体"的第二课堂成绩单信息管理系统，实现资源整合、信息推送、项目发布、过程审核、成绩认证、数据统计、综合评价等功能，形成学校、学院、项目、学生、教师、班级、年级、社团等多维度精准画像，上线核心考核指标一表通，为工作统筹、教师指导、学生参与提供智能化专家系统咨询，实现每年对3.2万名学生、数十万人次项目的科学化、网络化、精准化管理。

借鉴第一课堂教学大纲的规范化思维，明确第二课堂项目性质类型、目标任务、内容环节和考核评价办法等，形成"第二课堂教学计划"菜单式清单。明确第二课堂课程项目质量标准和发布要求，依托系统平台建立"指导老师—院系负责人—模块负责人"三级审核机制，"项目发布—成绩提交"双重审查机制，保证"第二课堂成绩单"成绩客观、全面、真实。2025年，依托教务处"斛小兵"智能体，建立第二课堂政策解读库、系统操作库、业务流程库、活动推荐库、学业咨询库等语料库，形成第二课堂教育AI大模型。

（三）注重建设成果凝练，形成典型示范效应

经过十年探索，学校编写出版"第二课堂教育教材三部曲"：《大学生第二课堂指南》《大学生第二课堂导引》《大学生第二课堂教育》，服务学生参与第二课堂、教师指导第二课堂、学校推进第二课堂。教育部以"合肥工业大学实施'第二课堂成绩单'制度，着力提升人才培养质量""合肥工业大学完善'第二课堂成绩单'，深入推进学生评价改革"为题2次专题报道，共青团中央以"合肥工业大学：以学生全面发展为导向，推进高校第二课堂教育改革创新"等为题3次专题报道学校推进第二课堂教育改革的做法和成效。基于改革实践撰写的"高校

共青团'第二课堂成绩单'制度体系和组织实施机制建设报告"被团中央吸纳为制度成果。中央网信办网络社会局、教育部思政司、国家教育行政学院等组织培训班学员来校专题调研，共青团中央、安徽省委教育工委、共青团安徽省委等负责同志来校考察。近两百所高校来校调研。学校 10 余次在省级及以上会议作经验分享。相关成果获教育部、中央网信办全国高校工作案例"优秀推广作品"（全国 10 项）、安徽省教学成果奖特等奖等。安徽省委教育工作领导小组简报《安徽教育》将建设经验在全省高校推广，并上报中央教育工作领导小组秘书组。

四、创新创业教育位居全国第一方阵

学校始终将创新创业教育作为立德树人的战略抓手，聚焦全师生参与、全过程贯穿、全方位覆盖、全链条支撑，将创新创业教育贯穿人才培养全过程。出台系列制度文件及覆盖学院、教师、学生三个层面的政策措施，从课程、项目、竞赛、基地四个方面加强条件保障，每年投入 1500 余万元开展创新创业活动，全面提升青年学子"创意、创新、创业、创造、创赢"五创能力素养。十年来，学校创新创业竞赛成绩实现"量积累""质飞跃"双轨并进的良好态势，稳居全国第一方阵，2021—2023 连续三年在全国普通高校大学生竞赛榜单（本科）全国排名前十。

（一）创新体制机制，强化顶层设计

响应国家"大众创业、万众创新"号召，2015 年，学校成立创新创业教育中心，组织编写《合肥工业大学深化创新创业教育改革实施方案》并呈报教育部，成立由校长任组长、分管教学和学生工作的校领导任副组长的"深化创新创业教育改革领导小组"，建立了"教务牵头、多部门联动、学院主责"的协同机制，获批教育部首批"全国高校实践育人创新创业基地"，先后成为"中国高校创新创业教育联盟"首批成员单位和"创客教育基地联盟"副理事长单位。按照教育部《关于开展首批深化创新创业教育改革示范高校认定工作的通知》（教高厅函〔2016〕92 号）要求，学校申报并入选 2017 年教育部首批"全国深化创新创业教育改革示范高校"，并作为首批成员、常务理事加入全国大学生创新创业实践联盟。

2018 年 10 月，学校印发《关于成立合肥工业大学创新创业教育专家委员会的通知》（合工大教务函〔2018〕48 号），成立了由中国工程院院士杨善林为主任委员的创新创业教育专家委员会，负责指导创新创业教育工作。2020 年，学校成立本科生院创新创业教育处，进一步加强创新创业教育统筹规划、建设管理和组织实施。2022 年，学校获批首批国家级创新创业学院建设单位。

表 7 - 1　2015—2025 年学校创新创业教育所获荣誉一览表

年份	具体成就
2015 年	获批教育部首批"全国高校实践育人创新创业基地"
	成为"中国高校创新创业教育联盟"首批成员单位
	成为"创客教育基地联盟"副理事长单位
2017 年	入选教育部首批"全国深化创新创业教育改革示范高校"
	作为首批成员、常务理事加入全国大学生创新创业实践联盟
	26 名导师入选全国万名优秀创新创业导师人才库
2018 年	获评教育部"全国创新创业典型经验高校（50 强）"
2022 年	获批教育部首批国家级创新创业学院建设单位

2016 年至 2017 年，学校相继印发《合肥工业大学大学生创新创业导师管理办法（暂行)》（合工大教务函〔2016〕37 号）、《合肥工业大学大学生科技竞赛管理办法》（合工大政发〔2017〕12 号）、《合肥工业大学大学生创新创业训练计划管理办法》（合工大政发〔2017〕13 号）、《合肥工业大学大学生创新创业学分认定管理办法》（合工大政发〔2017〕120 号）等制度文件，为创新创业教育纳入人才培养体系提供政策保障。

（二）加强科研引领，激发创新创业育人活力

学校秉持"科研反哺教学、创新驱动育人"理念，构建"科研—教学—实践"深度融合的育人体系，营造了良好的创新创业育人氛围。2020 年 11 月，学校印发《〈合肥工业大学教学工作量考核管理暂行办法〉创新创业部分工作量认定实施细则》（合工大本科生院函〔2020〕16 号），将教师指导学生参加大学生创新创业训练计划、辅导大学生科技竞赛、设计类竞赛纳入工作量认定，激发了教师的主观能动性，实现了从"被动指导"到"主动指导"的转变。2024 年 10 月，学校修订印发《〈合肥工业大学教学工作量考核管理暂行办法〉创新创业部分工作量认定实施细则》（合工大教务函〔2024〕1 号），进一步规范认定要求。

（三）推进"两个课堂"，形成全覆盖课程体系

注重创新创业教育理论与实践相结合，促进第一课堂与第二课堂深度融合。2019 年，学校以修订培养方案为契机，首次设定 4 个必修创新创业学分，开设线上必修课"大学生创新基础""创新创业"。随着创新创业教育课程体系建设总体目标的明确，学校进一步形成"通识基础＋专创融合＋实践实训"的创新创业

课程体系。2021 年 7 月，学校印发《本科生创新创业通识必修课程实施细则》（合工大本科生院函〔2021〕33 号），推进以学院为主体的专创融合课程建设。2022 年成立创新创业课程虚拟教研室，统筹全校本科生创新创业通识必修课程教学、管理及建设工作。2024 年，学校首次自主开设"创新创业基础"通识必修课程，并面向 2023 级全体本科生开课。十年来，学校累计建设双创课程 110门，其中"创新创业教育"社会实践课入选 2020 年国家级一流本科课程。第二课堂设置"科技创新"必修模块和"创业活动"选修模块，必修模块和至少 1 个选修模块均达标方可毕业，实现本科生创新创业理论课程学习和参加各级各类创新创业实践活动全覆盖。

（四）实施"六个一工程"，强化载体支撑

学校扎实推进"一区一空间、一区一团队、一院一基地、一院一品牌、一生一项目、一生一比赛"六个一工程，强化全链条创新创业载体支撑。学校布局"一区一空间"，2018 年，建成 3700 平方米"HFUT 创新创业@大数据中心"，2020 年，先后投入近 2000 万元建设大数据中心、机器人中心、宣城创客空间"三大创新创业教育基地"，建设面积共 6000 余平方米。打造"一区一团队"，在各校区分别组建大学生双创团队，通过兴趣驱动、老生带新、导师培训、精准指导等方式，让学生参与科研项目、科技竞赛等。

强化"一院一基地"，打造具有学科特色的院级创新创业教育实践基地，共建立各类创新创业教育实践基地 119 个，占地面积 12000 余平方米。广泛拓展外部合作空间，积极与龙头企业、科创机构、投资机构等对接，加强校企联合培养基地建设和校外创业孵化基地建设，近五年学校获批教育部产学合作协同育人项目 99 项。

推进"一生一项目"，稳步开展"大学生创新创业训练计划"工作，加大科研实践平台建设力度，每年立项大创项目中 80% 以上项目来自教师科研项目或产教融合项目，推动重点实验室和省部级以上科研平台面向本科生开放，引导承担省级及以上科研平台的研究团队主动吸纳本科生加入科研团队，参与科学研究训练，参与人数呈上升趋势，各年度立项见下表。

表 7 - 2　2015—2025 年学校大学生创新创业训练计划项目立项情况一览表

年份	国家级	省级	校级	合计
2015	80	120	578	778
2016	80	121	573	774
2017	80	244	590	914

（续表）

年份	国家级	省级	校级	合计
2018	80	308	643	1031
2019	100	358	669	1127
2020	99	360	651	1110
2021	110	383	767	1260
2022	116	399	931	1446
2023	117	397	902	1416
2024	118	459	894	1471
2025	122	431	745	1298

为强化创新创业实践训练，落实高质量创新人才培养，根据《国家级大学生创新创业训练计划管理办法》（教高函〔2019〕13 号）指示精神，2024 年起，学校推进"赛创一体、科教融汇、产教融合"大创项目立项模式改革；2025 年，学校首次引入"预立项"机制，通过阶段进展报告确定立项等级，精心培育优秀项目，强化成果产出。十年来学校大学生创新创业训练计划项目立项 12625 项，入选全国大学生创新年会学术论文 6 篇、展示项目 17 项、创业项目 5 项，斩获"最佳创业项目奖"1 项。

倡导"一院一品牌"，优化"一生一比赛"。构建多层次创新创业竞赛体系，重点支持大学生科技竞赛精品项目，实行"挖掘孵化＋宣传教育＋激励保障"一体化布局，打造全年"不落幕"竞赛种子项目培育体系。2015 年至 2024 年，学校获省部级以上奖项从 662 项提升至 2536 项，竞赛总量呈跨越式增长。依托国家级重大科研项目、高水平师资队伍、重点研究平台等载体，学校长远谋划布局，搭建高水平科研育人平台，加强拔尖创新人才培养，在创新创业成果上实现重大突破。2016 年，学校在"创青春"全国大学生创业大赛中首摘双金，在"挑战杯"系列赛事中实现历史性突破。2022 年，学校首次斩获中国国际"互联网＋"大学生创新创业大赛金奖，创历史最好水平。2022 年至 2024 年，学校陆续获第十三届、第十四届"挑战杯"中国大学生创业计划竞赛金奖。1 个项目入选教育部首次举办的"青春之歌——全国大学生创新成果展"。近五年，本科生以第一作者发表学术论文 346 篇，获批专利（著作权）408 项，支持在校学生创业项目 430 余项，累计服务创业学生 1500 余人，孵化创业团队 290 个，其中注册成立企业 89 家。

表 7 - 3　2015—2024 年学校学生获省部级以上竞赛奖励情况一览表

年份	国际级奖项	国家级奖项	省级奖项	合计
2015	12	269	381	662
2016	41	196	737	974
2017	40	362	659	1061
2018	58	441	1118	1617
2019	75	525	1286	1886
2020	209	536	907	1652
2021	266	581	1019	1866
2022	74	622	1419	2115
2023	90	664	1628	2382
2024	40	745	1751	2536

五、教学质量监测

学校将教学质量监测作为保障人才培养质量的重要抓手，接受教育部 2018 年、2025 年两轮本科教学工作审核评估，坚持"以评促建、以评促改、以评促管、以评促强"，强化教学监测、质量改进、教学督导、教学管理等工作的协同，为人才培养提供坚实有力的保障。

（一）2018 年教育部本科教学工作审核评估

2017 年，学校迎接教育部本科教学工作审核评估，全面启动评建工作。同年 5 月，印发《关于本科教学工作审核评估学院评建工作安排的通知》（合工大教务函〔2017〕9 号），召开评建工作布置会，解读评估内涵与指标体系。

2018 年是学校接受教育部现场评估的关键年份。学校成立了审核评估领导小组，2 月 26 日印发《合肥工业大学本科教学工作审核评估工作方案》（合工大政发〔2018〕18 号），3 月 23 日召开本科教学工作审核评估工作布置大会，系统部署全校工作。随后，学校通过系列会议宣讲政策、推进落实、审议自评报告，组织全校 43 个单位开展校内自评，查找问题督促整改。同年 11 月，教育部专家组进驻，完成对校本部及宣城校区的深度考察。最终，学校高质量完成审核评估工作。

2019 年以来，学校转入以问题为导向的整改深化阶段。为总结教学工作评估的经验，学校于 5 月 9 日召开审核评估反馈意见整改工作布置会，时任校长梁樑作了"一流本科建设的思考"的专题报告。同年 6 月，学校印发《合肥工业大学本科教学工作审核评估整改方案》（合工大政发〔2019〕103 号），落实教育部评估报告反馈意见整改，明确各部门整改任务与要求，加强过程式管理、深化教学改革、创新培养模式、强化师资队伍、优化教学资源、完善质量保障体系，从各个方面深化"立德树人、能力导向、创新创业"三位一体教育教学集成体系建设。

学校坚持落实"以评促建、以评促改、以评促管、以评促强"，通过开展全面自评自建工作，质量保障各项规章制度更加完善，本科教育教学改革方向更加明确，本科教育教学核心地位进一步巩固，有力地推动了教育科技人才一体化发展和拔尖创新人才自主培养质量的提升。

（二）2025 年教育部本科教育教学审核评估

根据教育部《普通高等学校本科教育教学审核评估实施方案（2021—2025年)》（教督〔2021〕1 号）、国务院《关于做好"十四五"期间普通高等学校本科教育教学审核评估工作的通知》（国教督办函〔2022〕36 号），学校开始筹备迎评工作。2024 年 12 月 3 日，学校讨论通过《合肥工业大学 2025 年本科教育教学审核评估工作方案》（合工大政发〔2024〕129 号），并于 16 日印发。成立以党委书记和校长为组长的审核评估工作领导小组，正式启动新一轮本科教育教学审核评估工作。12 月 23 日，学校召开本科教育教学审核评估动员大会，全面部署新一轮本科教育教学审核评估工作。

2025 年以来，学校以新一轮审核评估筹备为抓手，通过开展审核评估推进会、专题培训报告、自评自建工作布置会等举措，推动全校各单位对照审核评估指标体系开展自评，查问题、找差距、促整改，高质量完成本科教学质量报告编制，持续完善质量保障体系。2025 年 7 月以来，学校围绕"厚德尚新、追求卓越，全面提升拔尖创新人才自主培养质量"主题开展本科教育教学思想大讨论，进一步解放思想、凝聚共识、明确方向，着力构建拔尖创新人才自主培养新体系，持续推进本科人才培养高质量发展。

（三）构建教学质量改进体系

学校以能力培养为导向，以培养目标为牵引，以实践能力标准为驱动，根据能力导向一体化教学体系，建立"学生—教师—课程组—学院教指委"四位一体的评测体系，按照 PDCA 循环理论，即 Plan（计划）、Do（执行）、Check（检查）和 Act（处理），持续推进教师、课程组、专业"三层面三循环"的全过程教学改进体系（Promotion of Learning，POL）建设。2016 年 5 月 31 日，学校召开教学过程管理反馈及布置工作会,明确了任课教师、课程组和开课学院(专业)在教学改进体系(POL)中的责任。同年 10 月,学校印发《关于加强"一体化教学体系"教学过程管理和督查的通知》(合工大教务函〔2016〕32 号),为教学质量改进体系提供了政策支撑。

POL 体系涉及学院授课教师、课程组、教学秘书、专业教学指导委员会等各个方面,通过教师对学生的评估和学生对自己的评估结果找出可能存在的不足,通过教师、课程组和专业三个层面持续改进循环,深度凝练、持续改进专业培养目标,提高专业培养成效与学校人才培养目标的契合度。

现行职称评聘条件对教学工作及教学效果实行"一票否决制"。通过教学改进体系的实施,学校各专业本科教学质量得到有效保障,强化了本科教学基础地位,树立了师生的自我评价和质量改进意识,形成发现问题、解决问题、定期审视教学质量、总结教学工作的自我完善机制,各专业人才培养质量不断提升,学生和用人单位的满意度不断提高。

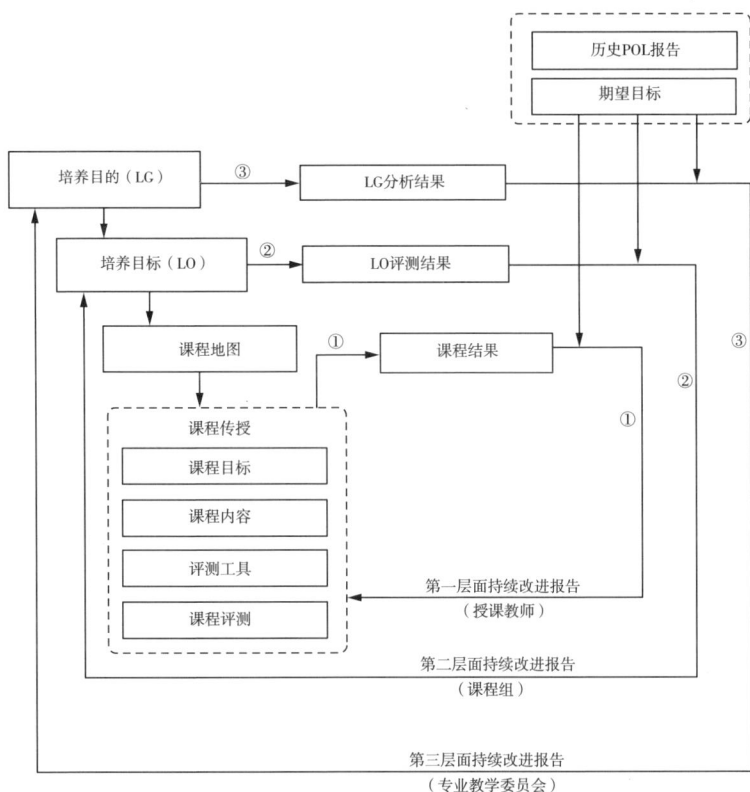

图 7-4 全过程教育教学改进体系流程图

（四）做好教学督导工作

学校不断深化教学督导体系，通过学生信息员、教学督导组、领导干部听课制度实施全员监督，开展各类教学检查、学生网上评教、考试校院两级巡查、试卷抽查，从基础课堂监控发展为覆盖教学全环节、融合多主体力量、线上线下协同的精细化质量监控网络，实施全程和全方位监督，打造教学质量监控闭环体系。

不断健全教学督导机制 2016年7月，学校印发《合肥工业大学本科教学督导组工作暂行办法》（合工大政发〔2016〕99号），进一步规范本科教学督导工作。学校坚持"围绕中心、配合补充、因地制宜、量力而为、立足基层、注重实效"的工作方针，遴选政治素质好、精神境界高、知识渊博、身体健康的优秀离退休教职工参加学校教学督导组工作，充分发挥离退休职工政治优势、经验优势、威望优势，扎实有效地开展督导工作。2019年11月，学校印发《合肥工业大学本科教学督导组工作暂行办法（修订稿）》（合工大政发〔2019〕168号），扩大督导组规模以及覆盖面，强调对毕业设计（论文）的"全过程"督查。2021年2月，学校印发《学院教学指导与督导委员会建设指南》（合工大政发〔2021〕21号），建立"校院两级督导＋专项督查"立体监控网络。截至2025年9月，学校有校级本科教学督导专家27人、院级本科教学督导专家327人。

建立健全教学管理制度 2015年至2025年，学校先后印发了《合肥工业大学本科毕业设计（论文）工作实施细则》（合工大教务函〔2017〕25号）、《合肥工业大学课堂教学管理实施细则》（合工大教务函〔2018〕5号）、《合肥工业大学本科教学过程管理实施细则》（合工大教务函〔2018〕19号）、《合肥工业大学领导干部听课管理办法》（合工大政发〔2024〕39号）等一系列教学质量监督管理制度，从制度层面保障了教学质量监控的实施。同时，学校还设立教学质量监控专项经费，支持质量保障相关工作开展。

强化教学过程督导 除常规教学检查外，还建立涵盖日常监控（学生信息员反馈、同行听课、督导组专家听课、领导干部听课）、集中检查（试卷、毕业论文等）、常规检查（期中、期末考试巡视等）、专项检查（课程教学大纲、过程考核规范性检查）的监督网络。2017年，督导工作重点转向落实"能力导向一体化教学体系"要求，强化对教学过程落实情况、规范化管理等的督查，规范教师课程目标达成评测和学生自我评测，推动课程组、院教学指导委员会发挥作用。

近五年，校领导累计听课254学时，中层领导干部听课4760学时，校级督导听课3645学时；抽查毕业设计（论文）3719份，抽查试卷23400余份。督导组对各类教学评奖和教师的评优、晋升，从教学能力和教学效果方面给予评价及建议；联系并督促相关学院（部）开展国家级教学评估、专业认证或专业评估的迎评建设工作；对学校办学条件的保障措施进行分析研究，提出建设性意见。

（五）做好日常性教学管理

保持稳定有序的教学运行秩序 学校严格执行 2015 版、2019 版、2023 版人才培养方案，从严管控调停课，科学编排教学班。做好在校生学信网电子注册及毕业生学历注册与证书发放工作。学校严格执行学籍异动管理相关规定，规范处理保留学籍、休学、复学、退学等事务。学校相继印发《合肥工业大学考试管理细则》（合工大政发〔2020〕120 号）、《合肥工业大学本科生成绩复查管理办法》（合工大本科生院函〔2023〕49 号）、《合肥工业大学本科生考试管理办法》（合工大政发〔2024〕87 号）等文件，严格考务管理。同时，学校大力加强考风考纪建设，通过过程监督、巡视检查、诚信教育等举措，维护了考试的公平公正，促进了优良学风形成。2024 年，宣城校区开展了无人监考试点工作。

完善转专业制度 2017 年以来，学校相继印发《合肥工业大学本科生校内转专业暂行办法》（合工大政发〔2017〕89 号）、《合肥工业大学本科生校内转专业管理办法（修订稿）》（合工大政发〔2021〕184 号）等文件，成立由分管教学工作的校领导担任组长的本科生转专业工作领导小组，统筹推进本科生转专业工作。2024 年 6 月，为进一步深化教育改革，尊重学生个性发展，学校印发《合肥工业大学普通全日制本科生转专业管理暂行办法》（合工大政发〔2024〕70 号），全面放开转专业限制，转出无限制，转入有条件，充分调动了学生的积极性。

推动教育管理数字化转型 学校持续推进教育信息化建设，提升教学运行效能与管理服务水平。学校教学服务自助系统不断迭代升级，逐步实现了培养计划、排课选课、成绩管理、学分认定、学籍异动线上申请、实习管理等功能，推进解决师生关注难点、痛点问题。

2019 年起，以"雨课堂"为代表的智慧教学工具在学校广泛应用，特别是在疫情期间，学校迅速构建"全面开展、全员参与、全力保障"的线上教学运行机制，采用"多种方式、多个平台、多重保险"策略，开设 1441 门在线课程，1621 名教师、32157 名学生参与，有效实现"教师不停教、学生不停学、学习不延期"，确保了特殊时期教学秩序的平稳过渡与实质等效。2020 年 2 月 25 日，新华网、中新网报道学校全面启动在线教学的经验做法。2023 年，学校建成"智慧教育平台"，整合虚拟仿真平台、直录播平台，实现课堂教学、虚拟仿真实验教学、直播教学、录播回看等多种教学方式；截至 2025 年 9 月，已建设课程资源 1480 门。2025 年 6 月 17 日，学校正式推出教务智能体"斛小兵"，标志着学校教育数字化转型进入新阶段。

由朱士信、唐烁主编的《高等数学》（上）（下）分别于 2014 年 8 月和 2015 年 2 月在高等教育出版社出版，成为国内在高等教育出版社出版的第一套数学类新形态教材。2020 年 7 月，该教材出版第二版。2024 年，由张莉、朱士信主编的《高等数学数字教材（上、下册）》在高等教育出版社出版，是全国第一套数学类数字教材。2023—2024 年，学校《信息论与编码》《软件工具与环境》《Linux 操作系统》等 9 部混合式教材在电子工业出版社出版，均为数学类新形态教材。2025 年 5 月，第 63 届高等教育博览会举行，学校"云上斛兵·数智赋能——合肥工业大学智慧教学新模式探索"教育成果入选"智慧教育典型案例"。

（六）推进中外合作办学，深化联合培养

持续深化与美国克拉克大学合作　学校推进高水平教育开放，统筹做好教育"引进来"和"走出去"。2015 年 1 月，教育部印发《2014 年下半年中外合作办学项目评审结果的通知》（教外办学函〔2015〕10 号），学校与美国克拉克大学合作举办国际经济与贸易专业本科教育项目获批，同年起正式面向全国招生，每年 100 人，拉开了学校中外合作办学的序幕。

国际经济与贸易专业本科教育项目设有"4＋0"和"3＋1＋1"两种人才培养路径。"4＋0"人才培养路径是指学生大学四年均在学校学习，三分之一以上的课程由克拉克大学教师全英文授课，合格者获得学校本科毕业证书和学士学位证书。"3＋1＋1"本硕贯通式人才培养路径是指学生前三年在学校学习，经个人申请并通过选拔的学生第四学年在克拉克大学修读本科和研究生层次课程，合格者获得学校本科毕业证书和学士学位；学生在本科毕业后可以申请继续在克拉克大学攻读一年硕士学位课程，可选择攻读克拉克大学金融学、商业分析、信息技术等 STEM 项目或 AACSB 认证学科专业，合格者获得美国克拉克大学硕士学位。2019 年，该项目顺利通过教育部中外合作办学项目合格性评估（教外司办学〔2019〕2956 号），所依托专业国际经济与贸易获批 2021 年度国家级一流本科专业建设点。

十年来，学校与克拉克大学携手并进，两次续签合作办学协议，不断深化办学内涵，人才培养成效显著，项目毕业生呈现出"升学率高、深造名校比例高、就业率高、就业单位质量高、创新创业能力高、语言水平高、全球胜任力人才培养突破"的"六高一突破"显著特征。学校获批安徽省首批国际合作交流基地，教育部主管刊物《神州学人》和中国教育国际交流协会主办的杂志《教育国际交流》分别以"'四位一体'人才培养模式探索""中外师生'云相聚'，身遥心迩若比邻——中外合作办学在线教学之质量保障篇"为题刊载了学校联合培养相关事迹。光明网、中国网、中国青年网等 20 多家媒体对学校联合培养成效进行了报道。

持续深化与白俄罗斯国立技术大学合作　2018 年 11 月，学校结合当前装备制造行业快速发展对专业人才的需求，与白俄罗斯国立技术大学签署《"2＋2"学生联合培养项目协议》，启动联合培养项目。"2＋2"学生联合培养是指学生在学校完成本科前两年课程及俄语语言学习后，赴白俄罗斯国立技术大学进行本科第三、四年的学习，满足学业要求者可获得学校和白俄罗斯国立技术大学的毕业证书和学位证书。项目设在宣城校区，首届学生从 2018 级学生中选拔产生，培养专业为汽车与交通工程学院交通设备与控制（先进载运工具方向）。自 2019 级起，项目设有交通设备与控制、材料成型与控制、机械工程机器制造技术 3 个专业，面向全国招生，每年 60 人。截至 2025 年 9 月，项目共招收 6 届学生 243人，人才培养质量优良，毕业生进入英国华威大学、白俄罗斯国立技术大学、香港科技大学、南京航空航天大学、北京理工大学等国内外高校攻读硕士研究生。

2022 年，学校依托该项目获批国家留学基金委"促进与俄乌白国际合作培养项目"——高端装备制造创新人才国际合作培养项目，获得为期 3 年的资助支持，学校共计 33 名学生获批。2023 年，学校 4 名学生获批赴俄乌白专业人才培养计划项目资助，赴俄罗斯莫斯科鲍曼国立技术大学和白俄罗斯国立技术大学攻读硕士学位，进一步深化"语言复合、专业交叉、能力卓越"的创新型国际化人才培养。

2023 年，项目被教育部纳入《中华人民共和国教育部和白俄罗斯共和国教育部关于实施和扩大教育领域交流 2024—2025 年计划》，学校作为"中国—白俄罗斯大学联盟"首批中方高校成员，于 2023 年 11 月赴白俄罗斯参加联盟成立仪式并签署联盟协议。2024 年 5 月，学校加入了"中国—白俄罗斯大学联盟先进制造集群"。

六、教育教学成果

过去十年，学校本科教育教学改革成果丰硕，在国家级及省部级教学成果奖、一流课程建设、教材建设等领域取得显著突破，人才培养质量根基不断夯实。

2018 年 12 月 28 日，教育部印发《关于批准 2018 年国家级教学成果奖获奖项目的决定》（教师〔2018〕21 号）文件，公布了 2018 年国家级教学成果奖获奖项目名单，学校共有 2 项成果获奖。其中作为独立完成单位主持申报的"基于能力导向的工科专业本科生教育教学渐进式改革与实践"成果获二等奖，作为参与单位申报的"推进基础课与实践教学协同创新，致力知识向能力有效转化"成果获一等奖，取得历史性突破。

2023 年 7 月 21 日，教育部印发《教育部关于批准 2022 年国家级教学成果奖获奖项目的决定》（教师〔2023〕4 号），公布了 2022 年国家级教学成果奖获奖项目名单，学校共有 2 项本科教学成果获奖，作为参与单位申报的"提升亲和力 增强时代感：高校智慧思政育人大格局的探索与实践""基于课程结构及形态创新的 KAPIV 一体化工程人才培养改革与实践"2 项成果获二等奖。

表 7 - 4　2015 年以来学校获国家级教学成果奖（本科）情况一览表

成果名称	获奖等级	主要完成人	获奖年度
基于能力导向的工科专业本科生教育教学渐进式改革与实践	二等奖	梁樑　陈翌庆　张宝　黄景荣 王章豹　许明杨　于宝证　王峰 南国君　朱华炳　汤汇道	2018 年
推进基础课与实践教学协同创新，致力知识向能力有效转化	一等奖	朱华炳等（参与）	2018 年
提升亲和力 增强时代感：高校智慧思政育人大格局的探索与实践	二等奖	钟小要等（参与）	2022 年
基于课程结构及形态创新的 KAPIV 一体化工程人才培养改革与实践	二等奖	朱华炳等（参与）	2022 年

2018 年度"材料成形技术基础"课程被认定为本科国家精品在线开放课程（线上一流课程），2019 年度"管理信息学"等 14 门课程被认定为国家级一流本科课程，2023 年度"电力电子技术 A"等 11 门课程被认定为国家级一流本科课程。目前，学校已有 26 门课程获国家级一流本科课程认定。

2021 年，学校《企业管理学（第四版）》《误差理论与数据处理（第 7 版）》《高等数学（第 2 版）上册、下册》3 部教材获全国优秀教材奖（高等教育类），杨善林教授获全国教材建设先进个人奖。2023 年，教育部发布了《教育部办公厅关于公布战略性新兴领域"十四五"高等教育教材体系建设团队的通知》（教高厅函〔2023〕20 号），杨善林教授领衔的教材体系建设团队入选教育部战略性新兴领域"十四五"高等教育教材体系建设团队，并高质量完成 12 部系列核心教材出版。十年来，学校 11 部教材获工信部"十四五"规划教材立项，56 部教材获安徽省教材建设立项和规划教材立项。

表 7-5 学校获首届全国优秀教材奖情况一览表

获奖教材	主要编者	获奖荣誉	出版单位
高等数学 （第 2 版） 上册、下册	上册主编：朱士信 唐烁 上册副主编：宁荣健 任蓓 殷志祥 下册主编：朱士信 唐烁 下册副主编：宁荣健 任蓓 郑靖波	全国优秀教材奖 （高等教育类） 二等奖	高等教育 出版社
误差理论与 数据处理 （第 7 版）	主编：费业泰		机械工业 出版社
企业管理学 （第四版）	主编：杨善林 副主编：胡祥培 傅为忠		高等教育 出版社
物流学概论	主编：顾东晓 章蕾 副主编：顾佐佐 魏遥	全国优秀教材奖 （职业教育与 继续教育类） 二等奖	清华大学 出版社
获奖人		获奖荣誉	
杨善林		全国教材建设先进个人奖	

第三节 研究生教育跨越式高质量发展

学校认真贯彻落实习近平总书记关于研究生教育工作的重要指示精神，围绕"培养德才兼备、能力卓越，自觉服务国家的骨干与领军人才"人才培养总目标，持续深化研究生培养模式改革，统筹研究生招生、培养、学位、质量反馈一体化，着力提升研究生的科研创新能力和工程实践能力，全力构建自强卓越的研究生培养体系，推动研究生教育跨越式高质量发展。

一、研究生教育结构日趋完善

面向服务国家战略需求，学校积极优化人才培养结构，加大对国家急需紧缺学科专业的布局力度，加强国家急需紧缺高层次人才，特别是应用型人才培养，重点加强国家急需学科领域博士点建设工作以及数学、力学等基础学科的博士点建设工作。2015 年以来，学校获批一级学科博士学位授权点 8 个、博士专业学位授权点 5 个，动态调整增设一级学科博士学位授权点 1 个，"以工为主、理工结合、文理渗透、融合交叉"的学科布局不断优化。

学校以国家重大战略、关键领域和社会重大需求为导向，不断优化研究生教育结构，专业学位研究生比例进一步提高。截至 2025 年 9 月，在校研究生总规模为 17566 人，其中，在校全日制学术型博士 1963 人，占在校研究生总数的 11.18％；全日制专业学位博士 784 人，占在校研究生总数的 4.46％；非全日制专业学位博士 337 人，占在校研究生总数的 1.92％；全日制学术型硕士 4829 人，占在校研究生总数的 27.49％；全日制专业学位硕士 6607 人，占在校研究生总数的 37.61％；非全日制专业学位硕士 3046 人，占在校研究生总数的 17.34％。研究生中学术学位研究生占比 38.67％，专业学位研究生占比 61.33％。

二、招生规模与质量稳步提升

学校深入推进研究生招生制度改革，在主动服务国家重大战略需求、积极争取国家专项计划支持、不断扩大研究生招生规模的同时，严格强化招生录取过程管理，不断创新招生宣传方式，持续优化招生计划分配办法，推动生源质量稳步提升，为高层次创新人才培养奠定了基础。

（一）完善工作机制，强化招生管理

成立校院两级研究生招生工作领导小组，强化招生过程管理与监督，建立多元招生体系，完善招生选拔机制，确保研究生招生工作科学规范、公平公正。2015 年以来，针对博士研究生、全日制学术型和专业型硕士研究生、非全日制专业学位研究生的特点，在分类考试的基础上完善招生选拔办法，建立多元招生体系，硕士招生构建了全国统考、推荐免试、单独考试的渠道，博士招生构建了硕博连读、申请—考核、直接攻博的模式，进一步优化高层次人才选拔路径。同时，学校围绕培养目标建立健全涵盖能力、知识与素质并重的考核体系。优化初试，科学制定初试考试科目，强调对进入研究生阶段学习必备的专业基本理论、基础知识和基本技能的考察；强化复试，落实学术学位与专业学位分类选拔要求，改进和完善复试考核评价机制，提高复试的科学性和有效性，促进高层次拔尖创新人才脱颖而出。

（二）争取专项计划，扩大招生规模

聚焦国家重大战略和区域经济社会发展需求，积极争取国家各类专项计划支持，推动研究生招生规模不断扩大。2015 年至 2023 年，先后增设退役大学生士兵、少数民族骨干、对口支援西部、思政骨干、高校与科研机构联培、国家储才计划、国际产学研用联培等研究生招生专项。2016 年，学校印发《合肥工业大学 2017 年博士研究生招生"申请—考核"制工作办法（试行）》（合工大政发

〔2016〕186 号），试点博士研究生"申请—考核"制招生。2020 年起，学校全面推行博士生"申请—考核"制，优化高层次人才选拔路径。2024 年起，学校进入工程硕博士培养改革试点、依托工程项目联合培养硕博连读生试点高校行列（全国共 37 所高校入选）。同时，学校创建卓越工程师学院，全面承接教育部安徽高等研究院校企联合人才培养和科研攻关项目研究生招生计划，通过工程硕博士培养改革、依托工程项目联合培养硕博连读生、教育部安徽高等研究院等招生专项实施，研究生招生规模尤其是博士研究生招生规模实现跨越式增长。学校博士研究生招生规模从 2015 年的 194 人增加到 2025 年的 825 人，增幅 325.26%；全日制硕士研究生招生规模从 2015 年的 2615 人增加到 2025 年的 3983 人，增幅 52.31%。非全日制专业学位硕士研究生 2025 年度招生规模达 778 人，位居全国同类高校前列。

（三）创新工作办法，提升生源质量

学校通过大力开展研究生招生宣传工作，积极制定吸引优质生源的政策和办法，不断提升生源质量。2015 年以来，学校通过优秀大学生暑期夏令营、知名专家教授招生宣讲等活动，依托微信公众号、网上考研答疑平台等新媒体宣传矩阵，以线上线下立体融合的方式开展招生宣传，进一步提升了学校在潜在优质生源中的认知度和吸引力。硕士研究生报考人数最高达 21720 人，较 2015 年报考 7789 人，增幅 178.85%。博士研究生报考人数最高达 1428 人，较 2015 年报考 297 人，增幅 280.80%。2024 年起，学校制定并实施研究生生源质量提升行动方案，改革研究生招生指标分配办法，服务高水平科研和学科建设，激发各学院吸引选拔优质生源的主动性和积极性，支持引导高层次人才、重大项目主持人，使用单列招生指标、优质生源奖励指标招收优秀研究生，学校硕士研究生推免生和博士研究生直博生、硕博连读生等优质生源接收人数显著提高。2025 年，学校录取推免硕士研究生 851 人，较 2015 年推免生数量增长一倍以上；学校录取硕博连读博士研究生（含直博生）245 人，较 2015 年硕博连读博士研究生数量增幅达 235.62%。

表 7－6　2015—2025 年学校研究生录取情况一览表

年度	博士录取数	博士硕博连读（含直博）接收人数	学术型硕士录取数	全日制专业学位硕士录取数	非全日制专业学位硕士录取数	硕士推免生接收人数
2015	194	73	1358	1257	/	406
2016	205	87	1363	1278	/	294

（续表）

年度	博士录取数	博士硕博连读（含直博）接收人数	学术型硕士录取数	全日制专业学位硕士录取数	非全日制专业学位硕士录取数	硕士推免生接收人数
2017	222	92	1393	1254	853	225
2018	272	113	1393	1324	862	221
2019	307	127	1439	1391	812	176
2020	327	125	1526	1680	758	142
2021	383	108	1538	1768	758	184
2022	437	111	1565	1831	758	257
2023	499	119	1582	1910	758	287
2024	624	163	1587	2116	778	576
2025	825	245	1608	2375	778	851
合计	4295	1363	16352	18184	7115	3619

三、研究生培养改革持续推进

学校紧扣国家战略与产业需求，通过动态优化培养方案、打造专兼结合的导师队伍、共建校企联合基地等举措深化研究生教育改革，形成"政产学研用"协同创新机制，着力提升研究生工程实践与科研创新能力，推动研究生教育内涵式发展。

（一）与时俱进制定科学政策办法

学校高度重视研究生培养顶层设计，构建了科学完善、动态优化的政策制度体系，为研究生培养质量提升提供制度保障。

持续优化研究生培养方案 学校坚持"三年一修订"的动态调整机制，持续优化研究生培养方案。2018年，学校新增工程博士和留学研究生培养方案。2022年，学校主动服务国家战略需求和适应时代变革，在培育方案中增设人工智能、知识产权等前沿课程，强化学科交叉融合。2025年，在最新版方案修订的过程中，学校重点落实分类发展要求，实施学术型与专业型研究生差异化培养，不断提升培养方案的科学性、指导性、适应性和可操作性。

完善研究生培养制度 学校高度重视研究生培养顶层设计，在既有制度基础上，相继印发《合肥工业大学研究生学籍管理实施细则》（合工大研办〔2017〕3号）、《合肥工业大学研究生联合培养基地建设管理办法》（合工大政发〔2021〕

173 号)、《合肥工业大学研究生学业奖学金评审办法》(合工大政发〔2022〕109号)等文件,2025 年修订印发《合肥工业大学学位评定委员会章程》(合工大政发〔2025〕32 号)、《合肥工业大学研究生培养过程管理办法(修订稿)》(合工大政发〔2025〕44 号)等 3 个文件,构建完善的研究生培养制度体系,为培养质量提升提供坚实保障。

（二）专兼结合打造一流导师队伍

学校高度重视研究生导师队伍建设,相继印发《合肥工业大学全面落实研究生导师立德树人职责实施细则(试行)》(合工大政发〔2018〕165 号)、《合肥工业大学研究生指导教师资格审核办法》(合工大政发〔2019〕76 号)等文件,建立健全兼职导师(行业导师)管理制度,着力打造一支师风优良、学术水平高、结构合理、专兼结合的导师队伍。

2015 年起,学校打破"导师终身制",明确导师任职资格与招生条件,强化综合素养与能力考察,实施分类审核与动态管理。2017 年,学校试行"放管服"改革,实行学位评定分委员会审定、学位办备案的管理制度,下移硕士生导师增选权限至学院。学校以质量为导向,将研究生学术成果、就业率等指标与导师绩效、计划分配挂钩,实行师德师风"一票否决制",对育人成效突出者给予表彰和资源倾斜,对履职不力者予以警示或退出。

强化导师培训培养,构建了涵盖岗前培训、专题研修、校企实践的导师综合能力提升培训体系,年均组织培训活动 40 余场,实现导师全覆盖。持续优化导师结构,专职导师数量从 2015 年的 940 人增长至 2024 年的 2031 人,增幅达116%,实现学科专业全覆盖。学校从行业内具有代表性的企业、科研院所等遴选行业导师 1325 人。专职导师中有国家级人才 110 余人,兼职导师中有两院院士 18 人。

学校完善师生双向互选制度,建立矛盾调解机制,开展导师心理辅导培训,强化心理协同育人。推行"一人一策"个性化培养方案,促进论文选题与产业需求对接。设立优秀导师团队奖,开展"最美研途"评选,组织"研传身教、导而有方"导学思政活动等,增进导学间的了解和信任,促进学术交流和情感沟通,形成良性互动的导学关系。

（三）产教融合共建联合培养基地

学校持续深化与高新技术企业、行业领军企业的合作,将人才培养与生产过程有机结合,构建了完善的校企协同育人体系,校企共同制定方案、开发课程,实施联合培养与全过程质量管理。采用"企业出题、学校答题"的模式,让研究生面向行业企业真技术真需求，深入现场，深耕领域，研究解决实际工程问题。学校印发《合肥工业大学研究生联合培养基地建设管理办法》（合工大政发〔2021〕173号），系统推进基地规范化建设，目前已与长鑫存储技术有限公司、安徽省地质调查院（安徽省地质科学研究所）、东华工程科技股份有限公司、安徽科创中光科技股份有限公司等150余家企事业单位共建联合培养基地，获批省级基地26家，其中，与阳光电源股份有限公司共建的"新能源校企协同育人基地"入选工信部校企协同育人示范基地。与江淮汽车、奇瑞控股、京东方等52家行业领军企业共建卓越工程师联合培养基地，形成覆盖重点产业领域的培养共同体，实现了专业学位研究生联合培养全覆盖和工程类专业学位研究生项目制培养全覆盖。

（四）聚焦质量改革学位评价标准

学校充分发挥教育评价的"指挥棒"作用，强化过程评价，健全综合评价，充分利用信息技术，提高学位评价的科学性、专业性、客观性，从思想教育、过程管理、分类评价等维度，建立健全科学系统的学位评价体系。树立科学质量观，高度重视研究生科学道德、职业道德和学风建设，严肃处理学术不端行为；强化过程管理，完善学位论文或实践成果的"审核评估"与"质量提升"间的互联机制，形成"以审促改、以审核改、逐步提升"的良性质量提升效应；强化分类评价，优化学位分类授予标准和学术成果考核标准，在专业学位研究生学位授予过程中，充分发挥行业导师的作用，坚持实践导向的培养要求和应用标准的学位授予条件，构建具有工大特色的学位授予制度体系，提升学位授予质量。

表7-7 2015—2025年研究生学位授予情况一览表

年度	博士	学术硕士	全日制专业硕士	非全日制专业硕士	合计
2015	167	1640	850	455	3112
2016	119	1337	969	426	2851
2017	126	1297	1071	280	2774
2018	160	1265	1188	325	2938
2019	160	1274	1267	360	3061
2020	163	1274	1209	434	3080
2021	168	1261	1260	680	3369

（续表）

年度　数量　类型	博士	硕士			合计
		学术硕士	全日制专业硕士	非全日制专业硕士	
2022	236	1334	1396	796	3762
2023	249	1431	1670	734	4084
2024	268	1428	1714	828	4238
2025	213	1424	1701	529	3867
合计	2029	14965	14295	5847	37136

注：2025 年研究生学位授予数截至 9 月 10 日。

（五）支撑引领高水平科学研究和高质量区域发展

学校创新构建"产教融合、教研一体、协同育人、联合攻关"的人才培养新模式，有效整合政府、高校、企业等多方资源，形成"政产学研用"协同创新机制，实现了人才培养与产业需求的精准对接，构建了优势互补、资源共享、互利共赢的产教融合新生态。与阳光电源股份有限公司开展协同育人项目，签订并完成产学研横向课题 150 余项，经费达数亿元，相关技术被广泛应用于企业的多项产品。成立卓越工程师学院，系统推进工程硕博士培养改革专项、教育部安徽高等研究院校企联合人才培养和科研攻关项目、合肥工业大学卓越工程人才培养项目等重点工作。以安徽高等研究院为例，2024 年校企合作项目 68 项，合同到校经费 9813.7 万元；2025 年项目增至 134 项，合同到校经费 8025 万元。

（六）研究生教育教学成果突出

学校全面把握党和国家对研究生教育提出的新要求新方向，深入落实教育部和安徽省教育厅相关工作部署，持续深化研究生教育教学改革，成效显著。2023年 7 月 21 日，教育部印发《关于批准 2022 年国家级教学成果奖获奖项目的决定》（教师〔2023〕4 号），公布 2022 年国家级教学成果奖获奖项目名单，学校专业学位研究生教育改革成果"两融合　三并用　六协同——专业学位研究生实践创新能力培养新模式"获一等奖，"行业特色高校'多维融合'的高水平研究生人才培养体系构建与实践""管理科学与工程一流学科研究生培养的模式创新与能力建设研究与实践"成果获二等奖。2022 年以来，学校获省级研究生教学成果奖 34 项，其中特等奖 6 项、一等奖 6 项、二等奖 14 项。学校主要领导就推进新时代研究生教育改革、提升卓越工程人才自主培养质量、服务科技创新和产业创新融合发展等主题，在《中国教育报》《中国高等教育》《新型工业化》等刊物多次发表文章。2024 年，教育部简报以"合肥工业大学持续深化产教融合，大力推进卓越工程人才培养"为题推介了学校卓越工程人才培养的典型经验。

表 7-8 学校获高等教育（研究生）教学成果奖情况一览表

获奖荣誉	成果名称	获奖等级	完成人				获奖年度
国家级教学成果奖	两融合　三并用　六协同——专业学位研究生实践创新能力培养新模式	一等奖	刘心报　黄　飞　王　磊	洪日昌　牛漫兰　汪　萌	程文娟　解光军　季　斌	陈从贵　吴红斌	2022
	行业特色高校"多维融合"的高水平研究生人才培养体系构建与实践	二等奖	吴玉程　陆　杨　张大伟　徐光青	吕　珺　黄海宏　周如龙　张　勇	王　岩　刘　健　罗来马　朱晓勇	夏豪杰　刘家琴　张　进	2022
	管理科学与工程一流学科研究生培养的模式创新与能力建设研究与实践	二等奖	杨善林　张　强　丁　帅　马华伟	梁昌勇　李霄剑　周开乐　冯南平	蒋翠清　任明仑　裴　军　邵　臻	焦建玲　余本功　彭张林	2022
省级教学成果奖	管理科学与工程"双一流"建设学科研究生创新能力培养探索与实践	特等奖	杨善林　刘心报　丁　帅　余本功	刘业政　梁昌勇　李霄剑　周开乐	张　强　胡笑旋　罗　贺　杨　颖	王　刚　任明仑　裴　军	2022
	行业特色高校"多维融合"的高水平研究生人才培养体系构建与实践	特等奖	吴玉程　陆　杨　张大伟　徐光青	吕　珺　黄海宏　周如龙　张　勇	王　岩　刘　健　罗来马　朱晓勇	夏豪杰　刘家琴　张　进	2022
	创建"人才共育、成果转化"产学研合作平台，深化研究生培养模式改革与实践	特等奖	刘家琴　黄　飞　朱晓勇　王　珊	吴玉程　张晓安　李　亨　华　健	崔接武　周如龙　汪嘉恒	秦永强　尹延国　朱　峰	2023
	面向智慧交通基础设施建设重大需求的研究生人才培养体系创新与实践	特等奖	王佐才　钟　剑　朱亚林　辛　宇	袁海平　余　敏　吴兆福	贺文宇　张　静　黄　飞	汪亦显　邵亚会　扈惠敏	2023
	面向高端仪器仪表需求，构建产学研融合的高质量研究生培养体系	特等奖	夏豪杰　黄强先　潘成亮	胡鹏浩　邱龙臻　赵会宁	张　进　黄　飞　刘　羽	卢荣胜　黄　亮	2023

（续表）

获奖荣誉	成果名称	获奖等级	完成人				获奖年度
省级教学成果奖	数智引领，多维协同——工科院校会计学专业研究生培养模式创新与实践	特等奖	蒋翠清　杨善林　张　晨　杨昌辉 唐运舒　陈　波　丁晶晶　吴　勇 许启发　张　璇　王晓佳　刘春丽 付丽华　蒋翠侠　白　羽				2023
	多主体协同，全过程融合，人工智能高层次人才培养体系创新与实践	一等奖	洪日昌　汪　萌　夏　娜　贾　璐 李　廉　解光军　吴共庆　黄正峰 胡学钢　王　浩　年永琪				2022
	面向乡村振兴的复合型建筑与艺术类创新人才培养研究与实践	一等奖	宣　蔚　刘　阳　郑志元　曹海婴 张　泉　孟　梦　王静峰　王昌建 张振华　刘向华　李满厚				2022
	需求导向、多元协同、学科交叉的材料工程研究生培养体系创新与实践	一等奖	丁运生　王　平　魏海兵　方华高 朱　俊　刘　超　邱龙臻　陆红波 张国兵　汪冬梅　吕　珺　徐光青 刘　凯　李学良　陈礼平				2023
	思政引领、创新导向、实践升华：智慧交通行业高层次人才培养体系建设与实践	一等奖	龙建成　刘　凯　白先旭　丁建勋 石　琴　张炳力　李　军　徐小明 程　腾　姜武华　汪洪波　袁　凯 詹兴斌　武　骥　王芙颂				2023
	以绿色智能制造为主线的机械类高质量研究生培养模式创新与实践	一等奖	黄海鸿　訾　斌　祖　磊　刘志峰 董方方　王　帅　朱利斌　叶家鑫 马培勇　毕海林　王玉琳				2023
	工科高校马克思主义理论研究生思政课教学改革研究与实践	一等奖	牛小侠　黄志斌　唐　莉　房　彬 潘　莉　李才华　朱　浩　赵　鹏 董　军　张继龙　咸怡帆				2023

四、研究生教育质量监控体系不断健全

学校立足全过程教育质量管理，严格规范开题、中期、答辩等关键环节，实施学位论文"双盲"评审与集中答辩制度，依托信息化平台实现培养全流程智能预警，强化培养过程跟踪，建立"管、办、评"分离机制，实时化过程预警、精准化质量改进，保障研究生教育培养实效。

（一）严格规范的过程管理

学校建立全过程、多维度的质量监控体系，确保研究生培养质量稳步提升。

深入贯彻落实《中华人民共和国学位法》，构建"三级两类"学位管理制度体系。学校严格落实学位评定委员会章程、学位授予实施办法、培养管理办法，细化学位分类授予标准，完善学位授予工作规范，强化培养过程各环节的质量标准和要求，通过强化分类培养和分类评价，形成了具有工大特色的研究生培养及学位授予制度。此外，学校重点加强学位论文开题、中期检查、答辩等关键环节过程管理，多措并举保障研究生培养质量。

学校严格统筹课程设置，科学配置教学资源，建立涵盖命题审核、考试组织、成绩评定等全流程的考试管理标准，将课程安排、考试管理等关键环节纳入质量监控体系，通过信息化手段提升教学管理的智能化水平，强化对教学运行全过程的监督评估。

（二）务实有效的教育督导

学校建立有效的教育督导机制，为研究生培养质量保驾护航。2022年10月8日，学校印发《关于成立合肥工业大学第一届研究生教育督导委员会的通知》（合工大政发〔2022〕205号），正式成立研究生教育督导委员会，积极发挥督导委员会指导作用，加强研究生培养过程管理、关键环节监控和学位论文质量管理，推动实施分流淘汰、研究生集中开题等。2023年1月，印发《合肥工业大学研究生教育督导委员会工作暂行办法》（合工大政发〔2023〕15号），各研究生培养单位积极支持配合督导委员会工作开展，认真吸纳督导委员会的意见和建议，全力解决存在的问题。2025年，召开研究生教育督导专题工作会议，深入分析研究生教育现状，研讨提质增效具体举措，持续改进培养质量。

（三）运行有序的信息系统

学校大力推进信息化建设，构建智能高效的研究生教育管理平台。2023年，学校上线学位与研究生教育管理系统，实现培养全流程的信息化管理，创新性地将招生、培养、学位等环节有机衔接，首次实现研究生教育管理全流程一体化。通过整合教务系统、科研系统、学位系统等平台数据，建立了统一的研究生教育数据库，显著提升了管理效率。系统具备智能预警功能，可对培养过程进行实时监控，在关键节点自动预警，通过快速反馈通道实时推送评价结果，为管理决策提供了有力支撑，实现了质量监控反馈体系的一体化运行。

（四）科学严谨的论文评阅

学校健全学位论文检测系统，完善学位论文或实践成果的评阅制度，提升学位论文或实践成果的质量。学校实施学位论文100％检测，要求学生根据检测结果对学位论文进行修改完善，杜绝学术不端行为，保障研究生培养质量。学校推行全日制硕士生"三统一"集中答辩，建立"管、办、评"分离机制，实施博士学位论文或实践成果评审意见应答汇报制度，增设预审和预答辩环节。2018年起，学校全面建立研究生学位论文100%"双盲"制度，对存在问题的导师实施质量约谈乃至暂停招生资格，通过该制度的规范和引导，进一步增强研究生及指导老师对学术论文或实践成果的责任心，增强研究生科研能力和学术创新动力，在保障研究生学位论文质量的基础上进一步提升学位授予质量；把论文盲审、抽检与学院年度考核挂钩，实现研究生培养质量闭环管理。近年来，在国务院督导办组织的博士学位论文抽查和安徽省学位办组织的硕士论文抽查中，学校连续保持合格率100%，其中硕士优良率超过90%。

第四节　学生教育管理与就业工作

学生工作坚持以生为本，围绕学生、关照学生、服务学生，不断强化思想引领，持续提升管理与服务水平，全力促进毕业生高质量充分就业。学校先后获"全国大学生心理健康教育工作先进集体""全国高等学校学生资助工作先进单位""全国资助优秀单位案例典型""全国毕业生典型经验高校""全国十佳校网通站"等荣誉称号。

一、学生教育平台载体搭建与拓展

十年来，学校树牢数智思维、精准思维、底线思维"三种思维"，贯通本硕博一体化思政育人体系，坚持强基础、塑体系、创品牌、提质效，扎实推动学生工作高质量发展。

优化"大学工"架构　学校坚持多中心联动，系统打造辅导员发展中心、学生业发展中心、学生资助服务中心、学生就业指导中心、心理健康教育中心、征兵与国防教育中心六大中心，高质量推进"时代征程献礼、五育并举融合、教育评价改革、智慧学工推动、学生社区建设、队伍担当引领"六项行动计划。统筹落实主题教育、学生管理、心理育人、资助育人、社区建设、智慧平台打造等十项重点工作，促进学生工作向新而行、以新提质。

践行全时段育人　创新设计思政早点坊、有约午餐会、育人晚茶叙等"三味课堂"，将思政教育融入一日三餐。推进"日间接访值守、晚间学风督查、夜间住校值班"全天候值守。落实每学期全体学生谈心谈话、每月遍访全体学生宿舍、每周开展一次主题教育、每天深入学生一线的"年月周天"清单制度，织密常态化安全网络。

创新品牌化引领 注重以文化人，培育科技文化节、建筑风文化节、药食文化节、地球文化节等系列"一院一品"思政项目。打造信仰的力量、传承的力量、榜样的力量、典礼的力量"四个力量"育人品牌。通过思政工作研究项目、"五育并举"实践项目、学生社区育人项目等，推动学生思政教育工作的理论研究和实践创新。

拓展育人新场域 深入推进"四维联动"学生社区建设，建强"4＋4＋X"学生社区工作队伍，营造"三层面四层级"育人文化，举办师生活动1.5万余场，服务学生42万余人次，创新运用"新时代六尺巷工作法"，通过学生参与运行监督、接诉即办、矛盾调节，畅通共治渠道，将"礼让和谐"文化融入学生事务管理，助推学校高质量发展，助力学生成长成才，形成了学校基层治理和学生教育管理服务新模式，近200所省内外兄弟院校来校调研交流学生社区建设工作。2024—2025年，先后举办学生社区高质量发展论坛，承办安徽省"一站式"学生社区综合管理模式建设工作推进会，学校获评全国高校示范"一站式"学生社区。2025年6月，教育部部长怀进鹏，教育部副部长熊四皓、王光彦，安徽省副省长任清华，安徽省委教育工委书记、教育厅厅长钱桂仑等领导视察学校"一站式"学生社区建设工作。

探索网络思政新范式 学校网络思想政治教育秉承"立德明理、铸魂育人"的工作理念，按照"把握规律、对接需求、筑牢阵地、打造品牌、优化联动、激发活力"的工作思路，通过加强阵地管理、挖掘优质资源、优化内容供给、强化队伍建设、推动数智赋能等途径，持续探索创新网络育人新范式，打造出一批富有工大特色、具有时代特征的思政教育品牌，不断增强新时代高校思想政治工作的吸引力和感染力，进一步实现思想政治工作线上线下同频共振，着力提升学校网络育人实效。

学校明理苑大学生网络文化工作室获教育部首批（2015年）大学生网络文化工作室立项。工作室成立以来，累计在全国大学生网络文化节和全国高校网络教育优秀作品推选展示活动中获奖49项，2019—2024年，连续六年获评教育部全国大学生网络文化节"优秀组织单位"。学校先后获评教育部中国大学生在线"十佳校园网络通讯站"、教育部中国大学生在线校园行杰出贡献单位、教育部中国大学生在线校园新媒体建设"融合共建四十强"单位、第八届全国大学生网络文化节引擎高校等荣誉。

建设数智育人新平台 智慧学工建设学工信息化系统、智慧学生社区、大数据决策分析平台，上线230余个功能模块，服务"两地三校"4.8万余人。构建院校两级新媒体育人矩阵，培育 24 个大学生网络文化工作室，创作系列网络正能量作品。承接省智慧学工融合平台建设，建成"安徽新青年"功能页面。探索运用人工智能赋能思政教育新模式，打造 AI 辅导员"小斛老师"。

二、学生资助与心理工作

学校将资助育人与心理育人深度融合，以"济困"为基、"育心"为翼，构建"精准资助、心理护航、成长赋能"为一体的协同育人体系，通过精准资助与能力提升的有机结合助力学生轻装前行，依托心理关爱与润心赋能的深度联动筑牢学生心灵防线，让青年学子在经济帮扶与心灵滋养的双向赋能中书写绚丽的青春答卷。

（一）学生资助工作

夯实八位一体的资助体系　学校深入学习贯彻习近平总书记关于教育的重要论述，认真贯彻落实党和国家资助政策，紧紧围绕立德树人根本任务，以"实现家庭经济困难学生资助全覆盖"为基本要求，以持续夯实"奖、贷、助、补、勤、减、免、偿"八位一体的学生资助体系为基础保障，以不断拓展"物质帮助、道德浸润、能力拓展、精神激励"四维协同的资助育人机制为基准内容，把成长成才教育目标融入学生资助工作全过程，形成了"保障型资助、精准型资助、发展型资助、成才型资助"多维并举的资助育人举措，构建家庭经济困难学生"思想引领、学业发展、能力提升、情怀培养、视野开阔"五维能力发展资助育人体系，持续完善"国家为主、学校为辅、社会为补"的资助工作格局，为学生成长为堪当民族复兴重任的时代新人护航助力。

学校资助育人成效显著　学校以"全情全力成就学生出彩人生"为工作目标，注重扶困与扶智、扶志相结合，聚焦人才培养，整合各方资源，打造育人平台，努力实现家庭经济困难学生"纾困—育人—成才—回馈"的良性循环。2015 年以来，学校累计资助学生约 42 万人次，资助金额超 20 亿元。2018 年，学校获评全国学生资助工作优秀单位典型案例；2021 年，学校获评教育部全国学生资助管理中心国家奖学金评审工作优秀单位称号，同年，学校"暖冬工程"项目作为典型案例在安徽省推广；2023 年，教育部全国学生资助管理中心来校就学生资助信息化建设进行专题调研；2024 年，学校学生资助工作受到教育部新闻办报道；在 2025 年全国学生资助工作会议上，全国学生资助管理中心对学校隐形资助工作予以充分肯定。2025 年，学校学子许晋嘉入选《人民日报》国家奖学金获奖学生代表名录，学校收到教育部全国学生资助管理中心贺信。

（二）心理健康工作

加强心理健康工作机制和工作体系建设　学校秉持"培根强基·润心赋能"心理育人理念，着力深化教育教学、实践活动、咨询服务、危机干预、平台保障，促进大学生健康成长，推动新时代心理育人工作提质增效。2017 年 3 月，印发《合肥工业大学大学生心理健康教育实施办法》（合工大政发〔2017〕14号）、《合肥工业大学大学生心理疾病预防与心理危机干预实施办法》（合工大政发〔2017〕15 号）。2018 年 8 月，印发《合肥工业大学大学生心理健康教育先进个人、先进集体相关评选办法》（合工大学函〔2018〕35 号）等文件。2022 年 2月，印发《合肥工业大学大学生心理危机预防与干预工作指导手册（修订稿）》（合工大学函〔2022〕8 号）。2021 年，学校支持心理健康教育中心进行全方位软硬件环境升级改造，打造集教育、训练、体验、咨询等功能于一体的工作场域，为学生提供更好的服务体验。心理中心现有专兼职心理咨询师 40 余名，建有心理访谈室、心理测量室、团体活动室、情绪宣泄室等 40 余间功能室。设置学院心理辅导员岗位，开展学院大学生发展辅导示范中心建设，构建校院两级心理育人工作联动模式，形成健康教育、监测预警、咨询服务、干预处置"四位一体"工作体系。

建设丰富多样的心理健康课程和活动　学校通过开设"大学生心理健康教育"必修课及"人际交往心理学"等 4 门选修课程，举办心理中心积极体验活动，组织斛心讲堂、斛心沙龙、斛心手工坊、二十四节气创意工坊等系列活动，针对学生朋辈骨干印制并发放《班级心理委员工作手册》《团体辅导手册》《寝室心理气象员指导手册》，结合 5·25、12·5 举办心理嘉年华、游园会、素质拓展运动会，广泛开展大学生心理健康宣传教育，促进学生身心健康、全面发展。开展春秋季全校学生心理健康测试，全覆盖建立学生心理成长档案，实施深度访谈、五级评估定级和动态跟进关爱，建立重症学生包保工作台账，实施清单化闭环管理，依托校院会商、三方会谈、月度研判、危机周报、紧急评估、健康月报等将重点学生心理关爱做实做细。推动医校协同，畅通绿色转介就医通道。举办心理咨询师基础培训班、心理育人工作研究论坛、辅导员及班主任工作坊、班级心理委员工作研讨会暨朋辈心理辅导论坛、朋辈心理骨干培训班等，提高学生政工干部、朋辈心理骨干心理健康教育工作水平。

2015 年、2018 年，学校两次获"大学生心理健康教育工作优秀机构"称号。2022 年，获评教育部"长三角高校公共心理学课程虚拟教研室协作院校"。2023年，获安徽省"心理学服务社会优秀单位""社会心理服务先进单位"。2025 年，获批教育部高校学生心理健康教育指导典型案例、"学生综合素质训练基地"项目，获安徽省普通高校心理健康教育示范单位。

三、学生高质量就业

学校认真学习贯彻习近平总书记关于教育的重要论述，深入贯彻落实党中央、国务院关于做好高校毕业生就业工作的决策部署，以促进供需适配为导向，以充分就业为基础，以提升就业质量为重点，从顶层设计、岗位拓展、就业指导三个关键环节精准施策，全力促进毕业生高质量充分就业。十年来，学校毕业生毕业去向落实率稳定在96％以上。

构建全方位就业格局　学校坚持把就业工作作为重中之重，摆在更加突出的位置。成立由党委书记、校长任组长的就业工作领导小组，构建主要领导靠前指挥、分管校领导具体负责、校院两级齐抓共管的就业工作大格局，统筹推进就业工作。同时将就业工作纳入考核评价体系，促进就业工作落地见效。以产业需求为导向，以"新工科"建设为引领，构建招生培养与就业联动动态预警机制，优化学科调整与招生计划，推动教育链、人才链、产业链深度融合，提高学科专业与经济社会发展需求的匹配度。将思政教育融入就业育人全过程，引导学生树立正确的择业观、就业观，积极服务国家重大战略、传承工业报国精神。

丰富就业市场体系　学校充分发挥政校企协同育人优势，助推毕业生高质量就业。重点瞄准国家重大战略需求和行业区域经济社会发展需要，积极构建大型双选会、专场招聘会、周末职通车、精准对接会"四位一体"多元招聘就业市场体系，实现"日日有宣讲、周周有招聘、人人有岗位"。十年来，学校每年举办各类招聘会1000余场，来校用人单位6000余家，提供岗位25万余个，平均为每名毕业生提供30个岗位供选择。学校与国家大学生就业服务平台建立共享机制，共享大量优质岗位信息，相关做法得到教育部充分肯定。围绕人工智能、量子信息、集成电路、新能源和智能电网、智能网联汽车等重点发展领域，以访企拓岗"行动链"串起学科链、人才链、服务链、产业链，全面深化校企合作、供需对接，为重点行业发展提供更多人才保障和智力支持。近年来，校院两级领导每年率队走访企业近200家，建立就业实习基地100余家，发掘新增岗位千余个。精心谋划、扎实推进"西部计划""三支一扶""选调生"等国家地方基层就业项目专项行动计划。2015年以来毕业生参加各类国家、地方基层项目800余人。积极开发"科研助理"岗位，制定《科研助理管理暂行办法》，面向社会公开组织招聘，进一步扩大了毕业生就业空间。

就业指导与服务工作　学校全力以赴助推毕业生充分就业，创新"就业课程＋小班团辅＋个体咨询＋精品活动"平台，将课程建设与求职实践相融合、就业引导与专业教育相融合、赛事指导与生涯规划相融合，打造全景式生涯教育支持体系，为学生提供全程化、系统化、专业化的就业指导服务。打造"生涯嘉年华""行业大咖说""职场有约""求职训练营"等就业品牌活动，开设"校招通关网申技巧"等职业能力培训课程 10 个。校企携手实训实习，打造"硬核"工程师，学校与小米集团携手打造"1355"校企协同育人新模式，相关做法获教育部校企协同育人典型案例，被中宣部列为集中报道典型，《人民日报》、新华社、中央广播电视总台、《光明日报》等 16 家中央主流媒体专题报道，在全国起到了良好的示范效应。学校连续两年参加全国职业规划大赛，参赛 2.4 万余人，先后获金奖、高校优秀组织奖等荣誉。2021—2024 年，连续四年承担教育部"宏志助航计划"高校毕业生就业能力培训，共培训安徽省内 22 所高校 3200 名毕业生，切实提升学生求职能力。

毕业生就业质量稳步提升　十年来，学校毕业生毕业去向落实率长期保持高位，落实率稳定在 96% 以上，2020 年，在新冠肺炎疫情影响下，毕业生去向落实率依然达到 92.02%；本科生升学率呈现稳中有升的整体趋势，从 2015 年的 33.06% 上升至 2024 年 42.07%。学校主动对接国家重大战略和区域经济社会发展需求，提升服务国家经济社会的支撑力和贡献度，就业学生中 70% 以上服务于高端装备制造业、信息技术产业等国家重点行业，70% 服务于长三角地区，留皖就业人数逐年提升。学生"工程基础厚、工作作风实、创业能力强"特点鲜明，备受社会各界和用人单位赞誉。多地人才管理部门及多家大型优质企业称赞学校"始终坚持厚德、笃学、崇实、尚新的优良校训，培养了万千引领者、创新者和奋斗者"。

表 7-9　2015—2025 届毕业生毕业去向落实情况一览表

年份	总体落实率	本科生	研究生	本科生升学率
2015 年	96.32%	96.23%	96.58%	33.06%
2016 年	96.47%	96.03%	97.74%	33.26%
2017 年	96.61%	96.08%	98.41%	35.34%
2018 年	96.71%	96.22%	98.29%	35.20%
2019 年	96.54%	96.02%	98.24%	37.09%
2020 年	92.02%	90.46%	96.84%	38.02%
2021 年	96.35%	95.51%	98.57%	36.97%
2022 年	96.90%	96.32%	98.20%	37.78%

（续表）

年份	总体落实率	本科生	研究生	本科生升学率
2023 年	96.83％	96.14％	98.23％	39.22％
2024 年	96.85％	96.18％	98.10％	42.07％
2025 年 （截至 8 月 31 日）	93.80％	94.15％	94.80％	40.59％

第五节　卓越工程师人才培养

学校坚持以服务国家重大战略需求和区域经济社会发展为导向，探索实践"产教融合、教研一体、协同育人、联合攻关"的人才培养新模式。通过深化招培改革，优化工程人才招生选拔机制，完善工程专业培养方案，深化教学和评价改革，注重实践环节，建立联合培养基地，实施重大项目牵引，推动工学交替培养，完善校企导师管理、交流、考核机制，共建导师队伍、集聚校地资源，着力造就更多具有强烈使命担当意识和突出实践创新能力的卓越工程人才。

一、创新人才培养模式

学校紧密对接国家创新驱动发展战略与高等教育改革需求，坚持"夯实基础、强化能力、突出个性"的培养路径，持续开展创新人才培养模式改革，培养模式从"单一化、校内化、基础化"向"多元化、协同化、精英化"转型，逐步形成了覆盖多领域、本硕衔接、政策完善的创新人才培养体系。

推行创新人才培养计划　2010 年印发《合肥工业大学"创新型人才培养计划"实施方案》（合工大政发〔2010〕93 号），以培养具有"工程基础厚、工作作风实、创业能力强"的创新型、复合型高级工程技术人才为目标，探索本科创新人才大类培养和分流机制，设有英才班、卓越班、博雅班。2016 年印发《合肥工业大学本硕连读创新实验班管理办法》（合工大政发〔2016〕74 号）、《合肥工业大学"英才计划"实施方案》（合工大教务函〔2016〕18 号）。"英才计划"是学校"创新型人才培养计划"的拓展和提升，强化与企业和科研院所合作，推进协同培养"基础宽厚，适应能力强，科学、人文素养高，在科学研究、工程实践及其相关领域具有较强的创新意识、创新能力和国际竞争力的高素质精英人才"。设有本硕连读创新实验班、英才班、卓越班、博雅班四类特色班级，实行学业导师制，实施"创新不断线"的培养方式。

探索实施"英才计划"　2012级"英才计划"共计招收学生105人，其中，英才班、卓越班各45人，博雅班15人。2013级"英才计划"开设英才班、卓越班、博雅班和地质学专业英才班共4个班级，共计招收学生124人，其中，英才班、卓越班各45人，博雅班20人，地质学英才班14人。2014级"英才计划"开设6个班级，其中本硕连读创新实验班4个班级，英才班、博雅班各1个班级，共计招收学生190人。本硕连读创新实验班学制6年，学生完成学业和通过论文答辩后可同时获得学士和硕士学位。地质学创新实验班（资源与环境工程学院）招收14人、食品科学与工程创新实验班（生物与食品工程学院）招收40人、计算机与信息类创新实验班（计算机与信息学院）招收41人、集成电路设计与集成系统创新实验班（微电子学院）招收40人，英才班招收40人，博雅班招收15人。2015级英才班招收30人，集成电路设计与集成系统专业创新实验班招收30人。2016级英才班招收30人，集成电路设计与集成系统专业创新实验班招收40人、智能车辆技术实验班招收40人。

创新人才培养转型升级　2017年，印发《合肥工业大学创新人才培养实施方案》（合工大政发〔2017〕137号），进一步明确"培养信念执着、人格健全、基础宽厚、个性突出、视野开阔、素质全面，具有较强实践能力、创新创业能力和国际竞争力的拔尖创新人才，特别是具备潜质的学术精英人才和行业领军人才"这一培养目标。创新实验班实行小班化教学，实施"通识教育＋跨学科培养"模式，学生进班即配备学业导师和班主任，并在创新训练项目、国际学术和文化交流方面优先享有申报及推荐机会，在评奖评优、免试推荐研究生方面享有单独规定比例。

培养路径迭代更新　学校积极引导传统专业主动适应新兴技术和产业发展趋势，创新实验班培养方向由传统学科领域逐渐向国家战略和重点新兴产业领域转型。近年来，依托优势学科与一流本科专业建设点，学校聚焦集成电路、人工智能、智能制造、智能化工、智能感知、新能源汽车、国际组织人才培养等方向，深化科教融汇、产教融合，探索项目式和本研贯通培养，引入优质国际化课程资源，持续开展创新人才培养新路径研究与实践，推动专业升级提质，适配产业转型升级需求，满足学生个性化发展需求，提高未来竞争力。

融汇校外力量联合培养　学校积极融汇多方资源，推进多主体开放合作，通过校校、校企多样化组织形式，探索拔尖创新人才培养新模式。2021年12月，学校智能制造现代产业学院获批国家首批现代产业学院。智能制造现代产业学院聚焦智能制造领域，基于智能制造技术研究院建设基础，结合国家和安徽省"十大新兴产业"发展需求，依托机械设计制造及其自动化、电气工程及其自动化、车辆工程 3 个国家一流本科专业建设点，联合阳光电源股份有限公司、安徽江淮汽车集团股份有限公司、安徽巨一科技股份有限公司、合肥科威尔电源系统有限公司以及长虹美菱股份有限公司等行业龙头，推进产教融合、协同育人的人才培养模式改革，培养产业需要的高素质应用型、复合型、创新型人才。2022 年 12 月，学校印发《关于成立智能制造现代产业学院的决定》（合工大党发〔2022〕78 号），成立智能制造现代产业学院，加强智能制造现代产业学院的实体化运行，依托智能制造技术研究院进行建设。2023 年，创新实验班招生渠道从单一校内二次选拔拓展为"高考统招＋入学选拔"双轨并行。2024 年，面对国家集成电路领域高水平创新型人才的迫切需求，学校与中国科学技术大学共建集成电路设计与集成系统创新实验班，联合探索芯片人才超常规培养路径。2025 年机械设计制造及其自动化、量子信息科学等 8 个实验班纳入高考直接招生。

2017—2024 年，学校共计开设 52 个创新实验班、培养 1544 名学生。

表 7-10　2017—2024 年学校开设创新实验班情况一览表

序号	学院名称	专业名称	开设年度	学生人数
1	汽车与交通工程学院	车辆工程（智能车辆）	2017	31
2	电气与自动化工程学院	电气工程及其自动化	2017	30
3	机械工程学院	机械设计制造及其自动化（智能制造）	2017	30
4	微电子学院	集成电路设计与集成系统	2017	30
5	材料科学与工程学院	金属材料工程	2017	30
6	资源与环境工程学院	地质学（地球深部探测）	2017	16
7	电气与自动化工程学院	电气工程及其自动化	2018	30
8	汽车与交通工程学院	车辆工程（智能车辆）	2018	30
9	管理学院	信息管理与信息系统（工程管理与智能制造）	2018	29
10	机械工程学院	机械设计制造及其自动化（智能制造）	2018	29
11	计算机与信息学院	计算机科学与技术（智能科学与技术）	2018	28
12	材料科学与工程学院	材料科学与工程	2018	29
13	电气与自动化工程学院	电气工程及其自动化	2019	31
14	机械工程学院	机械设计制造及其自动化	2019	28
15	土木与水利工程学院	土木工程（智能建造）	2019	29

（续表）

序号	学院名称	专业名称	开设年度	学生人数
16	汽车与交通工程学院	车辆工程	2019	30
17	计算机与信息学院	计算机科学与技术	2019	29
18	电气与自动化工程学院	电气工程及其自动化	2020	28
19	机械工程学院	机械设计制造及其自动化	2020	31
20	汽车与交通工程学院	车辆工程（智能车辆）	2020	28
21	土木与水利工程学院	土木工程（智能建造）	2020	29
22	计算机与信息学院	智能科学与技术	2020	30
23	管理学院	信息管理与信息系统（智能制造工程管理）	2020	29
24	土木与水利工程学院	土木工程（智能建造）	2021	29
25	机械工程学院	机械设计制造及其自动化	2021	27
26	管理学院	信息管理与信息系统（智能制造工程管理）	2021	28
27	电气与自动化工程学院	电气工程及其自动化	2021	27
28	化学与化工学院	化学工程与工艺（智能化工）	2021	29
29	仪器科学与光电学院	智能感知工程	2021	30
30	经济学院	国际经济与贸易（数字经济与全球经贸治理）	2021	26
31	管理学院	信息管理与信息系统（杨善林班）	2022	29
32	电气与自动化工程学院	电气工程及其自动化专业	2022	29
33	土木与水利工程学院	土木工程（智能建造）	2022	30
34	经济学院	国际经济与贸易（数字经济与全球经贸治理）	2022	25
35	机械工程学院	机械设计制造及其自动化	2022	29
36	化学与化工学院	化学工程与工艺（智能化工）	2022	27
37	汽车与交通工程学院	车辆工程（新能源汽车）	2022	30
38	微电子学院	集成电路设计与集成系统	2023	44
39	管理学院	信息管理与信息系统（杨善林班）	2023	31
40	电气与自动化工程学院	电气工程及其自动化专业	2023	30

（续表）

序号	学院名称	专业名称	开设年度	学生人数
41	机械工程学院	机械设计制造及其自动化	2023	31
42	化学与化工学院	化学工程与工艺（智能化工）	2023	32
43	汽车与交通工程学院	车辆工程（新能源汽车）	2023	30
44	微电子学院	集成电路设计与集成系统	2024	45
45	电气与自动化工程学院	电气工程及其自动化专业	2024	44
46	汽车与交通工程学院	智能车辆工程	2024	45
47	材料科学与工程学院	材料科学与工程（英才班）	2024	25
48	机械工程学院	机械设计制造及其自动化	2024	30
49	化学与化工学院	化学工程与工艺（智能化工）	2024	25
50	经济学院	国际经济与贸易 （数字经济与全球经贸治理）	2024	13
51	管理学院	信息管理与信息系统 （智能科学与技术）	2024	30
52	汽车与交通工程学院	车辆工程（新能源汽车）	2024	30

二、卓越工程人才培养

学校积极探索卓越工程人才培养新模式，成立卓越工程师学院，与行业龙头企业深度合作，以项目制培养为依托，推动产教融合、科教融汇，人才培养质量显著提升。

探索实施卓越工程人才培养 2010年，学校入选教育部"卓越工程师培养计划"首批试点高校。2011年，获"全国工程硕士研究生教育创新院校"。2013年，学校材料成型及控制工程、电子信息工程、化学工程与工艺、制药工程、食品科学与工程5个本科专业获批教育部卓越工程师专业培养计划。为服务国家重大战略需求，加强工程硕博士培养，2024年1月，学校成立卓越工程师学院，5月被增列为中组部工程硕博士培养改革专项试点单位，8月获批工信部工程硕博士培养新能源校企协同育人基地，并入选安徽省卓越工程师学院试点单位。

创新卓越工程人才培养模式 学校面向国家急需领域和区域经济社会发展需求，聚焦高端装备制造、新能源与智能网联汽车、智慧能源、人工智能、智能建造和绿色健康六大领域，以中组部试点专项、安徽省高等研究院专项、合肥工业大学卓越工程人才专项为载体，有组织规模化开展卓越工程师培养。学校创新实施"基地化、项目制"卓越工程人才培养模式，与重点领域的行业头部企业共建卓越工程师联合培养基地，建立持续、稳定、深入的合作关系，开展"自上而下"的有组织科研与人才培养；实施"项目制"全生命周期培养范式，以真实校企联合科技攻关项目作为人才培养依托，旨在培养造就更多深怀工业报国之志、技术创新能力突出、善于解决复杂工程问题、具有宽阔国际视野的卓越工程人才。

校企全链条深度耦合协同育人　学校创新培养模式，实现项目制闭环管理，搭建基于项目制的招生计划分配、校企联合招生、工学交替培养、双导师配置的全过程培养管理体系，建立以实践成果为导向的评价标准，形成定制化卓越工程人才培养模式。学校先后与140余家企业、科研单位建立研究生联合培养基地，其中21个为省级基地，1个共建基地入选工信部工程硕博士培养校企协同育人基地。自卓越工程师学院成立以来，学院与阳光电源、奇瑞汽车等行业领军企业共建卓越工程师联合培养基地52家，锚定新能源与汽车等产业关键"卡脖子"技术难题，形成校企联合人才培养和科研攻关项目449项，以"项目制"形式共招收研究生912人，研发总经费11.27亿元。建设新能源与智能网联汽车等类企业级别仿真环境六大工程师技术中心，形成由国家高层次人才与企业总工领衔的双导师队伍418人，其中企业导师215人。

学校积极响应国家教育强国、人才强国号召，推动产教融合、科教融汇，促进智能网联汽车产业产学研合作和人才培养，推动产业需求更好融入人才培养全过程，2023年12月，学校作为首批成员单位见证"全国智能网联汽车行业产教融合共同体"成立。2024年，教育部简报第五十期以"合肥工业大学持续深化产教融合　大力推进卓越工程人才培养"为题，推介学校卓越工程人才培养典型经验与成效。

三、深度融入安徽高等研究院建设

安徽高等研究院由教育部批准设立，安徽省委、省政府主办。学校作为安徽高等研究院筹建工作组成员单位之一，深度融入安徽高等研究院建设，以"项目制"为牵引，搭建卓越工程人才培养新平台，构建"需求牵动、问题驱动、项目推动、校企联动、师生互动"的卓越工程人才培养模式，探索"基地化、项目制"卓越工程人才培养新范式，积极服务区域经济社会发展，为安徽高等研究院的建设发展提供了重要支撑。

学校积极推进"教育部安徽高等研究院校企联合人才培养和科研攻关项目"，招收工程硕博士研究生，开展校企双导师制联合指导和工学交替培养，研究生课程学习在学校完成，科研实践主要在项目来源企业完成，面向全日制研究生签署高校、企业、导师、研究生四方协议，以企业技术需求为导向，校企联合开展人才培养和科研攻关。目前，共招收硕士、博士研究生两届 703 人。学校充分发挥安徽高等研究院依托建设单位作用，以"需求定项目、项目定团队"为原则，推动学校科研团队与企业联合申报技术攻关项目，协同实施人才培养、科研攻关和成果转化，实现有组织科学研究和有组织人才培养的有机统一，促进科研成果在区域产业链落地。2024 年，学校获批安徽高等研究院校企联合人才培养和科研攻关项目 68 个，占全省 33%。2025 年，学校与 96 家企业联合申报高等研究院项目 134 项，合同经费 1.63 亿元，到账经费 8025.64 万元。

第六节　留学生教育、港澳台交流合作与继续教育

学校持续推动留学教育和继续教育高质量发展，服务教育强国战略和共建"一带一路"倡议，提升"留学工大"品牌影响力，大力发展来华留学教育事业，与外国政府开展"订单式"来华留学人才培养。搭建互动平台，推动港澳台地区与内地高校师生的交流合作。围绕国家构建终身教育体系和学习型社会建设需求，积极推动继续教育转型发展，助力学校"双一流"建设。

一、来华留学教育工作

学校积极推进留学生教育，培养了一批具有国际视野、中国情怀、工大底蕴的知华、友华的杰出人才和友好使者。

大力发展来华留学教育　学校服务教育强国战略和共建"一带一路"倡议，加大宣传力度、拓宽招生渠道，多措并举吸引优秀来华留学生生源；争取各类奖学金支持，与外国政府开展"订单式"来华留学人才培养；围绕优势和特色学科，打造全英文授课品牌专业；建设国情教育基地和实习实践基地，开展国际暑期学校等各类短期项目；提升"留学工大"品牌影响力，以来华留学教育高质量发展助力学校"双一流"建设。2022 年，阿富汗籍留学生哈桑的作品《中国的"无穷"之路》，在中共中央对外联络部牵头主办的"感受中国新时代"主题征文中获一等奖。

构建多学科、多层次、多元资助留学生培养格局　2015 年至今，共有来自81 个国家的 682 名来华留学生在校学习，其中本科生 170 人、硕士研究生 198人、博士研究生 129 人、汉语进修生 102 人、普通进修生 81 人、高级进修生 2人；学生分布在 17 个培养单位的 70 个学科专业；经费来源渠道多样化，包括中国政府奖学金、合肥市政府奖学金、外国政府奖学金、企业奖学金和个人自费，

已形成多学科、多层次、多元资助的来华留学生培养格局。

二、港澳台交流合作

学校高度重视与港澳台地区高校、科研院所的交流往来，扎实推进双方在人才培养和学科建设等方面的实质性合作，促进学校教学科研质量进一步提升。

加强港澳台交流合作　学校结合自身特色和所在地域优势，吸引港澳台学生来校短期交流访问，增进与港澳台地区的交流往来，加深青年学子间的相互了解和信任。十年来，学校与台湾清华大学、台湾科技大学、台湾师范大学等 14 所高校签署了学生交换学习协议。2015—2024 年，学校派出本科生 522 人赴台湾协议高校交换学习，并接收台湾学生 13 人来校交换学习。

持续开展"大学生徽文化研习营"活动　为推动港澳台地区与内地高校师生的交流合作，搭建互动平台，发挥纽带作用，学校结合学科特色和地域文化，打造港澳台大学生人文交流特色品牌，于 2007 年创办"大学生徽文化研习营"活动，至今已成功举办 15 届，共邀请香港中文大学、岭南大学、澳门大学、澳门科技大学、台湾大学等 25 所港澳台地区高校师生 734 人来校参营，通过对徽文化的研习和实地考察，让港澳台学生亲身体验安徽悠久的人文历史和丰富的文化内涵，感受内地青年学子的热情和活力，进一步推动内地与港澳台地区的交流与合作。

积极开展普通高校联合招收港澳台学生工作　2017 年 11 月，学校印发《合肥工业大学招收和培养港澳台学生的规定（暂行）》（合工大政发〔2017〕148 号）。2018—2024 年，共招收港澳台学历生 19 人，其中香港籍本科生 10 人、台湾籍本科生 8 人、台湾籍博士生 1 人。

围绕立德树人根本任务，组织开展各类国情教育系列活动，将爱国主义精神培育融入港澳台学生教育培养的全过程。学校组织在校港澳台学生学习教育部"港澳台学生国情教育网络培训课程"，并将该课程纳入学校"第二课堂成绩单"思政模块管理。组织港澳台学生积极参与教育部、安徽省政府举办的各类活动、比赛，其中台湾籍学生获教育部"不负青春　不负韶华　不负时代"主题征文活动三等奖、"长三角两岸青年创新创业大赛"优秀奖，香港籍学生 3 人获教育部港澳侨学生本科生奖学金三等奖。

三、继续教育的发展与转型

学校坚持加强继续教育内涵建设，以质量提升为突破口，完善继续教育体系建设，积极与各级政府、各类企事业单位和学校合作开展人才培养和基地共建，逐步构建服务全民终身学习的现代教育体系。

（一）转型发展学历继续教育

学校积极落实教育部关于继续教育要求，推动学历教育转型发展，依托学校工科优势，发展行业特色继续教育。

调整学历继续教育 学校调研分析市场需求，提升办学层次，优化确定招生专业。聚焦学校优势学科和特色专业，2020 年停止专科专业招生；优化本科层次招生专业，2024 年调整至 18 个，2015—2024 年，学历继续教育招生人数约5000 人/年。根据新时代高校继续教育转型发展需要，2025 年学校学历继续教育停止招生。

推进教学模式改革 学校积极适应新形势学历继续教育发展需要，针对成人学习者的特点，充分利用信息化和数字化的教学优势，持续探索学历继续教育线上线下融合的教学新模式。加强学历继续教育教学管理制度建设，结合不同专业要求和学生特点，合理确定线上线下学时比例，注重"应用型、实践性、职业性"的人才培养质量提升。十年来，为地方经济建设和社会发展累计培养了49942 名毕业生。

彰显产教融合特色 为深化产教融合、职普融通、科教融汇，统筹职业教育、高等教育、继续教育协同创新，学校一方面与省内龙头企业等合作，组建行业产教融合共同体，为赋能区域经济发展、服务地方特色产业，提供充分高效的技术、人才支撑；另一方面探索互利共赢的校企协同人才培养模式，与全柴动力股份有限公司、安徽应流航源动力科技有限公司等企业合作，为用人单位培养了多批适应科技、生产、管理、服务第一线急需的应用型技术人才。

发展继续教育教学资源体系 学校一直致力于体现成人学习特色的继续教育教学资源体系建设，十年来，学校继续教育出版了《高等数学》等继续教育类高水平教材，其中顾东晓教授主编的继续教育类教材《物流学概论》获评首届全国教材建设奖全国优秀教材（职业教育与继续教育类）二等奖。

（二）大力发展非学历继续教育

学校大力推进非学历继续教育，实行管办分离，加强绩效管理，完善课程体系，服务全民终身学习。

对非学历教育实施"归口管理" 2021 年 8 月 24 日，八届党委常委会第138 次会议研究决定，成立合肥工业大学培训中心，该中心作为非学历教育业务的统一归口管理部门，负责统筹与协调全校非学历教育管理工作，要求和督促校内各承担非学历教育主体切实贯彻落实国家和安徽省有关非学历教育培训的各项政策和规定，明确责权利，做好非学历教育工作。2024 年 9 月，按照"管办分离"原则，学校成立基础教育与继续教育处，作为非学历教育归口管理部门，进一步规范非学历教育管理。

构建非学历继续教育体制机制 学校积极探索构建一套科学合理、符合学校非学历继续教育实际的 KPI（含负效应）绩效制度，优化内部绩效激励机制，激发学校继续教育内生动力，主动服务地方经济社会建设所需的培训教育事业。十年来，非学历教育办学规模、效益呈上升趋势，其中 2023 年非学历教育共办 66 个班次，培训 4565 人次，初步形成了项目管理、项目研发、教学管理、质量管理、教学服务为一体的继续教育培训体系。

打造特色课程项目和案例 学校与时俱进，瞄准市场需求，依托校本优越的办学条件和丰富的教育资源，聚焦优势学科和特色专业，积极打造特色课程项目和案例。学校申报的"基于行业产教融合共同体的三教统筹协同创新培养大国工匠模式研究与实践"项目入选 2025 年教育部三教统筹协同创新任务名单（全国共 50 项）。2025 年，重点打造"数智化新质生产力"系列课程，体现学校鲜明特色，服务全民终身学习。

学校积极探索继续教育转型发展，2020 年 12 月学校当选为安徽高校继续教育联盟首届理事长单位，依托联盟平台，引领省内高校共同创新理念、提质增优、发展内涵，大力推动安徽省继续教育事业主动融入长三角一体化发展，推动安徽高校继续教育事业转型。2024 年 12 月学校与复旦大学、南京大学等高校共同发起，成立长三角地区高等继续教育联盟，并当选为理事长单位，积极推动长三角地区高等继续教育高质量发展，为长三角现代化产业体系一体化发展提供有力的人才支撑和智力支持。

第八章　高素质专业化师资队伍建设

学校坚持用教育家精神铸魂强师，全面落实人才强校战略，以强化教师思想政治素质和师德师风建设为首要任务，以提高教师专业素质能力为关键，以高层次人才引育为抓手，以推进人事制度改革为突破口，持续深化教育评价改革，探索"贡献"与"价值"导向、"保障"与"激励"兼顾的绩效评价与教师激励机制，着力打造一支师德高尚、业务精湛、结构合理、充满活力的高素质专业化教师队伍，为"培养德才兼备、能力卓越，自觉服务国家的骨干与领军人才"提供了坚实底气。

第一节　以教育家精神铸魂强师

强国必先强教，强教必先强师，教师队伍是建设教育强国的第一资源。学校坚持以教育家精神为引领，持续加强和改进教师思想政治教育，树牢师德师风第一标准，引导广大教师心怀国之大者，争做"四有"好老师，形成优秀人才争相从教、优秀教师不断涌现的良好局面，教师立德修身、敬业立学、教书育人呈现新风貌。

一、强化教育家精神引领

习近平总书记曾多次作出重要指示，对广大教师提出做"四有"好老师、做"经师"和"人师"相统一的大先生等殷切期望。在2023年教师节前夕，习近平总书记致信全国优秀教师代表，提出中国特有的教育家精神。学校持续深入学习贯彻习近平总书记关于教师队伍建设重要论述和以教育家为榜样、大力弘扬教育家精神的重要指示批示精神，引导广大教师弘扬践行教师群体共同价值追求。

2024 年 6 月，学校印发《合肥工业大学"弘扬教育家精神"专题教育实施方案》（合工大教师函〔2024〕2 号），实施教育学习常态化推进、选树表彰优秀典型深化和服务教师成长发展促进"三项行动"，将弘扬教育家精神贯穿于教师队伍建设培养、培训、管理等各环节，着力打造一支师德师风好、教育思想新、教学水平高、示范作用强的优秀教师队伍，推进教育家精神在学校落地生根。

推动教育家精神培育涵养　学校把教育家精神培育涵养融入教师培养、发展，构建日常浸润、项目赋能、平台支撑的教师发展良好生态。学校将弘扬教育家精神纳入第一议题，党委理论中心组集体学习研讨。持续加强教育家精神的解读和阐释，组织党委教师工作委员会、师德建设委员会、校院两级党委理论学习中心组开展专题学习研讨，组织干部、教师观看全国优秀教师代表"教育家精神"2024 年和 2025 年巡回宣讲活动报告，召开"弘扬教育家精神"专题报告会，将弘扬教育家精神纳入学院（部）重点工作、教师政治理论学习、入职培训，融入干部、青年教师等培训活动，举办国情研修、专题报告，增强教师践行教育家精神的思想与行动自觉。

坚持教育家精神弘扬践行　学校将教育家精神弘扬践行贯穿教师课堂教学、科学研究、社会实践等各环节，筑牢教育家精神践行主阵地。学校以实践赋能打通育人"最后一公里"，深化课程改革，将教育家精神融入课程设计和教学内容，持续推动思政课程与课程思政建设；落实新时代教育评价改革要求，构建以创新能力、质量、实效、贡献为导向的人才评价体系；推行学科差异化考核和绩效分配方案，激发教师队伍创新活力和育人担当。推动政产学研用协同创新，鼓励教师牵头攻关"卡脖子"技术，以科研反哺教学，践行教育家精神的时代使命。

坚持教育家精神引领激励　学校充分发挥榜样辐射带动作用，激活教师发展内驱力。2015 年，学校组织开展第二届"感动工大人物"评选表彰，开展"同泽优秀园丁奖"评选活动，浓郁尊师重教的良好氛围。2016 年 4 月 19 日，费业泰教授被安徽省委宣传部列为重大宣传典型。4 月 22 日，学校印发《关于在"两学一做"学习教育中开展"向费业泰教授学习，做合格共产党员和'四有'好教师"活动的通知》（合工大党发〔2016〕44 号），开展以"爱岗敬业、做合格党员"和争做"四有好教师"为主题的大讨论，在全校掀起学习费业泰教授先进事迹热潮。2019 年，学校开展向全国高校黄大年式教师团队负责人杨善林院士、我国现代误差理论及工程应用的开拓者费业泰教授等身边榜样学习活动。2024 年，学校开展"弘扬教育家精神"大讨论，拍摄全国模范教师宣传短视频，举办"讲述育人故事"活动，分层分类组织座谈研讨、专题报告等，常态化以身边榜样教育党员、以身边事感染身边人，持续激发全校师生员工守初心担使命。

十年来，学校立足"以点带面"，办好重要节点教师活动，举办光荣从教纪念活动、新进教师入职活动、退休教职工荣休活动、教师节表彰活动，强化仪式育人。组织开展教师主题演讲、诵读比赛、教师优课风采展示、思政课教师教学展示等活动，开展教学科研先锋、社会服务标兵等典型选树活动，建立优秀教师、领导干部与青年教师结对帮扶机制，开展全国高校黄大年式教师团队经验分享，由杨善林院士和马铭遥教授主讲的示范微党课《胸怀国之大者 担当强国使命》入选 2023 年高校党组织示范微党课，在新华网、光明网、央视网等近 20 个平台播出。中央电视台以及《光明日报》《中国教育报》《中国科学报》《中国教师报》《安徽日报》等多家媒体平台报道学校教师弘扬践行教育家精神典型事迹。

二、加强教师思想政治教育

加强教师理想信念教育 学校建立健全教师政治理论学习制度，坚持不懈用习近平新时代中国特色社会主义思想凝心铸魂。2017 年 3 月，印发《中共合肥工业大学委员会关于加强和改进新形势下思想政治工作的实施意见》（合工大党发〔2017〕5 号），将思想政治教育与教学、科研、社会服务工作同部署、同检查、同评估。

2018 年 8 月，印发《合肥工业大学教职工双周三政治理论学习实施细则》（合工大党发〔2018〕94 号），从学习内容、组织管理等方面规范教职工理论学习，不断提高教职工思想水平和道德素质。定期进行有关教师思想政治教育和师德师风建设重点学习内容提示，提高学习研讨频次，全方位推进教师理论武装工作。统筹各类学习资源，定期开展教师思想政治轮训，增进广大教师对中国共产党和中国特色社会主义的政治认同、思想认同、理论认同、情感认同。2023 年 6 月，印发《合肥工业大学关于健全教师思想政治和师德师风建设工作体制机制的实施办法》（合工大党发〔2023〕62 号），进一步健全教师思想政治教育工作。

学校每年定期开展教师思想政治状况动态调查，组织不同类别教师群体参加座谈、访谈和问卷调查，加强数据统计分析，做好科学研判，把握教师思想状况，为教师思想政治和师德师风建设工作决策部署提供有力支撑。常态化组织开展校院两级报告会、座谈研讨、实地体验等浸润式学习教育，提升教师思想政治学习实效。

加强教师队伍建设党建引领 学校始终把党的政治建设摆在首位，牢牢掌握党对教师队伍建设的领导权。2018 年 8 月，印发《中共合肥工业大学委员会关于加强新形势下教师党支部建设的实施意见》（合工大党发〔2018〕101 号），落实教师党支部在严肃规范党内政治生活、加强思想政治工作、教育管理党员师生、加强师德师风建设、意识形态阵地管理、促进学校学院中心工作等方面的主体作用。十年来，学校不断强化党支部的政治功能，大力推进教师党支部书记"党建带头人、学术带头人"培育工程，持续选优配强教师党支部书记，重点从学术骨干、学科带头人和优秀青年教师中选任教师党支部书记，发挥"双带头人"教师党支部书记在党建和教学科研工作中的独特优势，充分发挥教师党支部的战斗堡垒作用和党员教师的先锋模范作用。坚持党建带群建，进一步加强对青年教师思想政治和业务发展上的指导帮助，促进青年教师政治素质、工作本领和业务能力全面提升。学校将教师党支部开展教师思想政治工作情况纳入校内巡察和基层党建督查重要内容，并就有关问题及时整改，进一步提升工作效果。

三、涵养高尚师德师风

学校始终把师德师风建设摆在教师队伍建设的首要位置，在领导机制、制度建设、教育引导、严格把关、示范引领等方面持续发力，成立党委教师工作部和党委教师工作委员会，健全师德师风管理制度，把师德师风作为评价教师队伍素质的第一标准，作为人员聘用、年度考核、绩效分配、职称晋升、岗位聘任等工作的重要内容，严格落实"师德一票否决制"，加大师德师风典型选树，激励广大教师自觉做"四有"好老师，成为"大先生"。

（一）健全师德师风工作机制

学校通过健全制度、完善机制、强化责任，不断完善党委统一领导、党政齐抓共管、院系具体落实、教师自我约束的领导管理体制，健全教育、宣传、考核、监督与奖惩相结合的师德建设工作机制，为培养新时代"四有"好老师提供了坚实的组织保障和制度保障。

完善组织保障机制　2017年3月，学校成立党委教师工作部，统筹推进师德师风建设工作。2018年8月，在原师德师风领导小组基础上，学校成立师德建设委员会，全面负责师德师风建设的顶层设计、政策制定和督导落实。2023年6月，学校成立党委教师工作委员会，由党委书记担任主任，分管教师工作校领导任副主任，负责研究审议教师思想政治和师德师风建设工作重大事项，指导开展教师工作。将师德建设委员会研究审议教师思想政治和师德建设工作重大事项相关职能并入党委教师工作委员会，继续保留研究审议师德违规行为调查处理等相关职能。同时，各二级单位党组织成立师德师风考核工作小组，制定本单位师德师风考核实施细则，组织开展教师师德师风年度考核工作，接收申诉并复议。经过十年探索，学校构建起更加完善的师德师风建设组织保障体系。

健全制度规范体系　学校不断完善师德考核、准入查询、违规行为通报、政治把关等工作机制，推进师德建设步入规范化、制度化、长效化、法制化轨道。十年来，先后印发《合肥工业大学关于加强师德师风考核工作的规定》（合工大党发〔2018〕103号）、《合肥工业大学关于进一步建立健全师德建设长效机制实施办法》（合工大党发〔2018〕116号）、《合肥工业大学师德失范行为处理办法》（合工大党发〔2019〕46号）、《合肥工业大学关于健全教师思想政治和师德师风建设工作体制机制的实施办法》（合工大党发〔2023〕62号）、《合肥工业大学教师师德师风考核办法（修订稿）》（合工大党发〔2023〕64号）、《合肥工业大学教师师德违规行为处理办法（修订）》（合工大党发〔2025〕34号）等系列规范性制度文件，持续加强和推进教师思想政治素质和师德师风建设，落实师德师风作为评价教师队伍素质的第一标准，形成师德建设合力。

（二）创新师德师风建设举措

学校多措并举推进师德师风建设，将师德教育融入新入职教师培训体系，党委书记、校长连续多年为新入职教师讲授师德第一课，切实增强教师的使命担当。汇聚用好多方学习资源，组织教师参加专题网络培训、专题研修班、暑期师德涵育研学班以及红色教育基地实践等线上线下培训研学活动，开展理论培训与深度体验相结合的师德师风学习教育，持续强化新时代高校教师职业行为十项准则的学习宣传，通过集中学习、主题党课以及举办"红色经典"诵读比赛、主题演讲赛等特色活动，实现师德教育全覆盖。

组织多形式师德教育培训　学校建立了常态化、多层次的师德教育培训机制。十年来，先后印发《合肥工业大学关于开展"弘扬爱国奋斗精神，建功立业新时代"活动的实施意见》（合工大党发〔2019〕7号）、《合肥工业大学师德专题教育实施方案》（合工大党发〔2021〕52号）、《合肥工业大学开展师德集中学习教育的实施方案》（合工大党发〔2023〕41号），聚焦不同主题，针对不同类型教师，累计组织2.4万余人次参加各类师德集中教育培训。

做好师德典型选树宣传　学校连续十年对在教学、科研、学科学位建设及管理等工作中涌现出的先进集体和先进个人开展教师节表彰。开展"师德先进个人"和"立德树人"奖表彰评选活动。2025年7月，印发《合肥工业大学教职工荣誉体系表彰办法（试行）》（合工大党发〔2025〕39号），强化优秀教师典型选树，激励广大教师追求卓越、创新进取。常态化实施"师德涵育计划""师德典型"宣传计划，组织召开教师代表座谈会、退休教职工荣休仪式、"光荣从教30年"座谈会、"光荣在党50年"座谈会等系列活动，不断强化尊师教育，厚植校园师德文化。

注重开展警示教育　学校健全通报报告和常态化警示教育制度，2023年7月，印发《合肥工业大学关于实施师德违规行为通报报告制度的规定》（合工大党发〔2023〕63号），定期传达通报教育部公布的违反教师职业行为十项准则典型案例，梳理和曝光师德违规问题，引导全体教师以案为鉴、以案明纪，做到警钟长鸣。

十年来，学校教师思想政治和师德师风建设工作不断取得新成效。涌现出全国高校黄大年式教师团队3个、全国师德标兵1人、全国五一劳动奖章2人、全国模范教师2人、全国优秀教师1人、万人计划教学名师1人、全国巾帼建功标兵1人、全国五一巾帼标兵1人、全国三八红旗手1人、中国新时代青年先锋1人，省部级师德师风先进集体4个、先进个人28人。教育部网站以"合肥工业大学持续加强师德师风建设"为题刊发学校典型做法。

表8-1　2015—2025年学校教师/集体获各类奖励与表彰一览表

年份	教师姓名/集体名称	所获奖项
国家级		
2015年	傅为忠	全国师德标兵
2015年	李早	全国巾帼建功标兵
2016年	丁明	全国五一劳动奖章
2018年	决策科学与信息系统教师团队（负责人：杨善林）	第一批全国高校黄大年式教师团队
2019年	杨善林	全国模范教师
2019年	钱斌	全国优秀教师
2021年	黄志斌	万人计划教学名师
2022年	新能源电力系统科学与技术教师团队（负责人：丁明）	第二批全国高校黄大年式教师团队
2022年	合肥工业大学	全国五一劳动奖状
2023年	汪惠丽	全国五一巾帼标兵
2024年	石琴	全国三八红旗手
2024年	梁樑	全国五一劳动奖章
2024年	朱士信	全国模范教师
2025年	李霄剑	中国新时代青年先锋
2025年	动物源食品智能制造与品质调控教师团队（负责人：徐宝才）	第四批全国高校黄大年式教师团队

（续表）

年份	教师姓名/集体名称	所获奖项
省部级		
2016 年	于春华	安徽省五一劳动奖章
2018 年	刘征宇　侯整风　梁昌勇 欧阳一鸣　王　燕	安徽省教科文卫体系统师德先进个人
2018 年	段亚君	安徽省三八红旗手
2019 年	洪日昌	安徽青年五四奖章
2019 年	汪惠丽	安徽省职工职业道德建设标兵个人
2020 年	丁　帅	安徽青年五四奖章
2020 年	曾　伟	安徽省五一劳动奖章
2021 年	从怀萍	安徽青年五四奖章
2021 年	蒲玉学	安徽省劳动竞赛先进个人 （安徽省五一劳动奖章）
2021 年	合肥工业大学幼儿园	安徽省"三八红旗集体"
2021 年	龙建成　李　早　胡真虎 吴　晶　张　晨	安徽省教科文卫体系统师德先进个人
2022 年	訾　斌	安徽省劳动模范（先进工作者）
2022 年	马铭遥	安徽省五一劳动奖章
2023 年	肉品绿色制造与 品质调控创新团队	安徽青年五四奖章集体
2024 年	郑红梅	安徽省优秀教师
2024 年	牛漫兰	安徽省优秀教育工作者
2024 年	丁　明	安徽省教书育人楷模
2024 年	项宏发	安徽省五一劳动奖章
2024 年	朱勇超	安徽省金牌职工
2024 年	操　玮	安徽省五一劳动奖章
2024 年	计算机与信息学院（人工智能学院）	安徽省教育工作先进集体
2025 年	马铭遥	安徽省三八红旗手
2025 年	文　韬	安徽青年五四奖章
2025 年	多模态智能协同与 社会认知计算创新团队	安徽青年五四奖章集体
2025 年	吴　乐	安徽省新时代青年先锋

第二节　打造一流师资队伍

学校坚持党管人才原则，深入实施人才强校战略，完善人才工作的领导体制、工作机制，强化高层次人才引育，构建师资队伍培养体系，推进思政教师能力提升，有效提升了教师队伍的整体素质和水平，为学校的教育教学和科研发展提供了坚实的人才保障。

一、强化高层次人才引育

学校秉持"人才是第一资源"理念，深入实施人才强校战略，通过完善政策体系、创新引育模式、优化评价机制、提升服务质量，实施高层次人才倍增计划，推进人才引育专项行动，着力引育战略科学家与学科领军人才，加强青年人才培育，建强博士后工作站，全力打造创新人才高地。学校通过精准施策构建"引育用留"全链条机制，优化人才发展生态，实现"引才精准化、育才特色化、用才科学化"，确保人才引得进、留得住、用得好、有发展。

（一）完善人才引育机制

学校强化顶层设计，成立人才工作领导小组和人事工作委员会，统筹推进人才发展体制机制建设，持续完善覆盖引进、培养、使用、评价、激励各环节的政策体系。

不断完善人才政策体系　2016 年 12 月，印发《合肥工业大学人才聘用工作实施办法》（合工大党发〔2016〕179 号），并分别于 2020 年 5 月、2021 年 1 月、2021 年 11 月三次修订，设立"斛兵学者"（面向高层次人才）和"黄山学者"（面向潜力中青年人才）岗位，并持续提升优厚待遇。配套印发《合肥工业大学"斛兵学者"岗位校内遴选聘任办法》（合工大党发〔2020〕47 号）和《合肥工业大学非全职专家聘用工作实施办法（修订稿）》（合工大党发〔2021〕58 号），优化校内外人才聘任与管理机制。2022 年 6 月，召开新时代人才工作会议，印发《合肥工业大学关于进一步加强高层次人才队伍建设的实施意见》（合工大党发〔2022〕39 号）等五项政策，设立引育基金、明确学院目标、新增"讲席教授"岗位、用好奖补资金，推动人才工作升级。

持续抓好人才工作落实　2021 年，首次实施校内"斛兵学者"遴选，45 名教师获聘（含 17 名实绩突出的二级教授），打破唯"帽子"格局，实现按岗聘用、按贡献取酬；首次实施"青年学术英才计划"，支持8名青年教师快速成长。2023年5月，学校印发专项通知，部署精准引育工作，要求各学院制定2023—2025年分学科、分层次、分类别的师资建设规划。2024年，推行"优才快引"政策，优化流程与评价。2025年全面实施高层次人才倍增计划，构建金字塔形人才梯队。

十年来，高层次人才引育接连取得突破。2017年，计算机与信息学院汪萌教授获批国家杰出青年科学基金项目（校内培养突破），2018年，管理学院刘心报教授入选教育部"长江学者奖励计划"特聘教授岗位（校内培养突破），2019年，食品与生物工程学院汪惠丽教授入选国家高层次人才特殊支持计划（万人计划）科技创新领军人才（校内培养突破）。截至2025年9月，学校累计引育人才500余人次，其中国家级人才76人次。

表8-2　2015—2025年学校引育国家级人才一览表

年份	引育国家级人才名单
2015年	汪　萌　龙建成
2016年	付　超
2017年	汪　萌　洪日昌　黄海宏　姜元春
2018年	徐宝才　刘心报　丁立健　杨善林　洪日昌　龙建成　周开乐
2019年	汪惠丽　魏　臻　梁昌勇　訾　斌　龙建成　从怀萍　刘洪林　裴　军　王佐才
2020年	周官群　高永新　丁　帅　胡笑旋
2021年	丁　林　洪日昌　黄志斌　徐宝才　都海波　李宜明　陆　杨　李贺龙　徐少军
2022年	丁　明　向念文　马铭瑶　吴　乐　周玉良　付明臣　张　强　章　宝　郭柄霖 王　华　薛　飞
2023年	罗来马　蒋翠清　Paul Martin Sander　王　杨　孙雪菲　祖　磊　王　刚 李沛军　李霄剑　柴一栋　李　敏　时增林　钟　准　梁水保
2024年	吴华清　王　澜　康　宇　文　韬　张　进　刘　羽　安庆贤　沈益忠　崔洁全 刘　博
2025年	黄海鸿　陈敬贤　顾东晓　彭　飞　魏少波

（二）拓宽人才招聘渠道

学校构建"线上线下联动、国内国际协同"立体引才体系，建立"学术寻访、校友推荐、猎头合作、数据筛查"四位一体机制。

2015年起，校领导带队赴美国麻省理工学院、宾夕法尼亚大学，日本东京大学以及清华大学、北京大学等国内外顶尖高校招才。同时，通过云视聘宣讲、全球视频招聘会、国际青年学者云论坛、国际人才交流会等方式，持续拓宽人才招聘渠道，提升学校知名度和影响力。

学校依托重大项目和学术网络，发挥全球校友纽带作用，集聚海外专家学者。2015 年以来，引进外国专家来校任教 381 人次，接待境外学者来访洽谈 3288 人次。2017 年 3 月，任福继教授获安徽省"黄山友谊奖"，10 月，学校聘诺贝尔奖得主 Dan Shechtman 为客座教授；2018 年 6 月，邀请诺贝尔奖得主 Edward C. Prescott 来访；2019 年 10 月，任福继教授获"中国政府友谊奖"；2022 年 2 月，Daniel David 副教授参与科技部"外国专家建言中国科技"征稿的文章被科技部国外人才研究中心收录；2024 年 9 月，Daniel David 获在华永居"五星卡"；2025 年 5 月，吴信东教授获安徽省"黄山友谊奖"。

（三）完善人才服务体系

学校着力健全"引进—培养—使用—服务"全链条机制，营造识才爱才敬才用才氛围，增强人才归属感、成就感、获得感。2015 年，学校开辟人才引进"绿色通道"，实施"优才快引"机制，对紧缺人才"一事一议"快速审批。2018 年 5 月，印发《合肥工业大学党委联系服务高层次人才工作的实施意见》（合工大党发〔2018〕45 号），2021 年 6 月，修订印发《合肥工业大学党委联系服务专家工作的实施意见（修订稿）》（合工大党发〔2021〕46 号），强化联系关怀，优化服务流程。

十年来，学校主动对接省市人才政策，争取认定、资助、奖补、补贴等支持，深耕人才服务细节，提供"贴身式"服务解决实际困难，构建"一站式"服务体系，以优质服务环境形成人才集聚效应，有力支撑学校发展。

二、构建师资队伍培养体系

学校把加强师资队伍培养作为推动实现学校高质量内涵式发展的基础性工程，不断加大师资队伍培养与结构调整力度，努力建设一支高素质专业化教师队伍。学校先后印发《合肥工业大学"十三五"师资队伍建设规划》（合工大党发〔2017〕13 号）、《合肥工业大学师资队伍建设"十四五"规划》（合工大政发〔2021〕179 号），立足不同发展阶段需求，明确了师资队伍建设的目标任务和实施路径，为学校师资队伍培养提供了制度保障和行动指南。

学校积极推进新进教师培训体系建设，优化培训类型、内容和形式，提高培训质量，提升教师职业能力。实施"黄山学者"计划，遴选一批创新能力强、发展潜力大的青年教师，通过政策支持、跟踪培养，为其提供快速成长通道。推进专职科研队伍建设，依托重点科研平台建立全新机制、专兼结合的科研队伍；充分利用博士后、师资博士后政策优势，将博士后作为师资补充的一个重要来源；以创新平台、重点学科、科研基地、重大科研项目等为依托，集聚学科带头人，凝练方向整合资源，培育和造就高水平创新团队。

学校不断规范教师招聘和考核程序，明确各类岗位基本职责和聘期工作任务目标，对青年教师、人才以及博士后的引进流程和考核标准进一步量化细化，统筹分类施策，对青年教师实行"5＋5"聘期制考核，形成非升即转、能上能下、择优聘用的用人机制。学校合理确定管理和支撑队伍规模，优化队伍的年龄、学历、专业等结构；加强管理人员培训，完善职业发展体系；做好实验教师招聘工作，发挥新型聘用模式牵引作用，强化岗位职责，拓宽职业发展通道，建设高水平实验教师队伍。

十年来，学校新进教职工共 1670 人。截至 2025 年 9 月，学校教职工总数为 3913 人，其中专任教学科研人员为 2421 人，45 岁以下青年教师 1552 人、占 64.1%，具有博士学位 2045 人、占 84.47%，具有海外研修经历 947 人、占 39.17%，具有高级职称 1678 人、占 69.31%。管理队伍和技术支撑队伍数量保持稳定、结构不断优化、能力逐渐提高。

三、推进思政教师能力提升

学校党委高度重视思政教师队伍建设，按照政治要强、情怀要深、思维要新、视野要广、自律要严、人格要正的要求，打造一支"专职为主、专兼结合、数量充足、素质优良"的思政课教师队伍和一支"政治强、业务精、纪律严、作风正"的辅导员队伍。

（一）思政课教师队伍建设

学校坚持在强化政治建设、提升专业能力、推动协同育人、健全评价体系上下功夫，不断提升思政课教师的思想素养、专业能力与育人水平。实施思政课教师队伍建设专项计划，严格选聘标准，在国家级人才计划申报和各级各类奖项遴选中优先推荐优秀思政理论课教师。创新建立"四维协同"培养机制，不断强化思政课教师培训学习，常态化开展教学沙龙，组织思政课教师参加教学创新大赛和各类教学竞赛，推动思想政治理论课教师潜心教学科研，不断提高综合素养。2021 年 9 月，印发《合肥工业大学教师专业技术职务评聘工作办法（修订稿）》（合工大政发〔2021〕133 号），实施思政课教师职称评定单列指标、单设标准、单独评审，为思政理论课教师开辟职称评聘"绿色通道"。2024 年 11 月，印发《合肥工业大学专职思政课教师岗位津贴实施办法（试行）》（合工大党发〔2024〕

93号），落实专职思政课教师岗位津贴。

学校通过系统性制度设计将队伍建设与教学改革、学科发展深度融合，形成了具有工科院校特色的思政课教师发展生态。截至2025年9月，学校现有思政课专任教师93人，其中教授17人、副教授36人，获得博士学位的教师占94%，马克思主义理论学科梯队53人。教师队伍中拥有国家"万人计划"教学名师1人，全国高校思政课教指委委员1人，马克思主义理论类专业教指委委员1人，国家社科基金学科规划评审组专家1人，教育部思政课教师择优计划5人，全国高校思政课影响力人物3人，全国学会副会长2人，安徽省领军人才特聘教授1人，安徽省江淮文化名家领军人才1人，安徽省江淮文化名家创新团队1个，安徽省教学名师、能手、新秀、拔尖人才等21人。在建强专职思政课教师队伍同时，学校聘请校内兼职思政课教师50人；与安徽省委党校、合肥市委党校、宣城市委党校合作，聘任兼职思政课教师23人；聘请英模劳模、企业负责人等特聘思政课教师5人，使教师队伍的数量和质量不断提高。

（二）辅导员队伍建设

学校坚持把辅导员队伍建设作为教师队伍和管理队伍建设的重要内容，整体规划、统筹安排，聚焦"选育用管"全链条锻造培养，在政治上从严要求、思想上积极引导、政策上大力支持、培养上悉心关怀，全面提升辅导员队伍的专业化职业化水平。2018年7月，印发《中共合肥工业大学委员会关于加强辅导员队伍建设的实施意见》（合工大党发〔2018〕68号），从工作要求与职责、配备与选聘、发展与培训、管理与考核等方面对辅导员队伍建设提出明确要求。2021年10月，印发《合肥工业大学学生思想政治教育人员专业技术职务评聘工作办法》（合工大政发〔2021〕141号），实施辅导员"双线晋升"，辅导员专业技术职务评聘实现单列计划、单设标准、单独评审，畅通队伍职业发展通道。2025年6月，印发《合肥工业大学全面加强新时代辅导员队伍建设行动方案》（合工大党发〔2025〕23号），在辅导员配备选配、培养培训、发展晋升、激励保障等方面实施"四项行动计划"。

学校成立辅导员发展中心，组建辅导员工作室，成立年级工作组，畅通优秀辅导员攻读博士学位、校外挂职锻炼、国际交流研学通道，使广大辅导员工作有条件、干事有平台、发展有空间。通过举办辅导员队伍高质量发展创新论坛、辅导员素质能力大赛、辅导员讲课比赛，设置"哲学社会科学培育计划"辅导员研究专项、辅导员思想政治教育工作研究和创新实践项目等系列举措，全面提升辅导员的思想政治素养、业务水平和工作能力。

十年来，学校获全国高校思想政治工作中青年骨干1人，全国高校辅导员年度人物提名候选人 1 人，安徽省辅导员年度人物、安徽省高校优秀辅导员 11 人，安徽省辅导员名师工作室 7 个，安徽省高校思想政治工作中青年骨干 6 人，安徽省高校网络教育名师 3 人。2018 年、2021 年，教育部以"合肥工业大学着力加强辅导员队伍建设""合肥工业大学实施'三项计划'着力推进辅导员队伍专业化职业化建设"为题，两次专题报道学校辅导员队伍建设成效情况。

第三节　深化人事制度改革

学校按照"权力边界清晰、职责利益对等、职业导向明确、学术生态优良、办学治校从严"的总体思路，以完善内部治理结构、建设中国特色现代大学制度为核心，积极推进人事制度改革，优化机构与岗位配置，革新职称评聘制度，深化考核评价改革，构建责权清晰、运行有序、服务高效的管理体系，从机制上激发人才潜力，做到人尽其才、才尽其用。

一、优化机构岗位设置方案

学校根据不同时期发展需要，不断优化机构与岗位配置，成立机构编制工作领导小组，印发《合肥工业大学机构编制管理办法》（合工大政发〔2021〕77号），按照"规范合理、精简高效、动态调整"的原则科学设置机构，适时调整机构设置和岗位职责，有效配置学校人力资源，确保机构运行高效、岗位设置合理，为学校高质量发展提供了有力的组织保障。

（一）完善大部制

2015 年，为进一步完善大部制，优化组织结构，提高行政效能，根据工作需要，结合学校发展实际，党委常委会研究决定，对学院、机关及部分直附属单位机构及中层领导干部岗位职数进行相应调整，9 月印发《合肥工业大学中层机构及中层领导干部岗位职数调整设置方案》（合工大党发〔2015〕43 号），成立人事部，并调整部分大部（院）的办公室（中心）设置；撤销中共合肥工业大学科学技术研究院总支部委员会，科研院党组织关系归属校直机关党委；撤销中共合肥工业大学人文与素质教育中心直属支部委员会，人文与素质教育中心党组织关系归属校直机关党委；成立中共合肥工业大学智能制造技术研究院总支部委员会；成立翡翠湖校区管委会，成立中共合肥工业大学翡翠湖校区总支部委员会，撤销翡翠湖校区综合管理办公室；成立中共共达职业技术学院委员会，撤销中共共达职业技术学院总支部委员会等。宣城校区中层机构及中层干部岗位职数不作调整，各专职研究院（所）暂不作调整。2016 年 3 月印发《合肥工业大学科级干部岗位设置方案》（合工大政发〔2016〕32 号）。

2015 年学校内设机构和部门设置情况如下：

办学实体有 20 个，分别是：机械与汽车工程学院、材料科学与工程学院、电气与自动化工程学院、计算机与信息学院、土木与水利工程学院、化学与化工学院、马克思主义学院、经济学院、外国语言学院、管理学院、仪器科学与光电工程学院、建筑与艺术学院、资源与环境工程学院、生物与食品工程学院、数学学院、电子科学与应用物理学院、交通运输工程学院、软件学院、医学工程学院、体育部。

党群部门有 9 个，分别是：纪委办公室（监察处）、审计处，党委组织部、党校，党委宣传部，党委统战部，党委学生工作部（处）（含学生资助、心理咨询、研究生教育管理等，学生就业指导中心挂靠），党委离退休工作部（处）（含老年服务中心）、党委，工会，团委，机关党委。

行政部门有 9 个，分别是：校务部，人事部，教务部，研究生院，科研院，财务部，总务部、后勤党委，国际事务部（含港澳台事务办公室、国际教育学院），校学术委员会办公室。其中，校务部下设党政办公室（含机关事务管理办公室）、发展规划办公室、保卫办公室（党委保卫部、人武部，含综治办）、信息化建设与发展中心、六安路校区综合管理办公室、北京研究院；人事部下设人事管理办公室（含人事档案室）、人才与专家工作办公室、师资管理办公室、人力资源服务中心；教务部下设教学办公室（含高教所）、招生办公室、质量监督与评估办公室、学生注册中心、教学实验管理办公室、教师发展中心、创新创业教育中心（含创新创业基地、创客中心等）、人文与素质教育中心；研究生院下设研究生培养办公室、研究生招生办公室、学位管理办公室、专业学位教育办公室、学科建设与评估办公室；科研院下设综合管理办公室、自然科学项目管理办公室、社会科学项目管理办公室、科技合作办公室、科研基地建设办公室、军工项目管理办公室；财务部下设财务管理办公室、国有资产管理办公室、财务稽查办公室、项目规划与预算办公室、科研经费管理办公室、会计服务中心、招标与采购管理中心；总务部、后勤党委下设后勤管理办公室、校园建设办公室、住房管理与改革办公室、饮食服务中心、能源服务中心、物业服务中心。

直属单位有 14 个，分别是：宣城校区管委会、宣城校区党委，翡翠湖校区管委会、党总支，智能制造技术研究院、党总支，图书馆、党总支，档案馆，学报杂志社，分析测试中心，工培中心（技师学院）、党总支，继续教育学院、党总支，资产经营有限公司、产业党委，建筑设计研究院、党总支，出版社、直属党支部，共达职业技术学院、党委，校友会办公室（含理事会、董事会、基金会日常事务）。

附属机构有 2 个，分别是：校医院、党总支和附属中学（含小学）、党总支。

2016 年 2 月，为进一步优化组织机构，提升学校学科建设的能力和水平，党委常委会研究决定：将原机械与汽车工程学院、交通运输工程学院进行整合，成立机械工程学院、汽车与交通工程学院；将原生物与食品工程学院、医学工程学院进行整合，成立食品科学与工程学院、生物与医学工程学院；将原仪器科学与光电工程学院与部分医学工程学院仪器方向团队整合为仪器科学与光电工程学院。外国语言学院更名为外国语学院；教学实验管理办公室更名为实验室与设备管理中心，隶属教务部。撤销中共合肥工业大学机械与汽车工程学院委员会，成立中共合肥工业大学机械工程学院委员会；撤销中共合肥工业大学生物与食品工程学院委员会，成立中共合肥工业大学食品科学与工程学院委员会；撤销中共合肥工业大学交通运输工程学院委员会，成立中共合肥工业大学汽车与交通工程学院委员会；撤销中共合肥工业大学医学工程学院委员会，成立中共合肥工业大学生物与医学工程学院委员会；中共合肥工业大学外国语言学院委员会更名为中共合肥工业大学外国语学院委员会。

2017 年 3 月，学校成立党委教师工作部。同年 7 月，学校决定成立文法学院和文法学院党委。

2018 年 3 月 20 日，学校决定撤销实验室与设备管理中心，成立实验室安全管理中心。6 月 26 日，学校决定成立党委巡察工作办公室，与党委组织部合署办公。7 月 6 日，学校成立人工智能学院，人工智能学院与计算机与信息学院为一个实体。7 月 23 日，学校将食品科学与工程学院、生物与医学工程学院合并，成立食品与生物工程学院；撤销中共合肥工业大学食品科学与工程学院委员会，撤销中共合肥工业大学生物与医学工程学院委员会，成立中共合肥工业大学食品与生物工程学院委员会。

（二）优化调整内设机构

2018 年，为深入贯彻落实《教育部等五部门关于深化高等教育领域简政放权放管结合优化服务改革的若干意见》（教政法〔2017〕7 号）文件精神，进一步提高运行效率，学校根据办学实际需要和精简、效能的原则，对内设机构进行了调整，8 月印发《机构优化整改方案》（合工大党发〔2018〕107 号），将人事部、教务部、财务部、总务部、国际事务部更名为人事处、教务处、财务处、总务处、国际事务处；中共合肥工业大学后勤委员会更名为中共合肥工业大学总务处委员会；校务部、科研院、研究生院、学术委员会办公室机构名称不变；将校务部信息化建设与发展中心与教学有关的职能剥离，成立现代教育技术中心，隶属教务处，校务部信息化建设与发展中心的电教部工作职责划转至教务处现代教育技术中心；成立技术转移中心，隶属科研院；翡翠湖校区管委会更名为翡翠湖校区综合管理办公室，隶属校务部，撤销中共合肥工业大学翡翠湖校区管委会总支部委员会，其党组织关系隶属机关党委；撤销中共合肥工业大学智能制造技术研究院总支部委员会，其党组织关系隶属产业党委。

2019年3月，学校将党委巡察工作办公室与党委组织部合署办公调整为党委巡察工作办公室与纪委办公室、监察处合署办公。

2019年6月，学校将建筑设研究院更名为合肥工业大学设计院（集团）有限公司。

（三）进一步优化组织机构

2020年，为适应学校改革发展的新形势，进一步优化组织结构，提高行政效能，学校对办学实体、党群部门、行政部门、直附属单位等机构及中层领导干部岗位职数进行了相应调整。

2020年1月，学校撤销校务部，撤销北京研究院。将保卫办公室（党委保卫部、人武部）更名为保卫处（党委保卫部、人武部），党政办公室、发展规划办公室、保卫处（党委保卫部、人武部）、信息化建设与发展中心、翡翠湖校区综合管理办公室、六安路校区综合管理办公室、学前教育服务中心行政级别和岗位设置等保持不变。其中，翡翠湖校区综合管理办公室、六安路校区综合管理办公室划归总务处管理，学前教育服务中心划归校工会管理。4月，将扶贫工作办公室设为正处级建制，挂靠校工会；将实验室安全管理中心更名为实验室安全管理处。5月，印发《合肥工业大学中层机构及中层领导干部岗位职数调整设置方案》（合工大党发〔2020〕31号），9月印发《合肥工业大学科级机构与岗位设置方案》（合工大党发〔2020〕100号）。

2020年新一轮调整后的机构设置情况如下：

办学实体有21个，分别是：机械工程学院、材料科学与工程学院、电气与自动化工程学院、计算机与信息学院（人工智能学院）、软件学院、土木与水利工程学院、化学与化工学院、马克思主义学院、经济学院、文法学院、外国语学院、管理学院、仪器科学与光电工程学院、建筑与艺术学院、资源与环境工程学院、食品与生物工程学院、数学学院、电子科学与应用物理学院（微电子学院）、汽车与交通工程学院、体育部、国际教育学院。

党群部门有15个，分别是：纪委办公室、监察处，党委巡察工作办公室，党政办公室（发展规划办公室），党委组织部、党校，党委宣传部（下设网络安全和信息化办公室），党委统战部，党委教师工作部，党委学生工作部（下设党委研究生工作部、心理健康教育与咨询中心），学生就业指导中心，党委离退休工作部（处），党委保卫部（保卫处、人武部），机关党委，工会，扶贫工作办公室，团委。

行政部门 13 个，分别是：人事处、本科生院、研究生院、科研院、财务处、审计处、总务部、国有资产管理处、国际事务处（港澳台事务办公室）、实验室安全管理处、招标与采购管理中心、信息化建设与发展中心、学术委员会。其中，人事处下设高层次人才工作办公室、综合办公室、人力资源服务中心；本科生院下设教务处、教学研究与评估处、综合办公室、招生办公室、创新创业教育处、工程素质教育中心；研究生院下设学科建设与评估处、研究生培养处、研究生招生办公室、学位管理处、综合办公室；科研院下设综合办公室、科技服务中心、科学技术处、社会科学处（社科联挂靠）、科技合作处（科协办公室挂靠）、科研基地建设办公室、军工项目管理办公室、技术转移中心；财务处下设会计核算与服务中心、科研经费管理办公室、宣城校区财务与资产管理办公室；总务部下设后勤处、基建处、住房管理与改革处、饮食服务中心、能源服务中心、物业服务中心、六安路校区综合管理办公室、翡翠湖校区综合管理办公室；学术委员会下设学术委员会办公室。

直附属单位及其他有 18 个，分别是：宣城校区管委会、智能制造技术研究院、图书馆、档案馆、学报杂志社、分析测试中心、继续教育学院、校友会办公室、校医院、附属中学、资产经营有限公司、设计院（集团）有限公司、出版社、合肥工大建设监理有限责任公司、光电技术研究院、汽车工程技术研究院、工业与装备技术研究院、过程优化与智能决策教育部重点实验室。其中，宣城校区管委会下设党政办公室（组织人事办公室）、学生工作办公室/团委、后勤管理综合办公室、基础部、信息化建设与发展中心、医院、图书馆、科研办公室、宣城研究院。

2021 年 3 月，学校撤销电子科学与应用物理学院（微电子学院），成立微电子学院和物理学院。4 月，学校成立交叉科学研究院，挂靠科研院管理；在科研院增设科技成果与奖励处；将学生就业指导中心调整为党委学生工作部（处）的内设机构；将扶贫工作办公室更名为定点帮扶办公室。8 月，学校成立合肥工业大学培训中心。

2022 年 10 月，学校将发展规划办公室独立建制，更名为发展规划处。12 月，学校成立智能制造现代产业学院；

2023 年 6 月，学校将基建处从总务部剥离，独立建制。

（四）深入推进学校管理服务机构改革

2024 年，为深入推进学校管理服务机构改革，优化资源配置，激发学校内生动力和办学活力，全面提升管理效能和服务水平，学校研究决定对校内机构与岗位进行集中调整和优化，进一步优化资源配置，厘清部门职责边界，建立科学规范、职责明确、执行顺畅、运行高效的机构职能体系。

2024年1月，学校成立卓越工程师学院，与研究生院合署办公；7月，学校决定卓越工程师学院独立建制，为学校教学科研单位，成立中共合肥工业大学卓越工程师学院委员会。4月，学校决定将设计院（集团）有限公司党总支、合肥工大建设监理有限责任公司党总支、出版社党总支隶属调整为资产经营有限公司党委，不再列为学校二级党组织管理。9月，印发《合肥工业大学机关部门、直附属单位机构及中层领导干部岗位设置方案》（合工大党发〔2024〕79号）。11月，撤销本科生院党总支和继续教育学院党总支。2025年4月，学校印发《合肥工业大学科级机构与岗位设置方案》（合工大党发〔2025〕15号），逐步建立了精简高效的管理运行机构。

2025年学校内设机构和部门设置情况如下：

学院（部）有22个，分别是：机械工程学院、材料科学与工程学院、电气与自动化工程学院、计算机与信息学院（人工智能学院）、软件学院、土木与水利工程学院、化学与化工学院、马克思主义学院、经济学院、文法学院、外国语学院、管理学院、仪器科学与光电工程学院、建筑与艺术学院、资源与环境工程学院、食品与生物工程学院、数学学院、微电子学院、物理学院、汽车与交通工程学院、体育部、卓越工程师学院。

党群部门有13个，分别是：党政办公室（政策研究室挂靠），纪委办公室、监察处，党委巡察工作办公室，党委组织部、党校，党委宣传部，党委统战部，党委教师工作部（人力资源处合署），党委学生工作部（处）（党委研究生工作部合署），离退休党委、党委离退休工作部（处），党委保卫部（保卫处、人武部），机关党委，工会，团委。

行政部门有18个，分别是：发展规划处（高等教育研究所挂靠）、人力资源处、教务处（智能制造现代产业学院挂靠）、研究生院、科研院（科协办公室挂靠）、人文社会科学处（社科联挂靠）、招生与就业处、财务处、审计处、总务部、基建与房屋管理处、国有资产管理处、国际交流与合作处（港澳台办公室）、实验室建设与设备管理处（分析测试中心挂靠）、招标与采购管理中心、信息化建设与管理办公室、发展联络处（校友总会办公室）（基金会挂靠、定点帮扶办公室挂靠）、基础教育与继续教育处。

直附属单位有13个，分别是：宣城校区党委、宣城校区管委会，智能制造技术研究院，先进技术与装备研究院（挂靠科研院），图书馆（合肥工业大学知识产权信息服务中心挂靠），档案馆，学报杂志社，继续教育学院（教育培训中心），工程素质教育中心，校医院，附属中学，资产经营有限公司，出版社，交叉科学研究院。其中，宣城校区党委、宣城校区管委会下设党政办公室、学生工作办公室、后勤管理综合办公室、招生就业办公室、宣城研究院。

十年来，学校通过持续深化机构与岗位设置改革，构建了与现代大学制度相适应的组织体系，为高质量发展提供了有力保障。学校将继续推进治理体系和治理能力现代化，为建设世界一流大学奠定坚实基础。

二、推进职称评聘制度革新

学校紧密结合各项事业内涵式发展需求，积极推进职称评聘制度改革。多年来，学校经过持续系统谋划、认真学习、广泛调研，将导向明确、科学分类、多元评价的思想融入职称评聘制度改革全过程，构建了科学规范、适合学校事业发展需求的职称评聘体系。

十年来，学校先后三轮修订各类专业技术职务评聘工作办法。2021年，学校按照不同学科、不同岗位，分类出台了教师、科研人员、工程实验人员、学生思想政治教育人员、高教管理人员等5类职称评聘文件，在评审指标设置方面充分考虑了学科差异和岗位区别，同时推行代表性成果评价，增加科技成果转化以及科普工作业绩等条件，取消国（境）外学习经历等限制性条件，坚决破除评审标准"五唯"倾向。对取得重大理论创新成果、前沿技术突破、解决重大工程技术难题、在经济社会以及学校事业发展中作出重大贡献的，职称申报时对论文、项目等业绩不做限制性要求，构建了"明确导向、多元评价、科学考量"职称评聘新模式，在引导教师回归课堂、认真践行教书育人使命方面发挥了积极的作用。

三、健全专业技术岗位分级评价机制

学校逐步建立健全"学科分类、业绩导向"的专业技术岗位分级评价机制，在自然科学类、哲学社会科学类（含艺术学类）岗位的基础上，新增通识及公共基础类岗位、双肩挑管理类岗位，实现专业技术人才评价的精准化覆盖。推行首聘与续聘相结合的岗位分级模式，将科研成果作为核心指标、教学水平作为优选指标、服务年限作为参考指标，突出业绩导向，形成有效的专业技术岗位分级评价机制。

2018年12月，印发《合肥工业大学第四轮专业技术岗位分级聘任工作实施办法》（合工大政发〔2018〕197号），顺利启动并完成第四轮专业技术岗位分级聘任。其中，首聘和续聘二级岗位60人，三级岗位143人，四级岗位182人，副高及以下岗位合计2108人。

2022 年 7 月，印发《合肥工业大学第五轮专业技术岗位分级聘任工作实施办法》（合工大政发〔2022〕145 号），顺利启动并完成第五轮专业技术岗位分级聘任。其中，首聘和续聘二级岗位 51 人，三级岗位 162 人，四级岗位 229 人，副高及以下岗位合计 2101 人。

四、完善职员职级评聘体系

学校按照科学设岗、优化结构、精干高效、规范管理的工作目标，坚持德才兼备、任人唯贤、群众公认、注重实绩的原则，不断完善职员职级评聘体系，公开、公平、公正、择优聘任，持续激发管理人员工作积极性和创造性，不断提高管理水平和服务质量，促进学校事业协调发展。

2016 年，根据教育部教人司〔2016〕413 号函件精神，同意聘任周军、张效英同志为三级职员。2022 年，根据教育部教人司〔2022〕258 号函件精神，同意聘任蒋传东、曹兵同志为四级职员。

2022 年 5 月，印发《合肥工业大学三级、四级职员聘任办法》（合工大党发〔2022〕28 号）、《合肥工业大学 2022 年五级及以下职员职级评聘实施办法》（合工大政发〔2022〕99 号）。7 月，印发《关于专业技术岗位分级聘任和五级及以下职员职级评聘工作的相关规定》（合工大政发〔2022〕144 号），开展管理岗位五级及以下职员职级评聘工作。9 月，印发《关于聘任管理岗位五级及以下职员的通知》（合工大政发〔2022〕181 号），同意聘任丁俊祥等 75 人晋升为管理岗位五级及以下职员，其中五级职员 8 人、六级职员 14 人、七级职员 18 人、八级职员 34 人、九级职员 1 人。

五、深化考核评价体系改革

学校遵循师德师风是评价教师第一标准，持续改革绩效评价和薪酬分配体系，围绕教师评价改革涉及的考核、评聘和激励三个方面实施一系列改革举措，坚持考核突出教育与教学实绩、评聘突出能力与水平导向、激励突出贡献与价值要求，构建了以价值为引领的评价体系。

2016 年，印发《合肥工业大学教师年度考核基本要求（试行）》（合工大党发〔2016〕92 号）、《合肥工业大学教学工作量考核管理暂行办法》（合工大政发〔2016〕112 号）、《合肥工业大学单位和个人年度考核办法》（合工大党发〔2016〕173 号），实施以教学为主的教师年度考核，引导教师回归教育教学职责。2020 年，印发《合肥工业大学教师年度考核基本要求（修订稿）》（合工大党发〔2020〕66 号）、《合肥工业大学科研人员年度考核基本要求（修订稿）》（合工大党发〔2020〕67 号），优化分类考核内容，突出质量导向，重点评价学术贡献、社会贡献以及支撑人才培养情况，评价体系更客观合理，调动了教师工作的积极性。

经过十年探索，学校厘清了教学考核与科研考核、年度考核与聘期考核的关系，逐步建立"短周期"教学考核与"长周期"科研考核相互结合、相对自洽的考核体系。在"短周期"教学考核中，构建以基本工作量为基础，以教学为导向的年度考核评价制度，重点考察教师教学工作的"质"与"量"。在"长周期"科研考核中，对科研工作提出了更高标准，重点考量教师科研创新的成果与水平。通过差异化考核引导，有效克服重科研轻教学的倾向及科研上的"短平快"行为，引导教师重视立德树人和回归教育教学，同时重塑教师服务国家重大需求和知识创新的价值观。

学校以"理顺分配关系、强化激励效能"为目标，针对不同岗位类型及职级层次，逐步建立起相对稳定的绩效工资标准体系，同步构建多类型、多层次的收入分配机制。2017年，正式推行以教学为导向的薪酬分配制度，引导教师聚焦教学主责，夯实育人根基。2019年，学校新增公共服务奖励性绩效项目，有效激发教职工主动奉献、增强跨部门协作的积极性与主动性。2021年，绩效工资体系中新增综合考核奖励性绩效项目，使评价体系更趋全面精准。2024年，印发《合肥工业大学学院（部）年度工作考核办法（试行）》（合工大党发〔2024〕34号）、《合肥工业大学机关职能部门、直附属单位年度工作考核办法（试行）》（合工大党发〔2024〕35号）；2025年，修订印发《合肥工业大学学院（部）年度工作考核办法》（合工大党发〔2025〕32号）、《合肥工业大学机关职能部门、直附属单位年度工作考核办法》（合工大党发〔2025〕33号），将目标考核结果与单位奖励性绩效挂钩，全面深化目标责任考核改革。

学校的改革实践获得了多方认可：2020年10月，"合肥工业大学：以教师绩效评价'四新'完善内部治理"案例入选教育部《深化新时代教育评价改革典型案例汇编（第一辑）》；2021年4月，《中国教育报》以"合肥工业大学全面深化综合考核评价改革，优化教育评价体系，破除'五唯'定式——为新时代教育评价改革'破题'"为题专题报道学校教育评价改革经验；2023年11月，学校职称评聘制度改革经验做法被中国教育发展战略学会人才发展专业委员会案例库收录。

第九章　强化高质量发展保障支撑

学校始终坚持"以学生为中心"，把这一理念贯穿育人全过程，着力构建全方位、多维度的服务保障体系，为人才培养提供有力支撑。坚持以需求为导向，构建涵盖学术治理、民主治校、基础保障、资源整合、成长支持的服务范式，打造浸润式育人共同体：厚植学术治理根基，为学术自主创新与良性发展提供支撑；推进教职工民主参与治校，为学校治理体系和治理能力现代化注入持续动力；拓展多元财力资源，为学校发展提供资金保障；推进基础设施建设，为师生打造舒适的生活环境；整合学术资源和实验室资源，为学术探索提供平台；提供精细化后勤服务和健康管理，为学生成长保驾护航。这些举措有效改善了教育教学环境，切实提升师生的幸福感获得感。

第一节　厚植学术治理根基

学校学术委员会坚持"党委领导、校长负责、教授治学、民主管理"的现代大学制度，以立德树人为根本，以促进学术质量为核心，以服务学术为重点，在制度建设、学术治理、学风建设、学术交流等方面持续推进，逐步构建起规范高效的学术治理体系，为学校学术治理现代化和"双一流"建设提供了坚实支撑。

一、健全学术制度体系

学术委员会不断完善制度体系，从基础框架搭建到专项细则完善，形成层次分明、衔接紧密的制度生态。2015 年，聚焦校院两级学术管理衔接，印发《学术委员会学部分委会学术事务管理暂行办法》（合工大学术函〔2015〕4 号）、《合肥工业大学拟聘兼职学术职务聘任管理暂行办法》（合工大学术函〔2015〕5

号），首次明确学部分委会权责与外聘学术人员聘任标准，为学术治理奠定初步框架。2016 年，修订印发《合肥工业大学学术委员会章程》（合工大政发〔2016〕128 号），印发《合肥工业大学预防与处理学术不端行为实施细则》（合工大政发〔2016〕228 号），将学术权力运行纳入制度化轨道；同年印发《合肥工业大学学术委员会学院分委员会规程》（合工大学术函〔2016〕1 号），推动学术治理重心下沉至基层单位。2017 年，针对生物医学研究伦理审查空白，成立生物医学伦理委员会并审议通过其章程，填补跨学科研究的制度盲区。2020 年，印发《合肥工业大学学术诚信审核流程》（合工大学术字〔2020〕1 号），明确人才项目推荐、职称评聘等场景的诚信审查标准。十年来，制度体系从 5 项基础文件扩展至涵盖学术评价、伦理审查、诚信管理等领域的 23 项细则，实现学术事务"事事有依据、步步有规范"。

二、规范学术事务管理

学术委员会以"全过程履行职责"为导向，打破传统单一审议模式，构建起涵盖审定、审议、评价、咨询等环节的综合管理体系，通过精细化运作让学术决策更科学、评价更精准。

2015 年，学术审议以学科建设项目库、本科教学计划为主。2017 年，介入"双一流"学科建设方案编制，将审议范围延伸至学科交叉、人才培养体系等战略层面。2020 年，审议事项涵盖《"十四五"事业发展规划（征求意见稿）》《工程博士专业学位授予办法》等核心内容。2023 年，建立起"部门提报、专家论证、委员会审定"的流程，审议《学院师资队伍建设规划（2023—2025)》《学科前 10％的 TOP 期刊目录》等重大事项，推动资源配置与学科发展精准对接。

学术评价机制实现从"单一指标"向"分类评价"转型。2015 年学术评价侧重论文期刊等级、引用频次等量化指标。2020 年推动"量化＋质性"融合，在人才项目推荐、职称评审中纳入"创新贡献""实际价值"等标准，注重科研成果对学科建设、产业应用的推动作用。2023 年，建立"共性指标＋个性指标"框架，优化评价资源投向，引入第三方机构参与"一流学科"专项评估。

同时，加强学术咨询，2022 年针对工科特色强化与新工科建设开展调研，2023 年紧跟生成式人工智能发展趋势展开研讨，为学科布局提供实操建议，探索生成式人工智能在新工科建设、有组织科研中的应用路径。

十年来，累计开展学术审议 137 项、评价 109 项、咨询 58 项，学术咨询从被动响应部门需求，升级为主动预判学科发展方向、规划学术资源布局的核心环节。

三、强化学风建设保障

学术委员会以"零容忍、全周期、重预防"为原则，从宣传教育到风险防控，构建覆盖"事前预警—事中监管—事后处置"的学风建设体系，筑牢学术诚信防线。常态化开展学风政策宣讲。2021年将学术诚信教育深度融入新入职教师、研究生导师岗前培训，2023年进一步下沉至学院层面。十年累计开展宣讲216场，构建起无死角的诚信教育网络。编制《学术诚信材料汇编》收录规章制度与规范提醒，组织校院两级学术分委员会成员全员学习，实现科研与教学人员培训全覆盖。2018年建立《"重点监控期刊"目录》，动态更新国际期刊预警名单，严肃查处学术不端行为，维护了风清气正的学术生态。2020年印发《合肥工业大学学术诚信审核流程》，2023年推动学风建设从"事后查处"全面转向"全程防控"，筑牢学术诚信风险防线。

四、拓展学术交流平台

学术委员会以"拓宽视野、促进融合"为目标，从校内交流到国际合作，构建多层次、宽领域的学术交流生态，为学科交叉与创新提供沃土，学校学术交流活动持续蓬勃发展，各单位年均举办学术报告超500场，为师生搭建了广阔的学术探讨平台。2020年，受疫情影响，学术交流模式加速向数字化转型，线上报告占比从2019年的不足20％跃升至40.3％，2022年进一步提升至77.6％，"线上＋线下"融合的学术交流新模式逐步确立并常态化运行。"斛兵学术讲堂"作为学校高端学术交流的重要品牌，年均邀请院士、长江学者等顶尖学者作报告40余场，成为展现前沿学术动态、启迪创新思维的重要窗口。在国际学术交流领域，学校加大对国际会议的资助力度，积极承办高水平国际学术活动，如环太平洋多媒体国际会议等，有效提升了学校在相关学科领域的国际影响力。

第二节　推进教职工民主参与治校

在学校党委的领导下，不断加强校院两级教代会建设，认真履行教代会职权，办实事、解难事，做好教代会年会和执委会相关工作，重视提案的收集和办理，提高立案处理满意度，服务学校改革和高质量发展。

召开第八届教代会暨第十六届工代会　2014年12月27—28日，学校召开八届一次教代会暨十六届一次工代会。会议听取并审议了时任校长徐枞巍作的"校长工作报告"，以及"《合肥工业大学章程》修改情况的报告"、学术委员会工作报告、财务工作报告、工会工作报告、提案工作报告等。会议选举产生第八届教代会执行委员会和 6 个专门委员会、第十六届工会委员会和工会经费审查委员会。

2015 年至 2019 年，学校相继召开八届二次教代会暨十六届二次工代会、八届三次教代会暨十六届三次工代会、八届四次教代会暨十六届四次工代会、八届五次教代会暨十六届五次工代会，听取和审议学校事业发展情况及涉及教职工切身利益的重要事项，保障广大教职工在学校治理中的知情权、参与权和监督权。

召开第九届教代会暨第十七届工代会　2020 年 12 月 24—25 日，学校召开九届一次教代会暨第十七届一次工代会，会议听取和审议了时任校长梁樑作的"校长工作报告"，以及《合肥工业大学"十四五"事业发展规划》编制情况的报告、学校财务工作报告、工会工作报告、学术委员会工作报告、提案工作报告等。会议选举产生第九届教代会执委会和第十七届工会委员会，选举产生第九届教代会各专门委员会、第十七届工会经费审查委员会和女工委员会。

2021 年至 2024 年，学校相继召开九届二次教代会暨第十七届二次工代会、九届三次教代会暨第十七届三次工代会、九届四次教代会暨第十七届四次工代会，听取和审议学校事业发展情况、财务工作、学术管理工作、提案工作及涉及教职工切身利益重大事项等，充分发挥教职工参与学校治理的重要作用。

召开第十届教代会暨第十八届工代会　2025 年 3 月 19—20 日，学校召开第十届一次教代会暨第十八届一次工代会，会议听取审议了时任校长郑磊作的"初心如磐担使命　砥砺前行向未来　为推进特色鲜明的世界一流大学建设而不懈奋斗"的工作报告，以及学校财务工作报告、工会工作报告、提案工作报告、学术委员会工作报告等。会议选举产生第十届教代会执委会和第十八届工会委员会，选举产生各专门委员会、第十八届经费审查委员会和女工委员会。

落实教代会提案办理　教代会提案是学校广开言论渠道、畅通教职工诉求、吸收接纳教职工意见建议的重要方式，也是教职工参与民主管理的重要载体，是联系师生员工的桥梁纽带，更是推动学校事业高质量发展的"动力源泉"。学校高度重视提案征集、督办、宣传、信息公开等过程，努力提高提案办理的质量。十年来，教代会代表围绕学校改革发展全局性的大事、要事以及教职工普遍关心的问题，提交提案并立案近 600 份，涉及学科学位建设、教学科研、人事福利、教师队伍建设、财务、校园建设与管理、后勤服务与管理等方面，学校认真梳理分析，立案交办，代表对提案办结满意率达 98%。

第三节　筑牢多元财力保障

学校围绕办学目标与发展需求，以构建多元可持续的财力体系为核心，通过拓展财源渠道、规范预算管理、强化绩效内控、创新财务服务等系统性举措，实现了从资源保障到效能提升的跨越，为学校"双一流"建设提供可持续的财力支撑。

一、多元拓展财力资源

学校打破传统资源获取模式，以战略思维统筹内外部资源，从财政争取到市场链接、从内生增长到外部赋能，构建起"财政引领、双轮驱动、社会协同"的多元财力生态，学校总收入从 2015 年 27.75 亿元增长至 2024 年 54.99 亿元。为学科建设、人才培养、科研创新提供了全周期资金保障，筑牢了高质量发展的物质根基。

优化财政资源结构　2015 年，学校财政补助收入为 10.73 亿元。随着国家"双一流"建设战略的推进，学校敏锐把握政策导向，将专项申报与学校学科规划深度结合。2016 年，改善基本办学条件专项资金实现 1.28 亿元的突破，较 2015 年增长 52％，创下历史新高，2019 年该专项达到 1.33 亿元。此后数年，通过持续优化项目库建设，申报项目额度均稳定在 1.3 亿元左右，核减率从早期的 23.6％降至 4％以内，申报质量实现质的飞跃。2017 年起，一流学科引导专项资金、基本科研业务费等新型财政支持陆续落地，地方政府"双一流"补助资金从 2018 年的 5000 万元增长至 2022 年的 1.1 亿元，从 2024 年起攀升至 2 亿元。2023 年中央基建拨款较 2015 年增长 768.9％，形成了中央与地方、专项与基本拨款协同增长的新格局。

强化教育事业与科研经费驱动　学费收入改革在 2015—2025 年间经历了从"被动调整"到"主动谋划"的转变。2015 年，学校教育事业收入为 3.23 亿元，收费项目与标准长期固化。2017 年，学校开展教育培养成本监审，为收费调整奠定基础，2021 年实现本科生学费首次整体上调 10％，"双一流"学科专业上调 20％，国际合作办学专业上调 138％等，完全兑现后年增收能力提升约 8000 万元。至 2024 年，教育事业收入达 4.95 亿元，形成了"成本补偿、优质优价"的收费机制，为教学资源投入提供了稳定支撑。

科研经费的增长则体现了学校科研实力的跨越式发展。2015 年，科研事业收入为 2.87 亿元，2017 年突破 5 亿元，2022 年首次跨过 6 亿元大关，年均增长率达 15％。学校通过建立科研经费全周期管理体系，从项目申报阶段的预算指导、执行阶段的过程监控到结题阶段的财务验收，形成了专业化服务链条。2019年推行科研财务助理制度，实现学院全覆盖，推动将科研人员从繁琐的财务事务中解放出来，横向科研经费占比从 2015 年的 35％提升至 2025 年的 52％，显著优化了科研经费结构。

社会资源与银校合作的创新拓展　社会捐赠从零星收入发展为制度化筹资渠道，见证了学校社会影响力的提升。2017 年以来，学校财务部门与教育基金会协同构建"项目捐赠—配比申请—效益反馈"机制，2020—2024 年，共申报捐赠配比项目 149 项，金额达 5100 万元。十年来，社会捐赠到账金额突破 1.38 亿元，2025 年新增捐赠协议金额突破 1.4 亿。形成了奖助学金、教师队伍建设、学科建设、校园文化、基础设施等多领域的捐赠体系。其中，企业冠名捐赠项目从 2015 年的 3 个增至 2025 年的 118 个，标志着学校与校友、与企业、与行业领域的合作进入深度融合阶段。

银校合作创新是这十年的亮点之一。2017 年，学校与三家银行建立"4＋N"合作机制，通过智慧校园建设项目引入社会资本。2021—2023 年，银校合作项目累计投入 3.36 亿元。2023—2025 年银校合作签约金额达到 3.385 亿元，完成无线网络覆盖、财务票据管理平台等 152 个项目，不仅缓解了建设资金压力，更推动了财务管理与信息技术的深度融合。

二、科学规范预算管理

学校以预算管理改革为突破口，打破传统分配模式，构建起涵盖预算编制、绩效评价、内控防控、资产管理的全链条管理体系，通过制度化、精细化运作，让每一分钱都用在"刀刃上"，为办学效益提升提供了坚实的制度保障。

推进零基预算改革　2015—2017 年，学校预算管理以"基数＋增长"为主要模式，2018 年起学校启动预算管理改革，引入"事前绩效评估—事中动态监控—事后评价应用"的全流程管理理念，2020 年首次对 24 个专项资金项目开展绩效自评，涉及金额约 2.3 亿元。2023 年，预算编制实行零基预算，通过"方案评审"加"绩效目标评审"的"双评审"机制，将 25.29 亿元的申报预算核减至 21.96 亿元，核减率达 13.17％。十年来，学校预算执行率在部属高校中基本稳定在前十，2019 年政府会计制度实施后，通过"平行记账"模式实现预算与财务的双重管控，使项目资金执行周期从平均 8 个月缩短至 5 个月，资金使用效益显著提升。

协同构建绩效评价与内控体系　绩效评价从单一项目评估发展为覆盖全预算

的管理体系。2015年，仅对改善基本办学条件等少数专项开展评价；2020年，引入第三方机构对"一流学科"专项进行独立评价；2023年，形成了包含210个财政项目、6.9亿元资金的绩效目标库，建立了"共性指标＋个性指标"的评价框架，通过绩效评价收回低效资金1100万元，重新投向教学科研急需领域，实现了"钱随事走、效随钱走"的管理目标。内部控制从制度建设转向风险防控体系化运作。2015年内控工作以制度梳理为主，2017年开始构建"流程—风险—控制"三维框架，2020年针对"四个领域"开展腐败风险专项自查。至2023年，形成了包含66条单位层面风险、171条业务层面风险的防控清单，建立了合同管理、科研经费等12个重点领域的内控流程。2021年实施的会计凭证影像化管理，将9.19万份凭证纳入电子档案系统，实现了财务业务的全程可追溯，这一改革使财务内控从"事后检查"转向"事前预警、事中监控"的全周期管理。

推进资产管理与资源配置提质增效　学校不断加强"统一领导、归口管理、分级负责、责任到人"的国有资产管理体制建设，持续优化资产使用、土地公房利用、对外投资、出租出借等工作机制，围绕学校中心工作进行资源配置，不断提升资产使用效能。学校设有屯溪路校区、翡翠湖校区、六安路校区、宣城校区和智能制造技术研究院，总占地面积6260余亩。学校合肥校区实施双校区办学，屯溪路校区设有机械工程学院、材料科学与工程学院、电气与自动化工程学院、土木与水利工程学院、化学与化工学院、文法学院、管理学院、仪器科学与光电工程学院、资源与环境工程学院、汽车与交通工程学院、体育部、卓越工程师学院；翡翠湖校区设有计算机与信息学院（人工智能学院）、马克思主义学院、经济学院、外国语学院、建筑与艺术学院、食品与生物工程学院、数学学院、微电子学院、物理学院、软件学院。宣城校区实行一体化管理模式。学校大力加强资产全生命周期管理，建立资产入账—使用—共享（调剂）—处置全流程工作机制，建立了分析测试中心、大型仪器设备综合管理平台、资产调剂平台等，提倡资产共享共用，推进资产高效使用，截至目前，学校固定资产和无形资产原值达到60.50余亿元，为学校教学科研提供了重要支撑。学校现有建筑面积约165万平方米，2023年建立了"整体核算、两级管理、定额免费、超额付费"的公房使用机制，积极推进公房超面积有偿使用，推动了公房资源高效使用，为高质量开展教学科研提供了重要保障。

三、优化创新财务服务

学校以师生需求为导向，推动财务服务从传统模式向数字化、智能化、个性化转型，通过流程再造与技术赋能，构建起高效便捷、开放透明的服务体系，让财力资源的效用在末端环节得到充分释放。

实现财务信息智能化　2015—2017 年是财务信息化的基础建设期。2016 年，预算网上申报系统正式运行，科研系统与财务系统实现数据互通。2017 年，自助投递机上线，改变了传统报销模式，这一阶段完成了财务业务从手工处理到数字化的转变。2018—2020 年迎来信息化的创新突破期。2018 年，作为财政部电子票据改革试点单位，学校实现电子票据全流程管理，年节约票据成本 120 万元。2020 年，智慧差旅平台上线，实现订票、支付、报销一体化，这一阶段推动了财务服务从线下到线上的转型。2021—2025 年进入智能化发展阶段。2023年，RPA 机器人上线，完成 1.3 亿元资金的自动化支付，效率提升 50％。2024年，电子凭证会计数据标准试点成功，实现银行电子回单的自动入账。财务信息化从单一系统建设发展为"业财融合"的生态体系。

推进财务服务精准化响应　2017 年推行"网上预约＋自助投递"模式，2021 年科研经费学生劳务费实现"免投递、次日到账"，2023 年通过 OCR 识别技术，发票录入时间从 3 分钟/张降至 10 秒/张，实现从"窗口办理"到"一站式服务"。2017 年，首次开展"财务服务进学院"活动，为 19 个学院提供个税汇算指导。2023 年，建立科研经费"负面清单"制度，明确禁止性事项，赋予科研人员更大自主权；邀请师生代表参与预算民主监督，形成了"阳光财务"的文化氛围，师生满意度从 2015 年的 78％提升至 2025 年的 96％。

第四节　夯实基础设施建设

学校统筹推进校园基础设施建设和信息化建设，通过全面加强基础设施建设、不断深化智慧校园建设，有效夯实学校高质量发展的物质与技术基础。

一、全面加强基础设施建设

学校根据事业发展规划，积极争取各类投入，大力加强基础设施建设和校园更新改造，不断改善民生，努力为师生员工提供优良的工作学习和生活环境。

（一）实施重大基建项目

学校结合国家战略需求和自身发展规划，以长远眼光做好布局，扎实推进了一批重要基建项目，为引进优秀人才、实施教育教学、开展科研创新、培养优秀学生、促进成果转化提供了良好条件和有力支撑。

擎起科研创新高地 2016年，食品与生物工程学院大楼竣工验收并交付使用。这座总建筑面积1.5万平方米的大楼，主要面向国家和地方重大需求，发挥学校工科优势，围绕食品科学与工程、生物与医药等领域开展研究。

2018年7月28日，合肥工业大学智能制造技术研究院研发中心项目开工，2020年，一期项目竣工验收。合工大智能院坐落于包河区滨湖卓越城，已建成并投入使用总建筑面积18.7万平方米，是集技术研发、教学、实训、办公及生活配套为一体的高端现代化研发中心。它承载着建设研发中心、新能源汽车研究检测中心、人才培养基地、中试基地和创新中心五大功能区的重任。智能院的崛起，为学校在智能制造领域的科技创新、关键技术攻关、成果孵化转化、高端人才培养引进以及国际合作，搭建了世界一流的公共服务平台和物理载体，是助推"双一流"和合肥综合性国家科学中心建设的强大基石。

2019年4月3日，屯溪路校区高电压与绝缘实验室开工，2023年12月26日举行揭牌仪式。实验室建筑面积5929.6平方米，主要为高压屏蔽大厅及实验用房。实验室依托学科优势，培养应用型、复合型及拔尖创新人才，服务学校高水平大学和一流学科建设。同时，实验室以雷电防护、电网暂态研究为核心，联合电力、铁路、航空航天等领域机构，为智能电网、新能源并网等重大工程提供技术保障，助力我国能源转型与安全，进一步服务国家战略与行业需求。

2019年7月26日，屯溪路校区工程管理与智能制造研究中心项目开工，2022年5月完成竣工验收。该项目建筑面积32271.02平方米，包含7个高层次、高水平学科建设平台，是集科研、创新、教学、试验、培训于一体的产学研基地。它不仅是科研创新的孵化器，更是教学实验与人才培训的枢纽，其建成显著增强了支撑"双一流"建设的硬件实力，为打造国际知名研究型大学和世界一流学科注入了强劲动能。

2020年7月1日，屯溪路校区产学研综合楼开工，2025年6月25日正式竣工。作为"十三五"重点工程和"双一流"建设的关键拼图，这座近6万平方米的综合体，集产学研平台、科技孵化、资产经营、出版服务等功能于一体。它的启用，打通了产业技术研发、产业人才培养和成果转化落地的关键链条，为一流学科综合实力的跃升提供了强有力的空间与机制保障。

拓展多元教学空间 2017年5月，翡翠科教楼正式投入使用。作为学校建校以来规模与投资之最、建筑高度最高的单体建筑，这座86173平方米的翡翠湖校区新地标，气势恢宏。它的建成，为校区优化布局、学院顺利搬迁铺平了道路，更为学科交叉融合、高水平大学建设和冲击"双一流"提供了不可或缺的现代化物理空间保障。

2020年12月16日，翡翠湖校区工程训练中心开工，2024年10月正式竣工并投入使用。工程训练中心建筑面积 38072 平方米，主要承担全校工、理、文、法、管等所有专业的工程训练教学工作，促进学科建设、科技创新及成果转化，支撑学校"工程基础厚、工作作风实、创业能力强"的人才培养特色，为建设国际知名的研究型高水平大学提供重要保障。

持续加强宣城校区基础设施建设 2016 年，建筑面积约 3.75 万平方米的图书馆建成投用，馆内配备 24 小时自习区，为学生提供全天候学习空间，成为校区重要的知识传播与学术交流平台。同年，1.7 万平方米的大学生活动中心落成，其中千人大礼堂可满足开学典礼、毕业晚会等大型活动需求，成为学生开展文体活动、展示综合素质的主要场所。2021—2022 年，电子电气楼、文理楼、生物化工楼三大实验楼群相继竣工。这些楼宇的建成，进一步完善了校区实验教学体系，为学生提供了专业的实践操作平台，支撑了多学科实验教学与科研活动开展。

构筑温馨生活家园 2018 年 12 月 19 日，屯溪路校区新建学生食堂开工，2020 年 10 月 1 日正式试营业，建筑面积 10679.52 平方米。新食堂建成后不仅提供一日三餐，还通过科学管理、规范操作流程，不断创新菜谱、丰富菜品种类，同时稳定价格、严格把控食品安全，努力满足师生多样化的用餐需求，为师生提供了舒适的就餐环境。

2024 年 3 月，翡翠湖校区新建学生公寓开工，2025 年 8 月完成竣工验收交付，并于秋季开学投入使用。该项目响应教育发展需求，建成后可为 2000 余名学生提供舒适的现代化居住环境。公寓在设计上注重促进学生交流，配备高速网络，功能不仅限于休息，还能满足学习、讨论、休闲等需求，进一步改善学生的住宿生活条件。

大力建设校史馆 2020 年 10 月 5 日，在学校迎来 75 周年校庆之际，合肥工业大学校史馆正式开馆。校史馆选址于屯溪路校区老印刷厂，这里曾是 20 世纪 60 年代初，刘少奇、邓小平、朱德、陈毅等党和国家领导人莅临学校时参观视察之地，具有重要的历史意义。同时，校史馆位于合肥老城区历史文化中轴线上，紧邻校内著名三国历史文化遗迹斛兵塘，具有得天独厚的历史文化气息。作为讲好工大故事、传播工大精神的重要文化标地，校史馆布展内容紧扣"工业报国"精神主线，依时间为序，分肇始之初、工业立校；跃升重点、工科领军；改革前行、工业兴校；筑梦强国、一流新篇四个篇章，通过详实的图文和丰富的实物资料，完整呈现学校扎根江淮大地，为党育人、为国育才的生动实践和丰硕成果，是涵育师生爱国荣校情感，提升以文化人成效的重要基地。

（二）推进校园更新改造

学校长期致力于校园环境的持续改善，坚持从师生实际需求出发，聚焦教学、科研和生活中的实际问题，持续推进校园设施的更新与改造，通过实施一系列精细化的维修改造工程，不断优化校区环境、完善服务功能，切实提升了校园空间的活力与师生的体验感。

改善学习创新空间　通过教室焕新升级，专属创新空间打造，持续改善教学主阵地环境。2015 年，屯溪路校区主教学楼 37 间教室维修粉刷并更换 3200 套课桌椅，同年完成翡翠湖校区教室木门更换。2016 年，实施翡翠湖校区教学楼综合维修改造。2017 年，完成主教学楼、昇华楼综合维修改造等。这些改造让教室更加明亮、整洁、舒适、安全，直接提升了课堂教学、学习体验感。进一步保障科研基础条件。同年，完成化工类用房维修改造，同步解决了实验室安全、环境保护等关键问题，为师生健康安全筑牢防线。2018 年，完成翡翠科教楼，食品与生物工程学院大楼搬迁、学院实验用房改造及教育部过程优化与智能决策重点实验室维修。2021 年，翡翠湖校区打造休闲连廊、女教师专用休息室。2025 年暑期，全面完成屯溪路校区西二教学楼、翡翠湖校区双号教学楼共计 7 栋教学楼宇的室内全面改造和 23000 张课桌椅的更新。

升级住宿餐饮条件　持续加强学生公寓改造，推进学生"温馨之家"的建设。2016 年，完成屯溪路校区学生公寓综合维修改造。2018 年，完成学生公寓综合维修（三期）项目。2023 年，重点改造翡翠湖校区 2、4、11 号楼学生公寓，提升住宿硬件条件和居住舒适度。2024 年暑期，集中力量攻坚，仅用 45 天高效完成翡翠湖校区 1、7、8、9、10 号楼 5 栋学生公寓的室内改造及家具更换，同时完成学生公寓等 10 栋楼宇的防水维修工程，确保居住安全。2025 年暑期，屯溪路校区 2 号北楼和 5、7 号楼学生公寓，进行了全面升级改造，同时对翡翠湖校区 5 号楼学生公寓家具升级，将 904 间宿舍从原来的"六人间"改造成宽敞的"四人间"，在新学期为数千学子送上更舒适、现代的居住环境。持续推进食堂基础设施改造与升级。2017 年，完成翡翠湖校区食堂综合改造，后堂布局更合理、功能更完备、系统更优化，前厅装修风格新颖、环境温馨，为实施 6T 管理奠定基础。2018 年，更换民族餐厅及食堂后堂设备，并实施了食堂罐改气、罐改电工程，提升安全与环保水平。2023 年，完成翡翠湖校区师生餐厅改造，对宣城校区南漪湖餐厅、青弋江餐厅、民族餐厅等 5 个食堂进行了全面装修升级改造，优化就餐环境。2023 年，完成屯溪路校区公共浴室改造，提升洗浴舒适度。同年，建成快递驿站，有效解决师生快递收发难题。

完善体育与健康保障　进一步落实运动场地迭代升级工作。2015 年，完成屯溪路校区东西田径场地改造，塑胶跑道、人造草、各类运动场地硅 PU 全面更换，提供更安全专业的运动环境。2017 年，实施体育场围网加固维修工程。2022 年，完成宣城校区篮球馆改造。2023 年，建成屯溪路校区乒羽中心，满足多样化运动需求。同年完成屯溪路校区、翡翠湖校区体育场综合维修。2024年，两校区体育场塑胶跑道获得中国田协"二类"场地验收，标志着运动场地品质达到更高专业标准，更好地服务于体育教学、训练与赛事活动。

优化校园生活环境 2015年，完成六安路校区生活区停车场的改造。2016年，实施电改造项目，提高供电安全可靠性，为发展预留容量。同年采用生态水处理工艺实施斛兵塘综合治理，水质改善明显。2018年，完成屯溪路校区北村环境整治和翡翠湖生态谷景观带建设。2020年，对六安路校区老旧小区和斛兵漫步道进行了改造。2022年，完成宣城校区综合实验楼外墙翻新、明德大道行道树更换，启动滨河路南段和树人路段行道树更换。2023年，完成翡翠湖校区南大门美化亮化，提升校园门户形象。2024年，完成翡翠湖校区南大门与市政道路连通，大大缩短师生员工进出校园的通行时间，提升交通效率。此外，学校还积极完善特色空间与服务点建设。2018年，给离退休教职工活动中心安装电梯，方便离退休教职工使用。2020年，屯溪路校区工会俱乐部、东门、宁国路门、南门、黄山路门，翡翠湖校区西门等投入使用。2023年，完成屯溪路校区幼儿园改造，改善教职工子女入托环境。

二、不断深化智慧校园建设

学校信息化建设围绕"让数据多跑路、让师生少走路"的目标，实现了从基础网络建设到智慧校园生态的跨越发展。通过推动信息化与教学、科研、管理深度融合，加强网络安全防护，助力教育数字化转型，为学校"双一流"建设夯实了数字基础。

(一) 完善校园网络基础设施

学校始终致力于校园网络基础设施建设，不断加强对校园网络的升级改造，基本实现了无线网络的全域覆盖，通过建设数据中心、强化平台支撑，不断夯实学校数字基座。

实现无线网络全域覆盖 从2016年实现校园卡支付宝充值，极大方便广大师生生活，到2020年基本实现教学楼、图书馆无线网络全域覆盖，再到2022年升级Wi-Fi6标准，宿舍下载速率达1.2Gbps，学生可随时随地连线慕课，教师能快速调取云端课件。2018年，建设专业的信息化服务队伍，面向全校师生提供7×10小时信息化服务。2023年，建成安徽省最大全光网，建成学校历史上第一个校级高性能计算平台。

加强云数据中心建设 40台刀片服务器、2PB存储构成"数字心脏"，承载教务、科研等400余个核心系统。教师可即时申领虚拟服务器开展课题，学生毕业设计系统全年无休。2021 年，600m² 模块化机房投用，基因组数据安全达金融级，守护学术资产。

提升宣城校区信息化建设水平　2019 年，学校以银校合作项目为重要契机，加大对宣城校区信息化建设的支持力度，集中推进了一系列关键项目，全面优化了校园教学、管理、生活及安全保障等方面的信息化服务能力。宣城校区先后完成了 12 个重点信息化项目，涵盖多媒体教室、标准化考场、信息安全等级保护整改、无线网升级改造、实验室安防监控和智慧安防系统建设等多个关键领域，为师生创造了更便捷、高效、安全的校园环境。

（二）推动信息技术与教育教学融合

学校通过构建智慧教室集群、搭建教学资源"云仓库"，为师生创设了高度互动、灵活共享、智能分析的现代化教学环境，提升了课堂效率与教学质量，推动了优质教育资源的普惠共享，赋予了传统课堂崭新的"智慧基因"。

建设智慧教室集群　2016 年，完成智慧学校一期教育部专项项目，在翡翠湖校区新建 49 间智慧教室。2020 年，新建普及型智慧教室 120 间、探索型智慧教室 4 间。2021 年，教学信息化进一步加快，建成 287 间多媒体教室加 4 间探索型智慧教室。2023 年，制定安徽省智慧教室地方标准和团体标准，在智慧操场、多校区及远程互动等智慧教室建设方面具有特色。学校信息化建设与管理中心牵头申报的安徽省地方标准《高等教育互动智慧教室管理规范》通过评审顺利立项，申报的团体标准《高等教育互动智慧教室使用管理规范》已正式发布。同时，围绕"六大任务、五大场景"建设智慧教室。截至 2025 年 9 月，现有 506 间公共多媒体教室、26 间探索型智慧教室，改善了学校教学环境，让师生拥有了更好的教学体验。

加强数字化教学资源建设　2016 年，"教育资源云服务平台"完成 16 门总计 410 学时精品开放课程的录制、近 27 学时的 MOOC 视频拍摄制作；上传优质教育资源，课时资源存储总容量达到 7T。2018 年，累计录制 110176 课时，课时资源存储达到 42T。2020 年，利用信息化手段支撑学校多校区办学、提高办学效率、降低办学成本，全年录制精品课程 2 门共计 20 学时，后期制作 20 学时。2021 年，平台的数字化资源更为丰富，共有 104 门精品课程、11 门慕课。2023 年，建成"智慧教育平台"，融合虚拟仿真平台与直录播平台，构建起集课堂教学、虚拟仿真实验教学、直播授课、录播回放于一体的多元化教学体系。

（三）建设便捷高效的校园服务平台

学校坚持以师生需求为导向，持续推进信息化服务体系建设。围绕教学、科研、管理及师生生活中的实际问题，不断优化各类应用系统，有效提升管理服务水平，为师生工作、学习和生活提供了更加高效、便利的信息化支撑。

迭代升级教学管理信息系统。2016 年，本科教学服务自助系统成功上线。2017 年，一期系统上线，实现了培养计划、排课选课、成绩管理等功能。2019 年和 2023 年，全面启动教务管理系统二期、三期建设，逐步完善了学分认定、学籍异动线上申请、实习管理等模块，推进解决师生关注难点、痛点问题。2017 年，建成启用"学生自助服务系统"，提供成绩单、证明自助打印，刷身份证自助注册学籍功能。推进"一表通"建设，2024 年，上线使用科技统计表格一表通、宣城校区网上办事一表通、合肥校区二级机构网上办事一表通、教职工年度考核一表通、单位考核一表通等，使"年底考核不填表"从愿景变为现实。2019 年上线办事大厅至今，整合成绩单盖章、设备报修、场馆预约等 33 项服务，毕业生离校手续从 3 天压缩至 2 小时。

（四）强化科研算力支撑能力

学校前瞻布局，构建高性能计算平台，部署前沿 AI 大模型集群，打造破除壁垒的数据中台，为跨学科、高强度的科学研究提供了"超强算力"支撑。

2023 年 8 月，投入使用高性能计算平台，提供每秒 200 万亿次算力，助力师生发表高水平论文。2025 年 3 月，实施 DeepSeek 大模型本地部署。上线 32B/70B/671B 多模态集群，为教学科研搭建起自主可控的智能基础设施，助力教学、科研及管理服务工作的创新开展。2025 年 7 月，"科学导航"Science Navigator—AI for Science 科研知识库与 AI 学术搜索平台上线并开通试用，通过先进的 AI 学术搜索和问答能力，为师生解决"科研信息过载、知识组织碎片化、跨学科连接断裂"等痛点。

（五）加强校园网络安全防护

学校高度重视校园网络安全防护，通过制度建设和常态化的教育活动保障校园网络安全。印发《合肥工业大学信息化工作管理办法》（合工大政发〔2013〕189 号）、《合肥工业大学网站管理暂行办法》（合工大政发〔2016〕222 号）、《合肥工业大学网络信息安全事件处理暂行办法》（合工大党发〔2016〕189 号）、《合肥工业大学网络安全事件应急预案》（合工大信息函〔2021〕11 号）、《合肥工业大学网站管理办法》（合工大信息函〔2021〕12 号）、《合肥工业大学网络安全事件应急预案（2022 修订版）》（合工大信息函〔2022〕6 号）等规章制度。常态化开展网络安全攻防演习任务，加强紧急安全事件响应处置，增强广大师生的网络安全防护意识和能力，为校园网络安全奠定坚实保障。经过多年的积累，学校入选教育部"教育信创实验室技术委员会"成员单位。先后获 2023 年中国高校算力优秀案例、2024 年首届教育信息技术应用创新大赛全国二等奖等奖项，参与编写教育部《教育系统网络安全保障专业人员（ECSP）基础教程》培训教材。

第五节　推进学术资源与实验室建设

学校统筹推进学术资源建设与实验室发展，不断加强图书馆、档案馆建设，推进数字化学术出版工作，积极拓展国内外学术交流合作，持续推进实验室建设，不断提升资源保障与服务能力，为服务学生成长和创新能力培养创造良好条件。

一、持续优化学术资源建设

学校始终将学术资源建设作为提升办学内涵与核心竞争力的关键抓手，系统推进图书馆资源扩容与智能化升级、档案馆资源体系构建与活化利用、古籍文献抢救性保护、学报提质增效及学术交流平台拓展等工作，形成了覆盖文献资源、档案遗产、学术载体、交流渠道的全链条学术资源生态，为学科发展、科研创新与文化传承提供了坚实支撑。

推进图书馆资源与信息化建设　图书馆按照需求驱动、用户评价、纸电协同、共建共享的原则，以"一个中心、两个基地、三种模式、四大平台"为建设重点，加强文献信息资源的建设。十年来，学校图书馆纸质图书从 243.10 万册增至 377.79 万册，电子图书从 207.26 万册增至 599.65 万册。年均馆藏中文全文下载量约 832.84 万篇次，访问量约 1831.11 万次，外文全文数据库下载量约 399.87 万次，文摘数据库检索量约 294.90 万次。学校重点加强电子文献资源建设，目前图书馆订购中外文数据库 67 个，数据库总量达 137 个，ESI 全球排名前 1% 学科期刊保障率达 81.42%，核心期刊保障率达 67.28%，为校内外读者开展 SCIE、EI、ISTP、CSCD、中文核心期刊论文检索约 1.17 万篇。

持续推进信息化建设，完成"智慧图书馆"一期工程，实现汇文系统、RFID 自助借还系统、座位预约系统的智能化升级。2023 年上线"馆藏电子图书一站式服务平台"，整合电子图书 153 万册，实现跨库检索与文献传递"一键式"服务，2024 年服务读者超 100 万人次。2022 年 1 月成立"合肥工业大学知识产权信息服务中心"，12 月正式入选第四批高校国家知识产权信息服务中心，"知识产权信息素养教育助力创新创业——一体化'学—赛—创'体系的构建与实践"入选 2023 年首批全国知识产权信息服务优秀案例。

优化档案馆建设与服务　学校档案馆构建了覆盖教学、科研、基建等十大类的档案资源体系，近十年累计收集纸质档案超 20 万件、电子档案 54 万件，完成 180 万页历史档案数字化扫描，数字化率从 2015 年的 30％提升至 2024 年的 60％。建成"合肥工业大学校史数字档案库"，实现校史文献在线检索与利用。创新"清单化"收集机制，针对优势学科专项收集院士手稿、重大科研项目档案，建立"学科发展史"专题档案库。2023 年与校友企业合作开展"工业遗产档案数字化"项目，收录企业捐赠的工业技术档案 1200 件，拓展了学术资源的行业维度。2024 年，引入 AOP—KF 固体碱技术，完成珍贵档案的修复保护，推动档案资源从"保存"向"活化"转型。

推动学报提质发展　学报杂志社推动自然科学版与社会科学版双刊协同发展，十年来，影响因子持续提升，自然科学版影响因子从 0.737 升至 1.306，位列安徽省高校学报前列；社会科学版影响因子从 0.380 升至 0.759，入选"全国高校优秀社科期刊""华东地区优秀期刊"，2024 年入选中国科技期刊卓越行动计划。自然科学版被《中国科技论文统计源期刊》、美国《化学文摘》、俄罗斯《文摘杂志》等重要数据库收录，连续入编《中文核心期刊要目总览》，成为学科评估核心刊源。社会科学版被 EBSCO、新华网等重要数据库收录，入选中国人文社会科学期刊 AMI 综合评价扩展期刊。

推进出版创新实践　依托学校学科优势，深耕机械汽车、土木建筑、安徽地方文化等特色板块，策划"徽州传统村落测绘与活化传承丛书""智能制造系列教材""新能源汽车技术丛书"等，并累计获批 8 项国家出版基金项目。《中国红十字运动通史（1904—2014）》获第八届中华优秀出版物奖图书提名奖，《蒋光慈全集》等多种图书获安徽省社会科学奖出版类图书奖，《新时代大学生廉政教育读本》等多种图书获安徽省精神文明建设"五个一工程"奖。加速构建数字教材出版平台等融合出版平台，推动出版业态向数字化、智能化升级，先后完成"徽州古村落文化研究数字化"项目、"话说红色金寨"元宇宙图书项目等。十年来，累计出版教材 1000 余种，其中《电工电子技术》《建筑力学》等 30 余种教材入选"十四五"国家规划教材和省规划教材。

二、着力加强实验室集群建设

学校实验室建设与管理始终坚持安全为先、服务教学科研的宗旨，持续推进管理体系的规范化和科学化，进一步保障了师生安全、支撑人才培养、服务科研创新和促进学科发展，为学校"双一流"建设提供了有力支撑。

（一）持续完善制度体系构建

不断完善管理制度　学校相继印发《合肥工业大学危险化学品安全管理办

法》（合工大政发〔2020〕64号）、《合肥工业大学实验室安全准入制度》（合工大政发〔2020〕65号）、《合肥工业大学实验室安全责任追究暂行规定》（合工大政发〔2020〕66号）、《合肥工业大学科研项目安全风险管理办法》（合工大政发〔2020〕67号）、《合肥工业大学实验室安全分级分类管理办法》（合工大实验函〔2024〕2号）、《合肥工业大学实验室工作条例》（合工大政发〔2025〕12号）、《合肥工业大学实验室安全管理办法》（合工大政发〔2025〕13号）等管理制度，明确安全检查、隐患整改等基础要求。同时印发《实验室危险化学废弃物处置实施细则》《特种设备管理办法》等15项配套制度，形成"覆盖全领域、贯穿全流程"的制度体系，为实验室安全管理提供刚性约束。

构建安全管理体系 2018年，成立实验室安全管理中心，进一步理顺实验室管理机制和流程，编制《合肥工业大学实验室安全防范工作体系》。2019年，成立实验室安全工作领导小组，建立校、院、实验室三级安全责任体系。2021年，通过关口前移、重心下移，积极推进实验室建设项目安全论证，坚持从源头上防范化解重大实验安全风险。2023年，加快推进实验室安全精细化管理和信息化建设，逐步建立具体工作、网站、信息化三联动的安全工作新局面。2024年，学校逐步构建"安全责任明晰、规章制度健全、运行机制顺畅和安全文化自觉"四位一体的实验室安全管理体系，整体降低安全风险，保障学校教学科研等工作平稳运行。

（二）逐步推进大型仪器开放共享

不断创新共享机制 2025年，学校印发《合肥工业大学仪器设备管理办法》（合工大政发〔2025〕14号）、《合肥工业大学大型教学科研仪器设备购置论证实施细则》（合工大实验函〔2025〕1号）、《合肥工业大学大型仪器设备开放共享工作指导意见》（合工大实验函〔2025〕4号）等制度办法，逐步建立起"学院初审—专家评审—学校审批"三级论证机制，为学校统一组织大型仪器设备购置论证工作提供了工作流程样板。

迭代升级共享平台 2016年，学校建成大型仪器开放共享服务平台，首批接入86台大型仪器，与科技部重大科研基础设施和大型科研仪器国家网络管理平台对接，实现数据实时上传。2017年，积极推进大型仪器设备共享平台建设，基本完善了学校大型仪器开放共享服务平台的网络页面和功能，将大型仪器开放共享服务平台推广到全校各学院、中心、所使用。与安徽省、合肥市网络管理平台对接，完成了学校部分大型仪器设备与安徽省大型科学仪器设备共享服务平台、合肥市科学仪器旋转共享平台的对接，拓宽了学校大型精密仪器的信息共享渠道。2024年，平台入驻仪器增至373台套，先后为全校师生提供服务70929人次，使用机时数累计达到28.5万小时。2024年，建立分析测试中心宣城分中心，完成测试服务 1.2 万次，实现跨校区资源协同。

（三）大力构建教学科研平台

学校优先保障本科教育教学投入，不断加大教学科研设备购置力度，为提升教学科研质量提供坚实保障。截至目前，现有国家级实验教学中心 4 个、国家级虚拟仿真实验教学中心 1 个、国家级工程实践教育中心 3 个，各类教学实验室面积达 13.14 万平方米，教学科研仪器设备总值 206372.76 万元，生均教学科研仪器设备值 3.47 万元。十年来，教学实验设备投入 71878 余万元，建设省部级实验教学中心 11 个，获批省部级虚拟仿真实验教学项目 18 个。2024 年，获批教育部重大教学仪器设备更新项目 1 项，批复总金额 7570 万元；获批实验教学和教学实验室建设研究项目国家级 1 项、省级 4 项。2025 年，获批教育部重大教学仪器设备更新项目 1 项，批复总金额 6017 万元，更新教学仪器设备 39 台（套）。

十年来，实验室建设与管理工作获省级以上荣誉 23 项，其中获安徽省首届高等学校自制实验教学仪器设备展示评选一等奖 2 项；分析测试中心两次通过国家检验检测机构资质认定复评审。

（四）不断夯实安全管理体系

2019 年，首次实施实验室安全准入制度，至 2024 年累计组织 12.7 万名新生、890 名新入职教师参加线上培训与考试。印发《实验室安全事故应急预案》，编印《实验室安全手册》，创作《实验室安全之歌》，定期通报国内外实验室事故案例，组织网络安全培训，开展应急演练，提升师生消防意识以及安全应急能力。2022 年，完成实验室信息化一期项目建设，为 521 个实验场所安装门禁与监控系统，平台功能扩展至预约、使用、计费全流程线上管理。2024 年，组织参加安徽省高校教师实验室安全技能大赛、长三角高校大学生安全知识竞赛并获奖 6 项，其中一等奖 2 项。

第六节 加强后勤服务保障

学校持续深化后勤管理改革、打造绿色高效校园环境、升级校医院诊疗能力，进一步完善服务育人体系，全面支撑师生教学科研与生活学习品质的高质量发展，筑牢师生健康防线。

一、大力推动后勤工作改革创新

学校后勤工作始终坚持"师生为本、用心服务、精益求精、敬业奉献"的服务理念，着力构建"责权明晰、制度完善、管理精细、服务规范、监督有效、保障有力"服务保障体系，持续深化后勤社会化改革，有力推进了管理与服务的规范化、标准化、精细化建设，努力为师生提供安全、有序、高效的后勤服务，师生的获得感、幸福感、安全感大幅提升。

（一）不断满足师生多元化饮食需求

优化餐饮服务质量　2016年起，逐步调整食堂业态，将合肥校区食堂基本大伙与风味小吃比例优化至3∶7，引进"拾光"西餐厅等特色档口。2017年，翡翠湖校区第三食堂推出智能售卖系统，这是安徽省首个引进智能餐盘系统的高校食堂，受央视关注报道。2018年，翡翠湖校区新二食堂推出点餐墙服务并在2019年推广至屯溪路校区馨园、德园等食堂，学生在点餐墙留言后即可在"暖心窗口"吃到想吃的家乡菜，该做法被央视新闻联播、央视《新闻24小时》、安徽电视台等媒体关注报道。2022年，大伙菜品库累计收录主食156种、副食461种，年新增特色菜超30道。此外，学校在中秋节、国庆节期间推出特色美食，毕业季向毕业生赠送免费营养套餐，迎新季提供免费矿泉水、水果等服务，增强学生归属感。2023年，宣城校区食堂引入瑞幸咖啡、蜜雪冰城等知名餐饮品牌，满足师生多元化饮食需求。2025年，合肥校区食堂开设"减脂餐"窗口，有效满足学生对健康饮食的需求，中国教育报等媒体相继报道学校这一特色做法。

强化食品安全管理　2018年，启动"精准扶贫、农校对接"，与利辛、灵璧等县签订采购协议，年采购贫困县农产品320万公斤。2022年，建立月遴选8次、周询价32次的采购机制，严把食材选择，确保原材料物美价廉且健康安全。宣城校区全面推进"明厨亮灶"工程，着力实现餐饮单位后厨"透明化"，打造"可视化厨房"，实现智能监管模式，通过定期组织开展"后勤体验日"之食堂后厨开放活动，持续提升食堂管理的透明度和服务水平。加强各校区食堂管理，通过日常巡查制度、食品安全第三方监管服务中心检测、工作人员健康检查、同步实行"天天处理、天天整合、天天清扫、天天规范、天天检查、天天改进"的"6T"管理模式，共同营造安全、健康、和谐的校园饮食环境。2018年，学校被授予"全国高校伙食工作先进集体"。

（二）系统推进节能降耗

2022年，学校实施屯溪路校区图书馆合同能源管理，建立综合能源管理系统，综合节能率15%。同年，完善智慧能源管理系统，实现空调、照明智能控制，年节约电费约50万元。2024年，学校投入资金670万元进行计量改造，实现在大数据环境下的智慧能源监管和服务升级，助推学校成为高校智慧能源管理的"领跑者"，在《百所高校后勤服务"动态竞争力指数"》中位列第九。

在翡翠湖校区实施合同节水项目，深入推进节水护水工程，通过健全节水长效机制、实现涵盖网络数据监控、资源回收利用、管网终端改造、合同节水管理等方式提升节水管理质效。近三年累计节水超 100 万吨，超额完成计划用水指标。2024 年学校获全国"公共机构水效领跑者"荣誉称号，入选水利部"合同节水典型案例"。

十年来，学校后勤工作获得多项荣誉。2016 年获评"高校后勤物业服务优秀示范项目"，2017 年被授予"中国校园物业服务百强单位"，2020 年获"中国教育后勤协会高校学生公寓疫情防控先进集体"，2021 年入选"全国学校物业管理机构 50 强"，2022 年获评全国教育后勤系统"最美后勤人"团队，2023 年获批全国高校第一批"后勤服务育人劳动教育示范基地"。

二、医疗保障工作的提升

学校始终以师生健康需求为导向，全方位推进医疗保障工作提质增效，逐步构建起覆盖预防、诊疗、康复、应急的全链条健康服务体系，为师生提供更便捷、更优质、更安心的医疗保障。

加强医联体建设　2019 年，校医院与安徽医科大学第一附院共建医联体，在名医工作室建设、校医院专业队伍建设、远程诊疗、双向转诊以及横向科研项目等方面开展进一步深度合作。2023 年，校医院与安徽省胸科医院共建医联体，开展门诊坐诊，并在专业队伍建设、远程诊疗、急危重症病人转诊以及科研项目等方面进一步开展合作。同年，宣城校区医院与宣城市人民医院、宣城市仁杰医院两家医院签订医联体服务协议，推动宣城市优质医疗资源下沉，为校区师生提供便捷优质医疗卫生服务。截至 2025 年 9 月，医联体合作覆盖眼科等 8 个科室，通过"专家坐诊＋远程会诊＋双向转诊"模式，实现"小病不出校、大病有保障"的目标。十年来，学校持续加大校医院硬件设施升级改造，购买全自动生化分析仪、口腔 CT 等设备 30 余台（套）；启动"智慧医院"项目建设，构建起"线上诊疗—线下服务—健康管理"的数字化医疗生态，累计投入资金超 3000 万元。

升级校医院诊疗能力　优化合肥校区、宣城校区校医院布局，增设中医康复科、口腔科、心理专科等特色门诊，形成"全科＋专科"的诊疗体系，满足师生多样化就医需求。推行"一站式"服务，合肥校区设立导医台、便民药房，24小时急诊服务；宣城校区实行"一人多岗、一人多责"，施行大内外科综合门诊24 小时不间断应诊模式，综合服务能力持续提升。十年来，校医院总门诊量从68810 人次增长至98404 人次，其中宣城校区门诊量由 7000 余人次增至 13000 余人次。

大事记（2015—2025 年）

2015 年

1 月 4 日，学校"工大学子"门户社区获评全国高校百佳网站。

1 月 9 日，资源与环境工程学院教授陈天虎与江南大学、淮阴工学院等合作研发的"基于干法活化的食用油脱色吸附材料开发与应用"项目获 2014 年度国家科技发明奖二等奖。

1 月 15 日，《光明日报》发布中国 211 大学海外网络传播力排名，学校名列第 34 位。

1 月 23 日，学校"明理苑"大学生网络文化工作室入选首批教育部大学生网络文化工作室。

1 月 26 日，学校"传承家书文化守护亲情家园——材料学院大学生'一封家书'邮寄活动"项目获教育部"礼敬中华优秀传统文化"特色展示项目。

2 月 25 日，建筑与艺术学院教授李早被授予"全国巾帼建功标兵"称号。

2 月 28 日，学校被授予"第四届全国文明单位"称号。

3 月 11 日，《合肥工业大学章程》经教育部核准生效。

3 月 18 日，学校申报的"高校思政课交互式实践教学法的构建与应用"项目被列为 2014 年度高校思想政治理论课教学方法改革项目"择优推广计划"入选项目。

3 月 27 日，仪器科学与光电工程学院 2011 级本科生李彦祥获首届中国大学生微电影创作大赛剧本类入围奖。

3 月，学校获批教育部本科层次中外合作办学项目——合肥工业大学与美国克拉克大学合作举办国际经济与贸易专业本科教育项目。

同月，学校"多源海量动态信息处理"教育部创新团队学术带头人吴信东教授领衔，在国际顶级期刊 IEEE TRANSACTIONS ON KNOWLEDGE AND DATA ENGINEERING 上发表的学术论文"DATA MINING WITH BIG

DATA"，连续 14 个月被下载次数位居全球第一。

4月1—7日，由学校大学生桥牌队组成的中国青年队，夺得第20届亚太青年桥牌锦标赛青年男子组冠军，阔别中国 16 年的亚太青年男子桥牌冠军杯 RAYMOND 杯重归中国。

4月22—29日，学校新能源汽车研究院与上海瑞珑科技股份有限公司联合开发研制的"天瑞"纯电动轿跑车功能样车，亮相第十六届上海国际汽车工业展览会。

5月8日，学校举行"畅友谊、叙别情，话发展、赏校容"活动，90 余名当年从淮南迁址合肥的教职员工相聚学校。

5月15日，美国驻沪总领事馆总领事史墨客（HANSCOM SMITH）、环境科技卫生领事伍文龙（SETH PATCH）一行就中美绿色合作伙伴关系项目中合肥工业大学与俄亥俄州立大学在新能源汽车领域的合作来访学校。

5月30日，管理工程专业 1983 级校友、北京与君同泽企业策划有限公司董事长赵育清向学校捐资 1000 万元人民币，设立"同泽奖励基金"，用于支持学校奖教、奖学和事业发展。

5月，安徽省知识产权局年报发布：2012 年至 2014 年，合肥工业大学发明专利申请量分别为 394、457、573 件，发明专利授权量分别为 190、200、217 件，发明专利的申请和授权量连续 3 年位居安徽省高校科研院所第一，2014 年位居安徽省企事业单位第一。

6月10日，学校获批筹建国家示范性微电子学院。

6月19日，马克思主义学院教授黄志斌获"高校思想政治理论课教师 2014 年度影响力人物"称号。

6月，管理学院教授杨善林当选国务院学位委员会第七届学科评议组管理科学与工程学科组第一召集人。

7月31日，学校召开教师干部大会，宣布教育部和中共教育部党组任免通知：任命梁樑为合肥工业大学校长。因工作调动，免去徐枞巍合肥工业大学校长职务，免去徐枞巍同志的中共合肥工业大学委员会常委、委员职务。

8月17日，学校"互联网与大数据环境下面向企业的决策理论与方法研究"创新研究群体获批国家自然科学基金创新群体。

9月9日，管理学院教授傅为忠被授予"全国师德标兵"称号。

9月23—28日，学校 HFUT—CHINA 团队获第 11 届国际遗传工程机器设计大赛（IGEM）金牌。

9月29日，经学校第八届教代会执委会讨论通过，党委常委会审定，决定将刘祖慈、谢国华共同创作的《弦歌一路高声唱》正式定为学校校歌，歌名改为

《合肥工业大学校歌》。

9 月 30 日，学校 15 门国家级精品开放课程在教育部课程平台"爱课程网"上线。

10 月 19—21 日，学校获中国首届"互联网＋"创新创业大赛全国总决赛集体奖、创意组银奖 2 项、实践组铜奖 1 项。

10 月 22 日，中国高校海外网络传播力报告（2015）发布，学校排名第 60 位。

10 月 31 日，管理学院教授杨善林获复旦管理学杰出贡献奖。

10 月，经中宣部批准，管理学院教授杨善林担任《中国大百科全书》（第三版）管理科学与工程卷主编。

12 月 1 日，学校获第七届高等学校科学研究优秀成果奖（人文社会科学）2 项，其中，管理学院教授杨善林等完成的著作《制造工程管理中的优化理论与方法》获管理学类二等奖、马克思主义学院副教授钱斌专著《千年一笔谈》获成果普及奖。

12 月 11 日，学校九三学社基层委员会被评为全国优秀基层组织。

2016 年

2 月 18 日，庆祝顾梅玲教授 90 华诞暨到校工作 66 周年活动在屯溪路校区举行。

2 月，学校北斗导航信息处理团队入选全国大学生"小平科技创新团队"。

3 月，学校与悉尼科技大学签订"合作研位计划（双博士学位计划）"协议，正式启动博士生联合培养科学研究项目，首期项目执行单位为学校计算机与信息学院。

4 月 8 日，美国驻华大使马克斯·西本·博卡斯率团来访学校，实地参观考察学校新能源汽车研究院，就中美绿色合作伙伴关系项目进展情况与学校进行交流和沟通。

4 月 12 日，管理学院教授杨善林当选第七届教育部科学技术委员会委员、教育部科技委战略研究委员会副主任委员。

4 月 16 日，管理学院教授杨善林科研团队参与研制的移动微创装备系统正式装配海军辽宁舰。

4 月 19 日，中共安徽省委宣传部下发通知，决定将学校仪器科学与光电工程学院已故教授费业泰作为全省重大典型进行集中宣传报道。4 月 21 日，中共安徽省委教育工委决定在全省教育系统开展向费业泰教授学习活动。

4月25日，学校关工委被授予"全国教育系统关心下一代工作先进集体"称号。

4月，电气与自动化工程学院教授丁明被授予"全国五一劳动奖章"。

5月19日，马克思主义学院教授檀江林入选"高校思想政治理论课教师2015年度影响力人物"。

5月31日—6月7日，国家"十二五"科技创新成就展在北京展览馆举办。管理学院教授杨善林及其团队的先进事迹在创新人才展区展出。

6月，管理学院教授杨善林当选2015年亚太工业工程与管理学会会士（FELLOW）。

7月4日，宣城校区信息工程系2013级本科生黄悦被选举为第21届ROBOCUP世界杯仿真类TC（技术主席），是唯一一位来自中国高校的技术主席。

8月13日，学校大学生桥牌队代表中国青年队获第十六届世界青年桥牌锦标赛亚军，创中国队在该项目上的历史最佳战绩。

9月18日，学校入选首批全国高校共青团"第二课堂成绩单"试点单位。

10月，学校被评为全国大学生暑期"三下乡"社会实践活动优秀单位。

11月8日，无机化工专业1978级校友、国有重点大型企业监事会主席赵华林一行来校访问。

11月14日，学校特聘教授诺尔·怀特（NOEL WHITE）捐赠100万元人民币，专项设立"NOEL WHITE FUND"，用于支持学校建设发展。

11月15日，学校召开纪念《合肥工业大学学报》创刊60周年座谈会。

11月17日，教育部和国家外国专家局联合公布2017年度新建高等学校学科创新引智基地立项建设名单，学校"复杂产品制造过程优化与决策创新引智基地"获批立项。

11月18日，学校与中国汽车技术研究中心合作建设"国家智能网联电动汽车质量监督检验中心（合肥）"，双方签署筹建协议。

11月15—19日，德国海尔布隆应用技术大学与学校共同举办"中德大学交流周"活动。

11月19日，学校选送的"合肥易测精密科技有限公司"和"梦之舟智能科技有限公司"两个项目获2016"创青春"全国大学生创业大赛金奖。

11月21日，学校青年学生代表、校团委学生副书记解蛟龙同学参加中越青年大联欢活动。

11月，计算机与信息学院与悉尼科技大学（UTS）全球大数据技术中心联合成立HFUT—UTS大数据技术联合研究实验室。

12 月 2 日，民建合工大总支被授予"全国社会服务先进集体"称号。

12 月 16 日，学校"智慧养老国际科技合作基地"获批科技部示范型国家国际科技合作基地。

12 月 23 日，学校研发的国内首台"氢三极化靶"通过科技部专家组验收。

12 月 25 日，首届学校金融投资论坛在北京举行。

12 月，学校首次牵头获批国家自然科学基金重大项目"互联网与大数据环境下高端装备制造工程管理理论与方法研究"。

同月，学校可再生能源接入电网技术国家地方联合工程研究中心获批立项。

2017 年

1 月 9 日，学校获 2016 年度国家科技进步奖二等奖 2 项，分别是电气与自动化工程学院教授丁明参与的"新能源发电调度运行关键技术及应用"项目、资源与环境工程学院教授周涛发参与的"大别山东段深部探测与找矿突破"项目。

1 月 18 日，学校入选全国首批深化创新创业教育改革示范高校。

2 月 9 日，学校申报的"寻源家乡传统魅力　增强民族文化自信——合肥工业大学'我的家乡我来说'活动"入选第三届"礼敬中华优秀传统文化"特色展示项目。

4 月 25 日，资源与环境工程学院地质学 2016—1 班杨尚龙同学以 1.96 米的成绩刷新安徽省大学生男子保持了 4 年的跳高纪录，并摘得 2017 年安徽省大学生运动会赛场首冠。

4 月，学校收到中共中央政治局原常委、国务院原副总理李岚清同志惠赠的校训印章。

5 月 5 日，国产大飞机 C919 成功首飞。学校电气与自动化工程学院教授段泽民团队全程参与 C919 大型客机雷电防护方面的研制工作，为 C919 大型客机研制作出重要贡献。

5 月 6 日，教育部党组书记、部长陈宝生来校调研。

5 月 13 日，学校澳大利亚籍专家诺尔·怀特（NOEL WHITE）教授当选 2016 外教中国年度人物。

5 月 15 日，建筑与艺术学院创作的视频"包小黑买房记——装配式建筑科学知识普及"入选 2016 年全国优秀科普微视频作品。

5 月 18 日，电机专业 1982 届校友，国家发展和改革委员会副主任兼国家统计局局长、党组书记宁吉喆一行来校调研。

5月27日，管理学院教授杨善林获全国创新争先奖状。

5月29日，中国航天科技集团公司向学校发来感谢信，感谢学校材料科学与工程学院教授张久兴率领的硼化物单晶研究团队，研制和批量提供的六硼化镧单晶体材料，成功应用于实践十七号卫星的磁聚焦霍尔推力器上。

6月2日，学校出版社出版的徽州古村落文化丛书一套10种及《新徽派建筑实例》《上善若水——中国传统文化中的大智慧》《百年胡庄——一个村落社区的信仰与生活变迁》共计13个品种被哥伦比亚大学图书馆选中并馆藏。这是学校出版社首次向美国哥伦比亚大学图书馆捐赠图书。

6月10日，中俄"长江伏尔加河"青年论坛国际文化节在翡翠湖校区举行。

6月14日，学校"青年马克思主义者研修班"案例获全国教育关工委"优秀创新案例"。

同日，计算机与信息学院教授吴信东牵头的"多源海量动态信息处理"团队入选2017年教育部"创新团队发展计划"滚动支持名单。

7月7日，学校召开一流学科建设高校建设方案专家论证会。

7月12—13日，中国共产党合肥工业大学第八次代表大会召开。大会选举产生中国共产党合肥工业大学第八届委员会和中国共产党合肥工业大学第八届纪律检查委员会。24人当选新一届党委委员，9人当选新一届纪委委员。

7月24—28日，校党委副书记、校长梁樑率团拜访白俄罗斯国家教育部，赴白俄罗斯国立大学、白俄罗斯国立工业大学、白俄罗斯国立工艺大学、白俄罗斯国立文化艺术大学4所高校进行交流访问，并签署校际合作协议。

7月31日，首届材料行业校友论坛在成都举行。

8月，食品科学与工程学院教授陆剑锋入选"蟹加工与保鲜"岗位科学家，是学校首位进入国家现代农业产业技术体系的岗位科学家。

同月，学校获批国家自然科学基金133项，总直接经费5935.1万元，其中优秀青年科学基金项目4项、重点项目1项。

9月20日，学校成为国家"双一流"建设高校。

9月18—24日，第三届军民融合发展高技术装备成果展览暨论坛活动在北京举行，学校管理学院报送的"卫星对地观测星地一体化任务规划"项目入选实地展厅和网上展厅，"移动微创医疗装备及系统"项目和"多无人机编队管理与协同智能决策技术"项目入选网上展厅。

9月24日，材料科学与工程学院教授罗派峰获第二届全国高校无机非金属材料专业青年教师讲课比赛一等奖。

9月26日，学校与美国克拉克大学正式签署"2＋2"本科联合培养协议。该项目是学校与国外大学开展的第三个双学位本科联合培养项目。

10 月 7 日，中央电视台社会与法频道（CCTV—12）《法律讲堂（文史版）》栏目开始连续播出学校马克思主义学院教授钱斌的系列电视讲座《大宋提刑官宋慈》，这是安徽省学者首次登上这一央视品牌讲坛。

10 月 12 日，2011 年诺贝尔化学奖获得者、以色列理工学院菲利普·托拜厄斯讲席教授 DAN SHECHTMAN 一行来校访问。

10 月 15 日，电子科学与应用物理学院教师宋玲玲获 2017 年全国高等学校电子信息类专业青年教师授课竞赛一等奖。

同日，宣城校区建工系教师康谨之获第二届全国城市地下空间工程专业青年教师讲课大赛特等奖。

10 月 17 日，资源与环境工程学院教师张达玉、段晓侠获首届全国大学青年教师地质课程教学比赛二等奖。

10 月，计算机与信息学院教授汪萌申报的"多媒体分析与搜索"项目获 2017 年度"国家杰出青年科学基金"资助，这是学校首次获得该类项目资助。

11 月 7 日，中共安徽省委副书记、省长李国英来校调研。

11 月 9—13 日，软件学院 HFUT—CHINA 团队在第 13 届国际遗传工程机器设计大赛（IGEM）中斩获金牌。

11 月 17 日，学校被授予首届"全国高校文明校园"称号。

11 月 18 日，学校获第十五届"挑战杯"全国大学生课外学术科技作品竞赛一等奖 1 个、二等奖 3 个、三等奖 1 个。

11 月 22 日，学校被授予"全国大学生暑期'三下乡'社会实践优秀单位"称号。

11 月，仪器科学与光电工程学院教授于连栋入选 2017 年国家百千万人才工程，同时被授予"有突出贡献中青年专家"称号。

12 月 2 日，物业服务中心被授予"中国校园物业服务百强单位"称号。

12 月 7 日，学校获评全国第一批深化创新创业教育改革特色典型经验高校。

12 月 14 日，学校在"2012—2016 年全国普通高校竞赛评估结果（本科）TOP300"榜单中位列第 37 位。

2018 年

1 月 3 日，学校被授予"全国厂务公开民主管理示范单位"称号。

同日，学校决策科学与信息系统技术教师团队入选首批全国高校黄大年式教师团队。

1月12日，学校计算机科学学科进入 ESI 全球排名前 1‰行列。

同日，国家外专局和教育部正式公布 2018 年度新建高等学校学科创新引智计划立项名单，学校"清洁能源新材料与技术学科创新引智基地"获批立项。

2月8日，学校出版社申报的"中国红十字运动通史（6卷）""中国竹器（4卷）"2 个项目获 2018 年国家出版基金资助。

2月12日，学校"先进能源与环境材料国际科技合作基地"获批科技部示范型国家国际科技合作基地。

3月15日，学校王章豹研究员主持的"我国新工科人才培养的若干问题研究——基于工程哲学的视角"、卢剑伟教授主持的"多学科交叉的智能车辆技术人才培养体系探索"、于连栋教授主持的"面向现代工业经济的仪器类专业改造研究与实践"3 个项目被教育部认定为首批"新工科"研究与实践项目。

3月，学校获评"全国学生资助工作优秀单位案例典型"。

4月9日，学校获评"2017 年度教育信息工作先进单位"。

4月11—15日，在 2018 国家机器人发展论坛暨 ROBOCUP 机器人世界杯中国赛中，学校 3 支代表队获足球仿真 3D 项目一等奖、机器人救援仿真项目二等奖、足球仿真 2D 项目三等奖，学校自 2010 年以来再次站上前三名的领奖台。

5月3日，中共安徽省委书记李锦斌来校调研。

4月13日—5月25日，教育部党组第二巡视组对学校党委进行巡视。

5月25—27日，学校汽车工程技术研究院和长春富晟汽车创新技术公司联合自主设计和开发的首款轻量化电动汽车亮相 2018 世界制造业大会。

5月，学校刘心报教授入选"长江学者奖励计划"特聘教授，龙建成教授入选"长江学者奖励计划"青年学者。

6月22日，美国著名经济学家、2004 年诺贝尔经济学奖获得者 EDWARD C. PRESCOTT 教授来校作报告。

7月4日，学校获批国防科工局与教育部共建高校。

7月5日，教育部党组第二巡视组向学校党委反馈巡视情况。

7月13日，学校党委召开贯彻落实教育部党组巡视反馈意见整改工作动员部署大会，校党委书记袁自煌作巡视整改工作动员报告。

7月，学校入选 2018 年度全国创新创业典型经验高校。

同月，学校学生创业俱乐部入选全国高校创业社团十强。

8月16日，学校获批国家自然科学基金各类项目 168 项，总直接经费 7977.9 万元，其中面上项目 87 项、青年项目 75 项、重点项目（含国际合作）3 项、优秀青年科学基金项目 1 项、其他项目 2 项。

8月29日，学校侨联被授予"全国侨联系统先进组织"称号。

9 月 14 日，学校资源科学与工程系党支部书记工作室入选首批全国高校"双带头人"教师党支部书记工作室培育创建单位。

10 月 11 日，民进合工大基层委员会被授予"民进全国宣传思想工作先进集体"称号。

10 月 12—15 日，学校学子获第四届中国"互联网＋"大学生创新创业大赛总决赛主赛道银奖 2 项、铜奖 2 项，"青年红色筑梦之旅"赛道铜奖 2 项。

10 月 23 日，土木与水利工程学院教授高永新获第九届刘光鼎地球物理青年科学技术奖。

10 月 26 日，学校 HFUT 创新创业@大数据中心正式启动运营。

10 月 27 日，管理学院教授杨善林获系统科学与系统工程终身成就奖。

10 月，机械工程学院教授张永斌获 2018 年度中国振动工程学会青年科技奖。

11 月 4 日，学校获 2018 年"创青春"全国大学生创业大赛金奖 1 项、银奖 2 项。

11 月 6 日，学校吴华清教授领衔申报的项目"新时代背景下我国经济发展质量动态评价及其政策协同研究"获批 2018 年度国家社科基金重大项目。

11 月 12—15 日，教育部高等教育教学评估中心组织专家对学校开展本科教学工作审核评估现场考察。

11 月 17 日，建筑与艺术学院举行建院 60 周年纪念大会暨文艺晚会。

11 月 20—24 日，校领导率团赴白俄罗斯洽谈合作办学事宜，与白俄罗斯国立工业大学商定《"2+2"学生联合培养项目协议》。

12 月 10 日，仪器科学与光电工程学院党委入选首批全国党建工作标杆院系培育创建单位，计算机与信息学院信号与信息处理研究所党支部、宣城校区机械工程系学生第一党支部入选首批全国党建工作样板支部培育创建单位。

12 月 21 日，学校获 2018 年国家级教学成果奖 2 项，其中作为独立完成单位主持申报的"基于能力导向的工科专业本科生教育教学渐进式改革与实践"成果获二等奖，作为参与单位申报的"推进基础课与实践教学协同创新，致力知识向能力有效转化"成果获一等奖。

12 月 25 日，计算机及应用专业 1985 级校友、博思软件股份有限公司董事长陈航向学校捐赠人民币 500 万元，专项支持校史馆及校友活动中心项目建设。

12 月 27 日，学校首次举行教职工荣休仪式。

12 月，学校 24 位教师入选 2018—2022 年高等学校教学指导委员会委员，其中，入选副主任委员 1 人、委员 23 人。

2019 年

1 月 13 日，学校与滁州天长市人民政府签署深化校地全面合作协议，正式开启"合工大模式"。

1 月 18 日，学校农业科学学科进入 ESI 全球排名前 1‰行列。

1 月 21 日，学校召开干部教师大会，宣布教育部党组任免决定：余其俊同志任中共合肥工业大学委员会委员、常委、书记；免去袁自煌同志中共合肥工业大学委员会书记、常委、委员职务。

1 月 23 日，机械工程学院教授郑红梅负责的"材料成形技术基础"课程入选国家精品在线开放课程，是学校首门国家精品在线开放课程。

2 月 18 日，安徽省省长李国英来校调研。

3 月 8 日，艺术设计专业 2001 级校友、万人集团总裁吕俊坤向学校捐赠人民币 500 万元，专项支持校史馆及校友活动中心项目建设。

3 月 14 日，学校出版社申报的"中华传统食材丛书（30 卷）""中国古代设计通史（6 卷）""中华巫风·傩俗·傩戏——民族心灵舞蹈的珍贵镜像（2 卷）"3 个项目获 2019 年国家出版基金资助。

3 月，学校与白俄罗斯国立技术大学签署"2＋2"本科双学位联合培养项目协议，中白"2＋2"国际合作班开班。

4 月 21 日，学校代表队首次获 ROBOCUP 机器人世界杯中国赛足球仿真 2D 项目全国冠军（一等奖）。

5 月 11 日，美国南加州校友会成立。

5 月 20 日，学校与灵璧县人民政府共建的合肥工业大学技师学院灵璧分院揭牌。

6 月 1 日，金融投资行业校友会成立。

6 月 11 日，民盟合肥工业大学基层委员会被授予"中国民主同盟高校基层组织盟务工作先进集体"称号。

6 月 28 日，学校首个中外合作办学项目国际经济与贸易（中外合作办学）专业首届毕业生毕业。

6 月，学校首次为 3000 名应届本科毕业生颁发第二课堂成绩单。

7 月 13 日，电气与自动化工程学院教师张晨彧获第三届全国高等学校青年教师电工学课程教学竞赛特等奖。

7 月 18 日，管理学院教授杨善林科研团队与华为技术有限公司、中国移动、合肥德铭电子有限公司合作，成功保障了我国首例基于 5G 网络的远程手术指导，为我国推动 5G 技术发展应用提供了成功的探索。安徽省省长李国英通过 5G 网络观看手术过程，并给予高度评价。

7月26—28日，在第十届全国高等学校测绘类专业青年教师讲课竞赛中，学校土木与水利工程学院教师朱勇超获特等奖，余敏、李振轩获一等奖。

8月16日，学校获批国家自然科学基金133项，总直接经费7307.54万元，其中面上项目66项、青年项目57项、重点项目2项、优秀青年科学基金项目4项、国家重大科研仪器研制项目1项、联合基金培育项目2项、专项项目1项。

8月28日，学校举行"双一流"建设中期自评专家评议会。

9月5日，管理学院教授杨善林被授予"全国模范教师"称号，马克思主义学院教授钱斌被授予"全国优秀教师"称号。

9月30日，学校日本籍专家任福继教授获2019年度中国政府友谊奖。

10月11日，学校与美国克拉克大学合作举办的国际经济与贸易专业本科教育项目，顺利通过2019年中外合作办学合格性评估。

10月12日，学校斛兵书苑建设方案"书香中国万里行"获中国高校校园书店优秀案例奖。

10月12—15日，在第五届中国"互联网＋"大学生创新创业大赛总决赛中，学校学子摘得主赛道全国银奖1项、铜奖3项。

10月16日，民进合工大基层委员会被授予"民进全国先进基层组织"称号。

11月14日，中国共产主义运动先驱、革命烈士李大钊的后代，学校发配电专业1973级校友李宏塔给干部师生上"革命后代讲党课红色基因代代传"主题教育专题党课。

11月20日，机械工程学院教授訾斌申报的"智能柔性驱动机器人理论、技术与装备"项目、汽车与交通工程学院教授龙建成申报的"城市动态交通出行优化"项目获2019年度"国家杰出青年科学基金"资助，这是学校首次同时获2项该类资助。

11月23日，仪器科学与光电工程学院举办学科发展60周年论坛。

11月，土木与水利工程学院"小巷总理"大学生志愿服务项目入选2019年全国高校大学生志愿服务社区示范项目。

12月8日，设计院（集团）有限公司举办40周年庆祝大会。

12月10日，管理学院教授杨善林牵头完成的项目"人机协同的智能微创医疗装备系统关键技术及应用"获2019年度高等学校科学研究优秀成果奖科学技术进步一等奖。

12月24日，学校获批国家级一流本科专业建设点20个。

12月30日，学校与北方民族大学签署《合肥工业大学对口支援北方民族大学合作协议书》。

2020 年

1月7日，学校召开干部大会，宣布教育部对学校领导班子部分成员的任命决定：梁樑任合肥工业大学校长，刘晓平、刘志峰、李建东、季益洪任合肥工业大学副校长，郑磊任合肥工业大学副校长（试用期一年），免去陈鸿海同志合肥工业大学副校长和闫平同志合肥工业大学总会计师职务；陈鸿海同志任合肥工业大学党委副书记，免去闫平同志中共合肥工业大学委员会常委、委员职务。

1月10日，由中国电力科学研究院有限公司、合肥工业大学等单位联合申报的"青藏地区可再生能源独立供电系统关键技术及工程应用"项目获2019年国家科技进步奖二等奖，学校丁明教授和刘芳副教授分别排名第三和第十。

1月13日，学校与新疆农业大学签署《合肥工业大学对口支援新疆农业大学框架协议》。

1月23日，学校召开新型冠状病毒肺炎疫情防治工作会，迅速启动学校突发公共卫生事件应急预案响应。

2月6日，PCAWG（泛癌全基因组分析）联盟在NATURE正刊发表6篇论文，学校杨善林院士和丁帅教授是集体作者的成员。

2月28日，马克思主义学院教授黄志斌主持完成的国家社科基金重点项目"中国马克思主义绿色发展观的基本理论与方法研究"获优秀等级。

3月6日，学校举办2020年毕业生校友企业空中双选会，近400家校友企业与毕业生通过网络参加招聘工作，共同见证了学校历史上第一场线上大型双选会。

4月26日，中共安徽省委宣传部下发通知，决定将学校管理学院教授杨善林同志列为全省重大先进典型进行集中宣传报道。

4月，学校推选的"教师党支部建设之课程思政"工作案例入选中组部和教育部编写的《基层党组织书记案例选编（高校版）》。

5月13日，根据教育部和安徽省教育厅、合肥市人民政府关于2020年春季学期返校工作的整体部署，经安徽省教育厅和合肥市人民政府同意，符合学校疫情防控条件且有实验需求的合肥地区2020年应届毕业硕士、博士研究生首批返校。

5月14日，学校地球科学学科首次进入ESI全球排名前1%行列。

6月13日，学校管理学院教授杨善林登上中央广播电视总台《开讲啦》栏目，同央视主持人撒贝宁一起，向全国观众分享了自己从教30余年来的科研故事。

6月21日、22日，学校2020届毕业生云毕业典礼暨学位授予仪式分别在合肥校区、宣城校区举行。

7月15日，学校汪萌教授入选2020年国际模式识别协会会士（IAPR

FELLOW）。

8 月，电气与自动化工程学院教授马铭遥获 2020 年中达青年学者奖。

9 月 17 日，学校召开"双一流"建设周期总结专家论证会。

9 月 22 日，国务院联防联控机制秋冬季新冠肺炎疫情防控专项督查组来校督查。

9 月 27 日，学校校友（上海）科技创新发展联盟成立。

10 月 5 日，1998 届校友、杭州启明医疗器械股份有限公司 CEO 訾振军捐赠 1000 万元设立"文元"基金。该基金重点支持的项目之一"启明德诺—合肥工业大学创新人才联合培养中心"同日揭牌。

同日，学校校史馆正式开馆。

10 月 9 日，《大学生第二课堂指南》作为国内首部关于高校第二课堂教育的精品教材正式发布。

10 月 28 日，合肥工业大学中印尼文化交流系列活动开幕。

10 月，由中央宣传部、国务院扶贫办联合出版的《习近平总书记关于扶贫工作的重要论述学习文集（2020）》正式出版，学校文法学院副教授周乾提交的论文《扶贫慈善信托的理论价值、实践特点与制度建议》成功入选。

11 月 17—18 日，学校关工委常务副主任、秘书长王皖江被授予"全国关心下一代工作先进工作者"称号。

11 月 20 日，学校被中央宣传思想文化工作领导小组认定继续保留全国文明校园称号。

11 月 23—24 日，管理学院教授杨善林团队科研成果获评世界互联网最具领先性的 15 项科技成果之一。杨善林团队的"人机协同的智能移动微创腔镜系统"项目入选独立发布成果。

11 月 24 日，仪器科学与光电工程学院教授余有龙及其科研团队的科研成果钻具温度分布信息精确测量技术，应用于"嫦娥五号"登月工程。

同日，国际电气和电子工程师协会（IEEE）公布 2021 年新晋 FELLOW 名单，学校汪萌教授当选 2021 IEEE FELLOW。

同日，学校 14 门课程被认定为国家级一流本科课程。

12 月 9 日，材料科学与工程学院 2018 级本科生吴修佳、宣城校区机械工程系 2017 级本科生欧阳震被评为中国大学生自强之星。

12 月 10 日，学校获第八届高等学校科学研究优秀成果奖（人文社会科学）3 项，其中管理学院教授杨善林的论文《大数据中的管理问题：基于大数据的资源观》获论文类一等奖。

12 月 31 日，学校夏娜家庭获全国五好家庭称号。

2021 年

1月19日，中国航发四川燃气涡轮研究院和中国航发西安航空发动机有限公司向学校发来感谢信，感谢由学校管理学院杨善林教授领衔、张强副教授带领的研究团队在承担"航空发动机设计制造协同流程优化"项目实施过程中所作出的艰辛努力和卓越贡献，同时也感谢学校对中国航发涡轮院与西航公司相关工作的大力支持。

2月10日，学校获批2020年度国家一流本科专业建设点11个。

3月22日，学校在"2012—2020年全国普通高校教师教学竞赛状态数据（本科）"中位列第28位。

3月28日，学校物业服务中心入选2020全国学校物业管理机构50强。

4月27日，无机化工专业1982届校友、科技部副部长徐南平来校调研指导工作。

5月13日，学校环境学/生态学学科进入ESI全球排名前1‰行列。

5月16日，在第十七届"挑战杯"全国大学生课外学术科技作品竞赛红色专项活动中，学校选送的作品"民营博物馆背后——国人的脊梁"获全国一等奖，另有3件作品获二等奖、1件作品获三等奖。

5月27日，学校官方微信、团委微信入选首批高校思政类公众号重点建设名单。

5月28日，计算机与信息学院（人工智能学院）教授安宁入选2021年国际健康信息科学院FELLOW。

6月16日，中国航天科技集团有限公司、沈阳飞机工业（集团）有限公司先后向学校发来感谢信，对学校机械工程学院真空技术团队、仪器科学与光电工程学院精度理论及应用工程中心科研团队在我国首次火星探测任务中作出的贡献，以及学校长期以来在沈飞集团建设发展过程中给予的大力支持表示衷心感谢。

6月25日，重大革命历史题材电视连续剧《觉醒年代》编剧、中共中央党史和文献研究院研究员龙平平应邀作专题报告。

7月1日，合肥工业大学学习强国号正式上线。

7月7日，新华网《新华访谈》以"高质量党建引领高水平大学建设"为主题专访学校党委书记余其俊。

7月15日，学校获批教育部中外人文交流中心"高层次国际化人才培养创新实践项目"。

7月30日，北京市人民政府天安门地区管委会将2018年10月7日学校建校纪念日当日在天安门广场升起的国旗赠送给学校。

8 月 20 日，学校获批 2021 年国家自然科学基金各类资助项目 164 项，获资助直接费用 7524 万元。

9 月 6 日，科技日报以"他把医用'微信'送上雷神山、火神山'疫'线"为题，介绍学校管理学院教授杨善林面对突如其来的新冠肺炎疫情，迎难而上，用行动践行科学家"胸怀祖国、服务人民的赤热情怀"。

9 月 9 日，校长梁樑在央视《百家讲坛》"我们的大学"专题节目讲述学校办学成就和"工业报国"故事。

9 月，学校工程科学学科首次跻身全球排名前 1‰行列。

10 月 8 日，智能制造技术研究院揭榜国家发展改革委、科技部"新型研发机构科教融合培养产业创新人才"项目。

10 月 12 日，学校 3 部教材获全国优秀教材奖（高等教育类）二等奖、1 部教材获全国教材建设奖全国优秀教材（职业教育与继续教育类）二等奖，中国工程院院士、管理学院教授杨善林获全国教材建设先进个人奖。

10 月 13 日，学校入选第一批教育部直属高校服务乡村振兴创新试验培育项目 2 个。

10 月 15 日，学校学子获第七届中国国际"互联网＋"大学生创新创业大赛高教主赛道银奖 4 项、铜奖 1 项，红色筑梦之旅赛道铜奖 1 项。

10 月 26 日，学校新增博士学位授权一级学科 3 个、博士专业学位授权点 1 个、硕士专业学位授权点 2 个。

11 月 3 日，电气与自动化工程学院教授谢震参与的"网源友好型风电机组关键技术及规模化应用"项目获 2020 年度国家科技进步奖二等奖。

11 月 21 日，中共安徽省委副书记、省长王清宪来校宣讲党的十九届六中全会精神。

11 月 24 日，学校获批全国高校毕业生就业能力培训基地。

11 月 26 日，学校入选全国普通高校毕业生就业创业工作典型案例。

11 月，学校外籍教师丹尼尔·戴维（DANIEL DAVID）参与科技部建党百年寄语中国视频征集活动录制，并被《国际人才交流杂志》公众号刊发。

12 月 12 日，学校数据科学与智慧社会治理实验室获批首批教育部哲学社会科学实验室（试点），全国共 9 家。

12 月 17 日，学校团委新媒体中心入选全国高校共青团新媒体重点工作室。

12 月 20 日，学校获批教育部第二批产学合作协同育人项目 24 项。

12 月 22 日，学校被授予"全国教育系统关心下一代工作先进集体"称号。

12 月 27 日，学校智能制造现代产业学院获批国家首批现代产业学院。

2022 年

1月10日，学校申报的"面向新型电力系统建设的创新型人才国际合作培养项目"获批国家留学基金管理委员会2022年创新型人才国际合作培养项目。

1月27日，学校新能源电力系统科学与技术教师团队入选全国高校黄大年式教师团队。

1月，"合肥工业大学智能制造技术研究院校企合作改革模式"入选科技部科技体制改革典型案例。

2月9日，学校成为国家第二轮"双一流"建设高校。

2月15日，学校"大学数学课程群虚拟教研室"获批教育部首批虚拟教研室建设试点。

3月10日，学校社会科学总论学科进入ESI全球排名前1‰行列。

同日，学校化学与化工学院化工技术中心教师党支部和微电子学院集成电路设计与集成系统学生党支部入选"全国党建工作样板支部"培育创建单位。

3月11日，《新华社瞭望周刊》刊发学校党委书记余其俊专访：践行"工业报国"使命培养一流创新人才。

4月2日，国家自然科学基金"智能互联系统的系统工程理论及应用"基础科学中心项目正式立项。该项目由学校牵头主持，清华大学、全球能源互联网研究院有限公司为合作单位。项目直接经费为5000万元，资助期5年，是安徽省首个获批主持的基础科学中心项目。

4月13日，中共安徽省委书记郑栅洁来校调研。

4月18日，学校团委获评2021年度全国大学生"返家乡"社会实践活动表扬单位。

同日，俄罗斯工程院院长古谢夫（B. V. GUSEV）教授向学校计算机与信息学院教授吴信东发来贺信，祝贺吴信东教授当选为俄罗斯工程院外籍院士。

4月28日，学校被授予"全国五一劳动奖状"。

5月19日，学校"工科高校素质教育改革虚拟教研室"入选第二批虚拟教研室建设试点项目。

5月25日，学校建筑与艺术学院教授巫俊、李学斌、郭凯的油画作品被安徽美术馆永久陈列收藏。

6月7日，学校获批2021年度国家级一流本科专业建设点17个。

6月15日，学校联合人民公开课共同推出"创厚德课堂　育时代新人"课程思政公益直播活动，学校党委书记余其俊开讲第一课。

7月25日，学校落实《教育部办公厅关于组织实施部属高校县中托管帮扶项目的通知》要求，与砀山县人民政府、颍上县人民政府签署县中托管帮扶协议。

7 月 26 日，学校获第二十三届中国专利奖优秀奖 2 项。

8 月 17 日，学校召开干部教师大会，宣布教育部党组任免决定：郑磊同志任合肥工业大学校长，梁樑同志不再担任合肥工业大学校长、党委副书记、党委常委。

8 月 21 日，"全国普通高校大学生艺术类竞赛指数"发布，学校获 A＋等级，综合排名位于全国前 2％，获奖 237 件。

8 月 31 日，学校获批首批国家级创新创业学院建设单位。

8 月，学校入选全国首批"大思政课"实践教学基地。

9 月 9 日，学校退休教师张利作为"高校银龄教师支援西部计划"团队代表，参加《闪亮的名字——2022 最美教师发布仪式》录制，并现场接受中共中央宣传部、教育部表彰。

9 月 12 日，学校获批国家自然科学基金各类资助项目 166 项，获资助直接费用 7417 万元。

9 月 14 日，国家乡村振兴局《乡村振兴简报》以"发挥科教优势深化定点帮扶"为题，介绍学校定点帮扶灵璧县工作情况。

9 月 23 日，微光电子技术专业 1985 级校友、国家国防科工局副局长李立功一行来校调研。

10 月 14 日，学校第一届研究生教育督导委员会成立。

10 月 16 日，学校师生在 2022 年美国运筹学和管理学研究协会年会铁路应用分部铁路优化专题竞赛中斩获第三名，并受邀在 INFORMS RAS 分会上对问题求解方案作相关报告，这是学校首次在该竞赛中获奖。

10 月，学校获批建设水泥基材料低碳技术与装备教育部工程研究中心。

11 月 4 日，中央宣讲团成员、全国政协经济委员会副主任宁吉喆校友来校宣讲党的二十大精神。

11 月 12 日，汪萌教授获第十七届中国青年科技奖。

11 月 10—13 日，第八届中国国际"互联网＋"大学生创新创业大赛总决赛通过线上比赛方式举行，学校食品与生物工程学院"智敏科技——食品无损智检系统先行者"项目团队斩获国赛金奖（高教主赛道本科生初创组），实现学校"互联网＋"大赛国赛金奖历史性突破。

11 月 28 日，学校首次承办教育部 2022 国际产学研用合作会议——新能源与智能网联汽车分会场研讨会。

11 月 29 日，学校资源与环境工程学院被认定为全国科普教育基地。

11 月 30 日，经济学院教师操玮、高玲玲和化学与化工学院教师杨庆春获第四届全国高校混合式教学设计创新大赛"设计之星"奖项。

11月，建筑与艺术学院副教授黎启国入选自然资源部高层次科技创新人才工程（国土空间规划行业）青年科技人才。

同月，学校获首批全国高校设计赋能乡村振兴先进单位称号。

12月14日，由学校图书馆牵头申报的"高校国家知识产权信息服务中心"正式获批。

同日，学校申报的"面向未来聚变堆的材料研发与评价创新型人才国际合作培养项目"获批国家留学基金管理委员会2023年创新型人才国际合作培养项目。

12月15日，教育部关工委公布2022年"读懂中国"活动入选作品名单，学校被教育部关工委确定为表扬单位，获最佳征文1项、优秀微视频1项。

12月，学校年度发明专利申请和授权量均创历史新高，发明专利授权量首次突破千件大关，是安徽省唯一一个破千的高校类科技创新主体。

2023 年

3月17—19日，学校获第十三届"挑战杯"中国大学生创业计划竞赛终审决赛金奖1项、银奖1项、铜奖2项。

3月20日，学校与兰州工业学院签署对口支援合作协议。

同日，学校"合肥工业大学技师学院灵璧分院高质量建设"项目获评"直属高校创新试验典型项目"。

3月22日，新华网以"求解'合工大'模式背后的人才培养密码"为题，多平台联动大篇幅报道学校在创新人才培养等方面取得的显著成效和丰硕成果，"千人一领军"成为学校创新人才培养的响亮品牌。

3月24日，食品与生物工程学院教授汪惠丽被授予"全国五一巾帼标兵"称号。

3月，电能高效高质转化全国重点实验室（共建）获科技部批准建设。

4月1日，学校2个项目获评2022年度教育部产学合作协同育人项目优秀项目案例。

4月6日，学校获批教育部第二期供需对接就业育人项目立项32项。

4月8日，学校梁樑教授牵头的"'立德树人、能力导向、创新创业'三位一体教育教学质量保障体系构建与实践"案例入选"首批全国高校质量文化建设示范案例"。

同日，《全国普通高校创新创业类竞赛研究报告》发布，学校以获奖数量374项获评全国A＋，位居全国高校TOP1％。

4月24日，电气与自动化工程学院教师马铭遥获第六届全国高校青年教师教学竞赛二等奖、工科组第六名。

4月28日，学校获评第五届高校宣传工作创新案例展示案例。

5月4日，管理学院教授杨善林的"复杂产品全生命周期数字化网络化智能化管理理论及应用"获第三届成思危全球奖。

5月30日，学校11门课程被认定为国家级一流本科课程。

同日，学校梁樑教授获第三届全国创新争先奖状。

5月，学校教育基金会获评最高等级"5A级社会组织"。

6月8日，中共安徽省委书记韩俊来校调研。

6月26日，校党委书记余其俊就教育强国、工大何为在《中国教育报》发表署名文章《为助推区域经济高质量发展贡献高校智慧》。

6月28日，学校与中国科学技术大学签署《中国科学技术大学合肥工业大学联合培养芯片人才协议》。

6月，学校入选中国科协科学家故事研习项目1项、学风涵养工作室7项，其中科学家故事研习项目是学校首次获批。

7月12日，学校召开干部会议，宣布教育部党组的任免决定：于祥成同志任合肥工业大学党委书记，严福平同志任党委副书记，汪萌、吴华清同志任党委常委、副校长；余其俊同志不再担任合肥工业大学党委书记，陈鸿海同志不再担任党委副书记，吴玉程同志不再担任党委常委、副校长职务。

同日，学校获高等学校科学研究优秀成果奖2项，其中机械工程学院教授訾斌主持完成的项目"大空间刚柔耦合智能机器人系统高效协作关键技术及应用"获技术发明一等奖，管理学院教授胡笑旋主持完成的项目"遥感卫星群复杂任务规划技术×××应用"获科技进步奖二等奖。

7月19日，汽车与交通工程学院车辆工程系白先旭教授和钱立军教授共同申报的"适用于高速冲击/低速振动控制系统的磁流变阻尼器"专利及相关技术成果获中国专利优秀奖。

7月21日，学校获高等教育（研究生）国家级教学成果3项。其中，刘心报教授主持的"两融合三并用六协同——专业学位研究生实践创新能力培养新模式"获一等奖，杨善林教授主持的"管理科学与工程一流学科研究生培养的模式创新与能力建设研究与实践"、吴玉程教授主持的"行业特色高校'多维融合'的高水平研究生人才培养体系构建与实践"获二等奖。

7月26日，学校管理学院教授杨善林和电气与自动化工程学院教授马铭遥主讲的微党课"胸怀国之大者　担当强国使命"入选2023年高校党组织示范微党课。

8月22日，学校机械工程学院教师郑红梅教学团队获第三届全国高校教师教学创新大赛新工科正高组二等奖、马克思主义学院教师陈殿林教学团队获新文科正高组三等奖。

8月24日，学校获批国家自然科学基金各类资助项目167项，获资助直接经费7013万元。本次获批面上项目77项、青年科学基金项目81项、优秀青年科学基金项目2项、重点项目2项、国际（地区）合作与交流项目3项、专项项目2项。

8月28日，宣城校区工会获全国教科文卫体系统"模范职工小家"称号。

8月，学校被认定为首批中国真空学会科普教育基地。

9月15日，学校生物学与生物化学学科进入ESI全球排名前1‰行列。

9月23日，学校汽车行业校友2023年论坛在合肥举行。

9月24日，学校举办资源与环境学科发展论坛。

9月，校长郑磊就创新人才培养接受新华社《半月谈》专访。

同月，学校入选安徽省党建工作示范高校。

10月9日，学校"'研、培、展、用'四位一体教师发展体系构建与实践"案例入选教育部全国高校教师发展中心建设优秀案例。

10月27日，学校位列"2023软科世界一流学科排名"全国高校第46位，4个学科进入世界前100名，食品科学与工程、仪器科学2个学科进入世界前50名。

10月28日，学校校友企业家创新发展论坛在滁州市举行。同日，工大智谷（滁州）协同创新中心揭牌。

11月6日，管理学院教授杨善林牵头的高端装备制造教材建设团队入选教育部战略性新兴领域"十四五"高等教育教材体系建设团队。

11月11日，学校教授张兴牵头申报的"大型光伏电站用并网逆变器关键技术及其工程应用"项目获第九届中国电源学会科学技术奖科技进步奖特等奖。

11月21日，学校作为首批中方高校加入"中国-白俄罗斯大学联盟"，并签署《中国-白俄罗斯大学联盟成立协议》，学校对白合作内容被教育部纳入《中华人民共和国教育部和白俄罗斯共和国教育部关于实施和扩大教育领域交流2024—2025年计划》。

11月，学校案例入选"大学校园物业管理典型案例"。

同月，学校获批新设马克思主义理论、数学、控制科学与工程、建筑学和化学工程与技术5个博士后科研流动站。

12月9—10日，学校举办教育部2023国际产学研用合作会议——新能源与智能网联汽车研讨会。

12 月 11 日，阿塞拜疆巴库国立大学校长埃利钦·巴巴耶夫（ELCHIN BABAYEV）一行来校访问。两校签署谅解备忘录。

11 月 1 日—12 月 16 日，教育部党组第二巡视组对学校党委进行巡视。

12 月 22 日，学校申报的"数智驱动的管理决策与创新创新型人才国际合作培养项目""战略性矿产资源成矿理论与找矿预测创新型人才国际合作培养项目"获批国家留学基金管理委员会 2024 年创新型人才国际合作培养项目。

12 月，《中国高等教育》刊发学校党委书记于祥成署名文章《推动青年科技人才更好更快成长为国家战略科技人才》。

同月，学校被授予"全国暑期'三下乡'社会实践优秀单位"称号，"寻访红色皖南"实践项目获全国实践优秀品牌项目。

2024 年

1 月 2 日，教育部、安徽省人民政府决定重点共建合肥工业大学，加快推进学校"双一流"建设。

1 月，美国机械工程师学会（AMERICAN SOCIETY OF MECHANICAL ENGINEERS，ASME）公布新当选的会士（FELLOW）名单，汽车与交通工程学院车辆工程系教授白先旭当选为 2023 年 ASME FELLOW。

2 月，汽车与交通工程学院教授石琴被授予"2023 年度全国三八红旗手"称号。

3 月 2 日，教育部党组第二巡视组向学校反馈巡视反馈意见。

3 月 5 日，管理学院通过国际精英商学院协会（THE ASSOCIATION TO ADVANCE COLLEGIATE SCHOOLS OF BUSINESS）AACSB 商科教育认证。

3 月 6 日，教育部官网以"合肥工业大学深化产教融合打造卓越工程人才培养'加速器'"为题，重点推介学校卓越工程人才培养典型经验与丰硕成果。

3 月 7 日，仪器科学与光电工程学院副教授刘羽获吴文俊人工智能优秀青年奖。

3 月 14 日，学校举行"砥砺前行报国志，桃李芬芳七十载"庆祝鲍良弼教授从教七十载暨九十华诞座谈会。

3 月 20 日，学校召开贯彻落实教育部党组巡视反馈意见整改工作动员部署会。学校党委书记于祥成对学校巡视整改工作作全面部署，校长郑磊主持会议。

3 月 22 日，学校在《2019—2023 年全国"双一流"建设高校大学生竞赛榜单》《2019—2023 年全国普通高校大学生竞赛榜单（本科）》TOP300 中首次双双挺进全国十强；在《2019—2023 年全国理工类本科院校大学生竞赛榜单》

TOP20 中从第 10 位跃升至第 7 位，在《2023 年全国普通高校大学生竞赛榜单（本科）》TOP100 中位列第 10 位，两项榜单继续保持全国十强；在《全国普通高校大学生竞赛八轮总榜单（本科）》TOP300 中从第 29 位跃升至第 26 位。

3 月 27 日，学校出版社组织申报的"徽州传统村落测绘与活化传承丛书（15 卷）"获批 2024 年度国家出版基金立项资助。该项目由建筑与艺术学院教授陈刚主持，是学校教授作为主持人获批的首个国家出版基金项目。

3 月 29 日，仪器科学与光电工程学院教授吴思竹获中国感光学会青年科技奖。

4 月 1 日，校长郑磊在《中国教育报》发表署名文章《为强国建设培养卓越工程师》。

4 月 8 日，《全国普通高校创新创业类竞赛指数》发布，学校以获奖数量 462 项获评全国 A＋。该指数 2023 年首次发布，学校连续两年获评全国 A＋、位居全国高校 TOP1％。

4 月 11 日，机械工程学院辅导员丁玲获评全国闪亮风采教师。

4 月 13 日，学校当选全国智能网联汽车行业产教融合共同体第一届理事会常务理事单位。

4 月 16 日，学校食品与生物工程学院食品科学与工程系党支部、材料科学与工程学院本科生第二党支部入选第四批全国高校党建工作"样板支部"培育创建单位。

4 月 28 日，合工大智能院举行 10 周年庆典活动。

同日，管理学院教授梁樑被授予"全国五一劳动奖章"。

5 月 21—22 日，学校应邀出席 2024 年中国—白俄罗斯大学联盟全体大会暨联盟集群机制成立大会，并作为首批成员单位加入先进制造合作集群。

5 月 23 日，学校被国家机关事务管理局、国家发展改革委、水利部评为 2024—2026 年度公共机构水效领跑者。

5 月 29 日，学校与德国大陆集团签署《中国合肥工业大学—德国大陆集团战略合作协议》。

5 月 30 日，计算机与信息学院（人工智能学院）教授魏臻获首届全国科创名匠称号。

5 月，学校被增列为中组部工程硕博士培养改革专项试点单位。

6 月 12 日，电气与自动化工程学院电力电子教研室党支部马铭遥工作室入选第三批高校"双带头人"教师党支部书记工作室建设名单。

6 月 20—21 日，由商务部主办、商务部国际商务官员研修学院承办、学校协办的"发展中国家国际产能与装备制造合作研修班"成功举办，来自特立尼达和多巴哥、智利、毛里求斯、乌兹别克斯坦、塞拉利昂、尼日利亚、斯里兰卡、老挝、埃塞俄比亚 9 个国家共 36 名发展中国家相关领域政府官员参加研修。

7 月 11 日，学校物理学学科进入 ESI 全球排名前 1‰行列。

7 月 22—23 日，中国共产党合肥工业大学第九次代表大会召开。大会选举产生中国共产党合肥工业大学第九届委员会和中国共产党合肥工业大学第九届纪律检查委员会。25 人当选新一届党委委员，9 人当选新一届纪委委员。

7 月 26 日，雷击接闪与主动防护研究重大科研装置项目获批教育部 2024 年中央预算内投资科研能力建设专项，项目总投资 18220 万元。

同日，学校"化工设计"课程团队杨庆春副教授以总分第一名的成绩，获首届全国高校化工与材料类专业教师教学创新大赛一等奖。

7 月 31 日，土木与水利工程学院教师朱勇超教学团队获第四届全国高校教师教学创新大赛新工科副高组二等奖。

8 月 20 日，学校党委书记于祥成在《经济日报》刊发署名文章《把握着力点培育新质生产力》。

8 月 25 日，学校获批国家自然科学基金各类资助项目 153 项，获资助直接经费 6948.39 万元。本次获批面上项目 85 项、青年科学基金项目 60 项、优秀青年科学基金项目 1 项、重点项目 3 项、国际（地区）合作研究与交流项目 3 项、外国学者研究基金项目 1 项。

8 月 26 日，汪萌教授获第六届科学探索奖。

8 月 30 日，经济学院操玮老师获第七届全国高校青年教师教学竞赛文科组二等奖。

同日，学校与阳光电源股份有限公司共建的"新能源校企协同育人基地"入选工业和信息化部校企协同育人基地。

9 月 8 日，数学学院教授朱士信被授予"2024 年度全国模范教师"称号。

9 月 12 日，学校植物学与动物学学科进入 ESI 全球排名前 1‰行列。

9 月 13 日，学校外籍教师丹尼尔·戴维（DANIEL DAVID）获"中国五星卡"（外国人永久居留身份证）。

9 月 20—23 日，学校建筑与艺术学院、土木与水利工程学院、设计院（集团）有限公司与荣事达集团共同设计研发，荣事达集团公司生产制造的"文旅太空舱"与双层装配式"智慧房屋"两项产品亮相 2024 世界制造业大会。

10 月 12 日，学校计算机与信息学院信息与通信工程系第一党支部、食品与生物工程学院食品科学与工程系党支部、化学与化工学院化工技术中心教工党支部、资源与环境工程学院资源科学与工程系教师党支部、马克思主义学院中国近现代史纲要教研部党支部、电气与自动化工程学院电力电子教研室党支部 6 个党支部入选全国高校"双带头人"教师党支部书记"强国行"专项行动团队。

10月，学校获批国家社会科学基金10项，其中重点项目1项、一般项目6项、青年项目3项。

同月，民进合肥工业大学基层委员会主委、经济学院教授朱卫东被授予"民进全国组织建设工作先进个人"称号。

11月2日，学校获第十四届"挑战杯"中国大学生创业计划竞赛终审决赛1金2银4铜，其中主体赛获金奖1项、银奖1项、铜奖3项，"一带一路"国际邀请赛获银奖1项、铜奖1项。

11月8—10日，学校4个项目入选第十七届全国大学生创新年会，其中1个项目获"最佳创业项目奖"，直接晋级中国国际大学生创新大赛（2025）总决赛。

11月9—10日，学校成功举办教育部2024国际产学研用合作会议——新能源与智能网联汽车研讨会。

11月12日，大学生方程式赛车队入选"中国汽车工程学会汽车科普教育基地"。

11月15日，在第十三届中国创新创业大赛新能源、新能源汽车和节能环保全国赛中，学校智能制造技术研究院获初创组一等奖1项、三等奖1项。

11月22日，宣城校区教师陈发祥主讲的"大学生心理健康"课程、化学与化工学院教师杨庆春主讲的"化工设计"课程、经济学院教师高玲玲主讲的"公司金融学"课程均获第五届全国高校混合式教学设计创新大赛二等奖。

11月25日，教育部简报〔2024〕第50期以"合肥工业大学持续深化产教融合 大力推进卓越工程人才培养"为题，推介学校卓越工程人才培养的典型经验。

12月13日，学校8个项目在第九届高校廉洁教育系列活动中获奖，在全国上榜的429所高校中位列第一。

12月21日，管理学院教授杨善林获管理科学奖特殊贡献奖。

12月25日，新能源汽车智能底盘一体化设计、验证与测试平台项目获批教育部2024年中央预算内投资科研能力建设专项，项目总投资19286万元。

同日，高端光电仪器及装备创新服务平台获批教育部2024年中央预算内投资科研能力建设专项，项目总投资44487万元。

12月26日，学校申报的"新型电力系统高性能装备及数智化应用"项目获批国家留学基金管理委员会2025年创新型人才国际合作培养项目。

同日，比亚迪30亿教育慈善基金启动仪式在深圳举行，学校入围首批35所奖学金合作高校。

12月，汪萌教授获霍英东教育基金会第十九届高等院校青年科学奖。

2025 年

2 月 18 日，学校"学习红色历史，践行金融报国"案例入选"礼敬中华优秀传统文化"宣传教育活动"铸魂润心"文化育人创新工作案例。

3 月 19—20 日，学校第十届一次教代会暨第十八届一次工代会召开。

3 月 30 日，《中国高等教育》2025 年第 6 期刊发校长郑磊署名文章《增强高校服务科技创新和产业创新融合发展能力》。

3 月，工业和信息化部主管期刊《新型工业化》2025 年第 2 期专家论坛栏目刊发学校党委书记于祥成署名文章《践行"工业报国"提升卓越工程人才自主培养质量》。

4 月 2 日，中共安徽省委书记梁言顺来校调研。

4 月 24 日，微电子学院研二学生李春园成功捐献造血干细胞。

4 月 28 日，自动化专业 1986 级校友、阳光电源股份有限公司董事长曹仁贤个人通过阳光电源公益基金会向母校捐赠人民币 1 亿元，用于支持学科建设和人才培养，助力母校建设特色鲜明的世界一流大学。

4 月 29 日，管理学院"智子医疗——全国首创人机协同腔镜扶持机器人"项目，在"青春之歌——全国大学生创新成果展"上展出。

4 月，学校"数字徽州：中国典型传统村落的现代传承与创新实践"案例入选"数字中国"主题案例。

5 月 4 日，国家奖学金本专科生获奖学生代表 100 人名录在《人民日报》发布，学校土木与水利工程学院 2021 级本科生许晋嘉名列其中。

5 月 8 日，学校药理学与毒理学学科进入 ESI 全球排名前 1‰行列。截至目前，学校共有 12 个学科进入 ESI 全球排名前 1‰行列，分别是工程学、材料科学、化学、计算机科学、农业科学、物理学、地球科学、环境学/生态学、生物学与生物化学、社会科学总论、药理学与毒理学、植物学与动物学。其中，工程学学科进入 ESI 全球排名前 1‰行列。

5 月 11—28 日，教育部党组第二巡视整改专项督查组对学校党委进行巡视整改专项督查。

5 月，管理学院研究员李霄剑获评中国新时代青年先锋。

6 月 11 日，计算机应用技术专业 1994 级（硕）校友、合肥工大高科信息科技股份有限公司董事长魏臻捐赠人民币 1000 万元，助力母校一流大学建设。

6 月 16 日，校长郑磊在《人民日报》（海外版）"教育名家笔谈"栏目刊发署名文章《以科技创新、产教融合促进产业创新》。

6 月 21 日，文法学院教授刘海芳获第六届"匠心筑梦领航未来"全国高校教师技能创新大赛本科组一等奖。

6月24日，教育部部长怀进鹏来校调研，教育部副部长王光彦陪同调研。

6月25日，计算机及应用专业1985级校友、学校福建校友会会长、福建博思软件股份有限公司董事长陈航向母校捐赠人民币1000万元。

6月，学校金融硕士专业学位正式通过CFA协会的专业认证，成为CFA协会大学联盟项目合作伙伴。

同月，学校与日本京都大学联合成功申报科技部2025年度中日青少年科技交流计划基层对口项目。

同月，学校建筑与艺术学院教授陈刚负责的"徽派建筑与传统村落保护利用研究团队"被授予安徽卓越工程师团队称号，电气与自动化工程学院教授向念文被授予安徽卓越工程师称号。

7月3日，自动化专业1978级校友、合肥恒大江海泵业股份有限公司董事长朱庆龙向母校捐赠人民币1000万元。

7月5日，学校首次获批3个国防重点学科与技术研究中心。

7月9日，学校启动本科教育教学思想大讨论。

7月15日，由学校管理学院教授杨善林、丁帅团队牵头，联合相关单位共同研制的非接触式智能生理检测装置随天舟九号上行中国空间站。

7月16日，由管理学院教授杨善林团队牵头开发的覆盖应用经济、人工智能、数据科学等领域跨学科教育专用大模型炎黄智思体V1.0版本重磅发布。

7月，学校计算机与信息学院（人工智能学院）教授吴乐获华为技术有限公司"难题揭榜"第120期火花奖。

8月28日，学校获批国家自然科学基金各类资助项目149项，获资助直接经费6580万元。本次获批面上项目80项、青年科学基金项目（C类）65项、重点项目3项、青年科学基金项目（B类）1项。

9月5日，教育部党组在合肥工业大学宣布了有关任免决定，汪萌同志任合肥工业大学校长、党委副书记，郑磊同志不再担任合肥工业大学校长职务。教育部党组成员、副部长、人事司司长徐青森出席会议并讲话。安徽省委教育工委主要负责同志、安徽省委组织部有关负责同志出席会议。

同日，学校动物源食品智能制造与品质调控教师团队入选全国高校黄大年式教师团队。

附　　录

博士学位授权点

（一）学术学位授权点

获批年份	一级学科代码	一级学科名称	所在学院
2000 年	0802	机械工程	机械工程学院
2000 年	1201	管理科学与工程	管理学院
2003 年	0804	仪器科学与技术	仪器科学与光电工程学院
2006 年	0805	材料科学与工程	材料科学与工程学院
2006 年	0808	电气工程	电气与自动化工程学院
2006 年	0832	食品科学与工程	食品与生物工程学院
2011 年	0709	地质学	资源与环境工程学院
2011 年	0810	信息与通信工程	计算机与信息学院
2011 年	0812	计算机科学与技术	计算机与信息学院
2011 年	0814	土木工程	土木与水利工程学院
2011 年	1202	工商管理学	管理学院
2018 年	0305	马克思主义理论	马克思主义学院
2018 年	0701	数学	数学学院
2018 年	0801	力学	土木与水利工程学院
2018 年	0830	环境科学与工程	资源与环境工程学院
2021 年	0811	控制科学与工程	电气与自动化工程学院
2021 年	0813	建筑学	建筑与艺术学院

获批年份	一级学科代码	一级学科名称	所在学院
2021 年	0817	化学工程与技术	化学与化工学院
2024 年	0703	化学	化学与化工学院
2024 年	0809	电子科学与技术	微电子学院

（二）专业学位授权点

获批年份	专业学位类别代码	专业学位类别名称	牵头学院
2019 年	0855	机械	机械工程学院
2019 年	0858	能源动力	电气与自动化工程学院
2021 年	0860	生物与医药	食品与生物工程学院
2024 年	0854	电子信息	计算机与信息学院
2024 年	0859	土木水利	土木与水利工程学院

硕士学位授权点

（一）学术学位授权点

获批年份	一级学科代码	一级学科名称	所在学院
2000 年	0802	机械工程	机械工程学院
2000 年	1201	管理科学与工程	管理学院
2003 年	0804	仪器科学与技术	仪器科学与光电工程学院
2006 年	0709	地质学	资源与环境工程学院
2006 年	0803	光学工程	物理学院
2006 年	0805	材料科学与工程	材料科学与工程学院
2006 年	0808	电气工程	电气与自动化工程学院
2006 年	0809	电子科学与技术	微电子学院
2006 年	0810	信息与通信工程	计算机与信息学院
2006 年	0812	计算机科学与技术	计算机与信息学院
2006 年	0814	土木工程	土木与水利工程学院
2006 年	0815	水利工程	土木与水利工程学院
2006 年	0830	环境科学与工程	资源与环境工程学院
2006 年	0832	食品科学与工程	食品与生物工程学院
2006 年	1202	工商管理学	管理学院
2011 年	0202	应用经济学	经济学院
2011 年	0305	马克思主义理论	马克思主义学院
2011 年	0502	外国语言文学	外国语学院
2011 年	0701	数学	数学学院
2011 年	0710	生物学	食品与生物工程学院

（续表）

获批年份	一级学科代码	一级学科名称	所在学院
2011 年	0801	力学	土木与水利工程学院
2011 年	0807	动力工程及工程热物理	汽车与交通工程学院
2011 年	0811	控制科学与工程	电气与自动化工程学院
2011 年	0813	建筑学	建筑与艺术学院
2011 年	0816	测绘科学与技术	土木与水利工程学院
2011 年	0817	化学工程与技术	化学与化工学院
2011 年	0823	交通运输工程	汽车与交通工程学院
2011 年	0833	城乡规划学	建筑与艺术学院
2011 年	1301	艺术学	建筑与艺术学院
2011 年	1403	设计学	建筑与艺术学院
2015 年	0702	物理学	物理学院
2018 年	0201	理论经济学	经济学院
2018 年	0703	化学	化学与化工学院
2018 年	0705	地理学	资源与环境工程学院
2018 年	0818	地质资源与地质工程	资源与环境工程学院
2018 年	0831	生物医学工程	仪器科学与光电工程学院
2020 年	0301	法学	文法学院
2020 年	1204	公共管理学	管理学院

（二）专业学位授权点

获批年份	专业学位类别代码	专业学位类别名称	牵头学院
2003 年	1251	工商管理	管理学院
2003 年	1252	公共管理	管理学院
2010 年	0551	翻译	外国语学院
2010 年	1253	会计	管理学院
2014 年	0251	金融	经济学院
2014 年	0351	法律	文法学院
2018 年	1055	药学	食品与生物工程学院

（续表）

获批年份	专业学位类别代码	专业学位类别名称	牵头学院
2019 年	0854	电子信息	计算机与信息学院
2019 年	0855	机械	机械工程学院
2019 年	0856	材料与化工	材料科学与工程学院
2019 年	0857	资源与环境	资源与环境工程学院
2019 年	0858	能源动力	电气与自动化工程学院
2019 年	0859	土木水利	土木与水利工程学院
2019 年	0860	生物与医药	食品与生物工程学院
2019 年	0861	交通运输	汽车与交通工程学院
2019 年	1256	工程管理	管理学院
2021 年	0252	应用统计	数学学院
2021 年	0552	新闻与传播	文法学院
2023 年	0851	建筑	建筑与艺术学院
2023 年	0862	风景园林	建筑与艺术学院
2023 年	1357	设计	建筑与艺术学院
2024 年	0254	国际商务	经济学院
2024 年	0352	社会工作	马克思主义学院

博士后科研流动站

获批年份	一级学科代码	流动站名称	所在学院
1999 年	0802	机械工程	机械工程学院
2003 年	0709	地质学	资源与环境工程学院
2003 年	0804	仪器科学与技术	仪器科学与光电工程学院
2003 年	0808	电气工程	电气与自动化工程学院
2003 年	1201	管理科学与工程	管理学院
2007 年	0805	材料科学与工程	材料科学与工程学院
2007 年	0812	计算机科学与技术	计算机与信息学院
2007 年	0832	食品科学与工程	食品与生物工程学院
2009 年	0810	信息与通信工程	计算机与信息学院
2009 年	0814	土木工程	土木与水利工程学院
2012 年	0835	软件工程	计算机与信息学院
2012 年	1202	工商管理	管理学院
2023 年	0305	马克思主义理论	马克思主义学院
2023 年	0701	数学	数学学院
2023 年	0811	控制科学与工程	电气与自动化工程学院
2023 年	0813	建筑学	建筑与艺术学院
2023 年	0817	化学工程与技术	化学与化工学院

省部级及以上重点科研基地

序号	科研基地名称	主管单位	负责人	依托学院
全国重点实验室（共建）				
1	电能高效高质转化全国重点实验室（共建）	科技部	丁立健	电气与自动化工程学院
国家工程实验室（共建）				
1	特种显示技术国家工程实验室（共建）	国家发改委	夏豪杰	仪器科学与光电工程学院
国家地方联合工程研究中心、工程实验室				
1	汽车技术与装备国家地方联合工程研究中心	国家发改委	赵 韩	汽车与交通工程学院
2	智能决策与信息系统技术国家地方联合工程研究中心	国家发改委	杨善林	管理学院
3	有色金属与加工技术国家地方联合工程研究中心	国家发改委	吴玉程	材料科学与工程学院
4	可再生能源接入电网技术国家地方联合工程实验室	国家发改委	张 兴	电气与自动化工程学院
国家国际科技合作基地（示范型）				
1	智慧养老国际科技合作基地	科技部	安 宁	计算机与信息学院
2	先进能源与环境材料国际科技合作基地	科技部	吴玉程	材料科学与工程学院
教育部重点实验室、工程研究中心、网上合作研究中心、省部共建协同创新中心				
1	过程优化与智能决策教育部重点实验室	教育部	杨善林	管理学院
2	大数据知识工程教育部重点实验室	教育部	吴信东	计算机与信息学院

序号	科研基地名称	主管单位	负责人	依托学院
3	光伏系统教育部工程研究中心	教育部	黄海宏	电气与自动化工程学院
4	农产品生物化工教育部工程研究中心	教育部	徐宝才	食品与生物工程学院
5	安全关键工业测控技术教育部工程研究中心	教育部	刘晓平	计算机与信息学院
6	智能决策与信息系统技术教育部工程研究中心	教育部	丁　帅	管理学院
7	高性能铜合金材料及成形加工教育部工程研究中心	教育部	罗来马	材料科学与工程学院
8	水泥基材料低碳技术与装备教育部工程研究中心	教育部	王静峰	土木与水利工程学院
9	教育部 IC 设计网上合作研究中心	教育部	尹勇生	微电子学院
10	教育部应用物理网上合作研究中心	教育部	薛　飞	物理学院
11	安徽省新能源汽车省部共建协同创新中心	教育部 安徽省教育厅	赵　韩	机械与汽车工程学院
教育部高等学校学科创新引智计划（简称"111 计划"）				
1	可再生能源并网发电科学与技术创新引智基地	教育部 国家外专局	丁立健	电气与自动化工程学院
2	现代测试与精密工程创新引智基地	教育部 国家外专局	夏豪杰	仪器科学与光电工程学院
3	老人福祉信息科技创新引智基地	教育部 国家外专局	安　宁	计算机与信息学院
4	复杂产品制造过程优化与决策创新引智基地	教育部 国家外专局	刘心报	管理学院
5	清洁能源新材料与技术学科创新引智基地	教育部 国家外专局	吴玉程	材料科学与工程学院
安徽省重点实验室、工程（技术）研究中心、国际科技合作基地				
1	安徽省汽车技术与装备工程研究中心	安徽省发改委	赵　韩	汽车与交通工程学院

（续表）

序号	科研基地名称	主管单位	负责人	依托学院
2	安徽省信息处理与信息系统工程研究中心	安徽省发改委	杨善林	管理学院
3	安徽省水泥基材料低碳技术工程研究中心	安徽省发改委	余其俊	土木与水利工程学院
4	安徽省智慧交通车路协同工程研究中心	安徽省发改委	石　琴	汽车与交通工程学院
5	安徽省专用系统芯片集成技术工程研究中心	安徽省发改委	张多利	微电子学院
6	安徽省空天系统智能管理工程研究中心	安徽省发改委	胡笑旋	管理学院
7	安徽省工业废水处理与资源化工程研究中心	安徽省发改委	岳正波	资源与环境工程学院
8	安徽省可再生能源及工业节能工程实验室	安徽省发改委	张　兴	电气与自动化工程学院
9	安徽省有色金属材料与加工工程实验室	安徽省发改委	吴玉程	材料科学与工程学院
10	安徽省智能汽车工程研究中心	安徽省发改委	张炳力	汽车与交通工程学院
11	安徽省道路与桥梁检测工程研究中心	安徽省发改委	王佐才	土木与水利工程学院
12	安徽省农村水环境治理与水资源利用工程研究中心	安徽省发改委	胡真虎	土木与水利工程学院
13	安徽省智能数控技术及装备工程实验室	安徽省发改委	韩　江	机械与汽车工程学院
14	安徽省城市风貌与空间环境更新技术工程研究中心	安徽省发改委	宣　蔚	建筑与艺术学院
15	安徽省柔性智能材料创制与应用工程研究中心	安徽省发改委	从怀萍	化学与化工学院
16	安徽省半导体制造检测技术与仪器工程研究中心	安徽省发改委	夏豪杰	仪器科学与光电工程学院
17	智能互联系统安徽省实验室	安徽省科技厅	梁　樑	管理学院
18	安徽省农产品现代加工重点实验室	安徽省科技厅	郑　志	食品与生物工程学院

序号	科研基地名称	主管单位	负责人	依托学院
19	安徽省新能源利用与节能重点实验室	安徽省科技厅	吴红斌	电气与自动化工程学院
20	安徽省土木工程结构与材料重点实验室	安徽省科技厅	王静峰	土木与水利工程学院
21	安徽省数字化设计与制造重点实验室	安徽省科技厅	黄　康	机械与汽车工程学院
22	安徽省情感计算与先进智能机器重点实验室	安徽省科技厅	汪　萌	计算机与信息学院
23	安徽省先进功能材料与器件重点实验室	安徽省科技厅	张　勇	材料科学与工程学院
24	安徽省高值催化转化与反应工程重点实验室	安徽省科技厅	从怀萍	化学与化工学院
25	安徽省工业安全与应急技术重点实验室	安徽省科技厅	杨学志	计算机与信息学院
26	安徽省航空结构件成形制造与装备重点实验室	安徽省科技厅	翟　华	机械与汽车工程学院
27	安徽省测量理论与精密仪器重点实验室	安徽省科技厅	夏豪杰	仪器科学与光电工程学院
28	安徽省自动驾驶汽车安全技术重点实验室	安徽省科技厅	石　琴	汽车与交通工程学院
29	安徽省徽州古村落数字化保护与传承创意重点实验室	安徽省科技厅	陈　刚	建筑与艺术学院
30	安徽省功率半导体封装与可靠性重点实验室	安徽省科技厅	李贺龙	电气与自动化工程学院
31	安徽省动物源食品绿色制造与资源挖掘重点实验室	安徽省科技厅	徐宝才	食品与生物工程学院
32	安徽省机电产品低碳循环利用技术与装备重点实验室	安徽省科技厅	刘志峰	机械与汽车工程学院
33	安徽省战略性矿产资源深部探测与评价利用重点实验室	安徽省科技厅	袁　峰	资源与环境工程学院
34	汽车 NVH 安徽省工程技术研究中心	安徽省科技厅	陈　剑	机械与汽车工程学院

（续表）

序号	科研基地名称	主管单位	负责人	依托学院
35	微电子机械系统安徽省工程技术研究中心	安徽省科技厅	许高斌	微电子学院
36	粉末冶金安徽省工程技术研究中心	安徽省科技厅	程继贵	材料科学与工程学院
37	矿产资源与矿山环境安徽省工程技术研究中心	安徽省科技厅	周涛发	资源与环境工程学院
38	农产品生物化工安徽省工程技术研究中心	安徽省科技厅	徐宝才	食品与生物工程学院
39	安徽省先进纳米能源材料示范型国际科技合作基地	安徽省科技厅	王 岩	材料科学与工程学院
40	安徽省氢安全国际联合研究中心	安徽省科技厅	王昌建	土木与水利工程学院
41	安徽省重大疾病代谢疾病和营养干预示范型国际科技合作基地	安徽省科技厅	陈元利	食品与生物工程学院
42	安徽省成矿理论与找矿预测国际联合研究中心	安徽省科技厅	周涛发	资源与环境工程学院
43	可控化学与材料化工安徽省高等学校重点实验室	安徽省教育厅	崔 鹏	化学与化工学院
44	现代测试与制造质量工程安徽省高等学校重点实验室	安徽省教育厅	夏豪杰	仪器科学与光电工程学院
45	纳米矿物与污染控制安徽省高等学校重点实验室	安徽省教育厅	陈天虎	资源与环境工程学院
46	重大疾病代谢及营养调控安徽省高等学校重点实验室	安徽省教育厅	陈元利	食品与生物工程学院
47	工业自动化安徽省工程技术研究中心	安徽省教育厅	唐 昊	电气与自动化工程学院
48	土木工程防灾减灾安徽省工程技术研究中心	安徽省教育厅	王佐才	土木与水利工程学院
49	安徽省徽派建筑研究院	安徽省住建厅	陈 刚	建筑与艺术学院
安徽省教育厅省级协同创新中心、技术研究院				
1	现代显示省级协同创新中心	安徽省教育厅	邱龙臻	仪器科学与光电工程学院

（续表）

序号	科研基地名称	主管单位	负责人	依托学院
2	有色金属材料与加工省级协同创新中心	安徽省教育厅	张　勇	材料科学与工程学院
3	先进钢结构技术与产业省级协同创新中心	安徽省教育厅	王静峰	土木与水利工程学院
4	社区服务与管理省级协同创新中心	安徽省教育厅	杨善林	管理学院
5	农产品精深加工安徽省技术研究院	安徽省教育厅	郑　志	食品与生物工程学院
6	工业安全信息安徽省技术研究院	安徽省教育厅	杨学志	计算机与信息学院
人文社会科学重点研究基地				
1	数据科学与智慧社会治理实验室	教育部	杨善林	管理学院
2	安徽省中国特色社会主义理论体系研究中心合肥工业大学研究基地	安徽省委宣传部	于祥成	马克思主义学院
3	安徽科技与产业发展研究院	安徽省委宣传部	梁昌勇	
4	网络空间行为与管理安徽省哲学社会科学重点实验室	安徽省委宣传部	姜元春	管理学院
5	数字经济与智慧企业管理安徽省哲学社会科学重点实验室	安徽省委宣传部	蒋翠清	管理学院
6	能源环境智慧管理与绿色低碳发展安徽省哲学社会科学重点实验室	安徽省委宣传部	周开乐	管理学院
7	安徽省科技创新智库（综合类）	安徽省科技厅	郑　磊	食品与生物工程学院
8	安徽省科技创新智库（新能源汽车和智能网联汽车）	安徽省科技厅	张炳力	汽车与交通工程学院
9	安徽省科技创新智库（智能制造）	安徽省科技厅	张晓安	合肥工业大学智能制造技术研究院

（续表）

序号	科研基地名称	主管单位	负责人	依托学院
10	合肥工业大学铸牢中华民族共同体意识研究基地	安徽省委宣传部 安徽省委统战部 安徽省民族宗教事务委员会 安徽省教育厅	于祥成	马克思主义学院
11	现代科技发展与马克思主义理论研究中心	安徽省教育厅	黄志斌	马克思主义学院
12	产业转移与创新发展研究中心	安徽省教育厅	杨善林	管理学院
13	工业信息与经济研究中心	安徽省教育厅	吴华清	经济学院

2015—2025 年学校获国家级科技奖励一览表

序号	项目名称	负责人	获奖情况	获奖年度
1	新能源发电调度运行关键技术及应用	丁　明	国家科学技术进步奖二等奖	2016
2	大别山东段深部深测与找矿突破	周涛发	国家科学技术进步奖二等奖	2016
3	全国创新争先奖状（个人奖）	杨善林	全国创新争先奖状个人奖	2017
4	一种基于 DSP 的科氏质量流量变送器	徐科军	中国专利奖优秀奖	2017
5	一种基于 DSP 的电磁流量计信号处理系统	徐科军	中国专利奖优秀奖	2018
6	青藏地区可再生能源独立供电系统关键技术及工程应用	丁　明	国家科学技术进步奖二等奖	2019
7	网源友好型风电机组关键技术及规模化应用	谢　震	国家科学技术进步奖二等奖	2020
8	一种带水分剥离装置的垃圾焚烧炉	邢献军	中国专利奖优秀奖	2021
9	基于双传感器的抗强干扰的数字涡街流量计	徐科军	中国专利奖优秀奖	2021
10	中国青年科技奖（个人奖）	汪　萌	第十七届中国青年科技奖	2022
11	全国创新争先奖状（个人奖）	梁　樑	全国创新争先奖状个人奖	2023
12	适用于高速冲击/低速振动控制系统的磁流变阻尼器	白先旭	中国专利奖优秀奖	2023
13	全国科创名匠（个人奖）	魏　臻	全国科创名匠	2024
14	一种能拓宽冰温带的肉类保鲜设备及方法	徐宝才	中国专利奖优秀奖	2025

2015—2025 年学校获省部级科研奖励一览表

序号	项目名称	牵头完成人	获奖情况	获奖年度
1	千年一笔谈	钱 斌	第七届高等学校科学研究优秀成果奖（人文社会科学）成果普及奖	2015
2	视觉媒体的协同分析理论与方法	汪 萌	安徽省科学技术奖（自然科学奖）一等奖	2017
3	智能移动机械装备系统集成关键技术研究与应用	訾 斌	安徽省科学技术奖（科技进步奖）一等奖	2017
4	安徽青年科技奖	吴宗铨	安徽青年科技奖	2017
5	安徽青年科技奖	汪 萌	安徽青年科技奖	2017
6	纠错编码中常循环码理论及其应用	朱士信	安徽省科学技术奖（自然科学奖）一等奖	2018
7	新能源汽车及其核心部件能量与安全管控关键技术及产业化	赵 韩	安徽省科学技术奖（科技进步奖）一等奖	2018
8	调理肉制品品质提升关键技术创新及应用	徐宝才	安徽省科学技术奖（科技进步奖）一等奖	2018
9	智能化移动微创装备关键技术及产业化	丁 帅	安徽省科学技术奖（科技进步奖）一等奖	2018
10	大工程时代的卓越工程师培养	王章豹	安徽省社会科学奖（社科类著作）一等奖	2017—2018
11	人机协同的智能微创医疗装备系统关键技术及应用	杨善林	高等学校科学研究优秀成果奖（科学技术）科学技术进步奖一等奖	2019
12	农产品及食品安全快速灵敏分析新原理及新方法	郑 磊	安徽省科学技术奖（自然科学奖）一等奖	2019

（续表）

序号	项目名称	牵头完成人	获奖情况	获奖年度
13	工程机械液压系统摩擦副材料关键技术开发与产业化应用	吴玉程	安徽省科学技术奖（科技进步奖）一等奖	2019
14	飞机全机雷电试验机动式装置和试验技术的研究与应用	段泽民	安徽省科学技术奖（科技进步奖）一等奖	2019
15	高端智能液压成形成套装备协同控制与运维保障关键技术	张 强	安徽省科学技术奖（科技进步奖）一等奖	2019
16	大数据中的管理问题：基于大数据的资源观	杨善林	第八届高等学校科学研究优秀成果奖（人文社会科学）一等奖	2020
17	柔性导体材料的界面调控合成与组装	从怀萍	安徽省科学技术奖（自然科学奖）一等奖	2020
18	机械产品数控化创新研发及应用示范	韩 江	安徽省科学技术奖（科技进步奖）一等奖	2020
19	电力工程现场安全感控关键技术及应用	汪 萌	安徽省科学技术奖（科技进步奖）一等奖	2020
20	大跨度复杂金属屋盖体系抗风理论与减振技术及工程应用	王静峰	安徽省科学技术奖（科技进步奖）一等奖	2020
21	数据驱动的品牌关系管理	刘业政	安徽省社会科学奖（社科类著作）一等奖	2019—2020
22	合肥争创国际湿地城市研究	吴华清	安徽省社会科学奖（社科类研究报告）一等奖	2019—2020
23	安徽省重大科技成就奖（个人奖）	梁 樑	安徽省科学技术奖（重大科技成就奖）	2021
24	城市生活垃圾自维持高温清洁燃烧关键技术与装备	邢献军	安徽省科学技术奖（技术发明奖）一等奖	2021
25	膨胀土地基灾变防控关键技术与工程应用	查甫生	安徽省科学技术奖（科技进步奖）一等奖	2021
26	高速铁路雷电防护关键技术及工程应用	向念文	安徽省科学技术奖（科技进步奖）一等奖	2021
27	锂离子电池高安全性电解质关键技术及产业化	项宏发	安徽省科学技术奖（科技进步奖）一等奖	2021

（续表）

序号	项目名称	牵头完成人	获奖情况	获奖年度
28	安徽省创新争先奖（个人奖）	郑 磊	安徽省创新争先奖章	2021
29	安徽省创新争先奖（个人奖）	魏 臻	安徽省创新争先奖状	2021
30	大空间刚柔耦合智能机器人系统高效协作关键技术及应用	訾 斌	高等学校科学研究优秀成果奖（科学技术）技术发明奖一等奖	2022
31	郯庐断裂带多期演化及其动力学机制研究	朱 光	安徽省科学技术奖（自然科学奖）一等奖	2022
32	重载装备高耗能机电液系统能量短回路调控技术及应用	黄海鸿	安徽省科学技术奖（技术发明奖）一等奖	2022
33	面向新能源汽车高稳定性稀土永磁体关键技术研发与应用	吴玉程	安徽省科学技术奖（科技进步奖）一等奖	2022
34	航空复合材料关键结构件高精度纤维铺放制造关键技术及应用	祖 磊	安徽省科学技术奖（科技进步奖）一等奖	2022
35	大数据知识工程基础理论与方法	吴信东	安徽省科学技术奖（自然科学奖）一等奖	2023
36	智能车辆感知与决策控制关键技术研究及产业化应用	张炳力	安徽省科学技术奖（科技进步奖）一等奖	2023
37	计及高比例分布式新能源接入的配网动态分区与控制保护关键技术	孙 伟	安徽省科学技术奖（科技进步奖）一等奖	2023
38	安徽省创新争先奖（个人奖）	刘志峰	第三届安徽省创新争先奖状	2024
39	安徽省创新争先奖（个人奖）	汪 萌	第三届安徽省创新争先奖状	2024
40	安徽省最美科技工作者（个人奖）	蔡克周	安徽省最美科技工作者	2025
41	徽派建筑与传统村落保护利用研究团队	陈 刚	安徽工程师奖（安徽卓越工程师团队）	2025
42	安徽工程师奖（个人奖）	向念文	安徽工程师奖（安徽卓越工程师）	2025

注：此表只计入以学校为第一完成单位且获得一等奖及以上级别的获奖项目。

2015—2025 年学校获重要社会力量科技奖励一览表

序号	项目名称	牵头完成人	获奖情况	获奖年度
1	复旦管理学杰出贡献奖	杨善林	复旦管理学杰出贡献奖	2015
2	面向物联网的射频系统关键技术及应用	何怡刚	中国机械工业科学技术奖一等奖	2015
3	刚察县热水煤炭产业园区煤炭运输物流系统优化研究	胡小建	中国物流与采购联合会科学技术奖（科技进步奖）一等奖	2016
4	复杂应用环境下短距无线通信系统关键技术、成套装备及应用	何怡刚	中国发明协会发明创业成果奖特等奖	2018
5	系统科学与系统工程终身成就奖（个人奖）	杨善林	系统科学与系统工程终身成就奖	2018
6	中国振动工程学会青年科技奖（个人奖）	张永斌	中国振动工程学会青年科技奖	2018
7	乳及乳制品的品质提升与安全控制关键技术集成创新及应用	叶应旺	中国轻工业联合会科学技术进步奖一等奖	2019
8	多工况高协同液压成型装备耦合设计与智能服务系统关键技术	张　强	中国机械制造工艺协会科技进步奖一等奖	2019
9	柔性关节式 3D 坐标测量技术及系统	于连栋	中国仪器仪表学会科学技术奖一等奖	2019
10	中国化学会青年手性化学奖（个人奖）	吴宗铨	中国化学会青年手性化学奖	2019
11	新型芯片级 LED 器件的研制与应用	陈　雷	中国轻工业联合会科学技术进步奖一等奖	2020

（续表）

序号	项目名称	牵头完成人	获奖情况	获奖年度
12	坚果及籽类休闲食品原料智能分选与优质加工关键技术及应用	郑 磊	中国产学研合作创新与促进奖（产学研合作创新成果奖）一等奖	2020
13	中国侨界贡献奖（个人奖）	郑 磊	第八届中国侨界贡献奖一等奖	2020
14	新能源汽车高性能电驱动控制关键技术及应用	杨淑英	中国电源学会科学技术奖（科技进步奖）一等奖	2021
15	淀粉基系列载体的创制及其在食品中的应用	章 宝	中国商业联合会科学技术奖（全国商业科技进步奖）一等奖	2021
16	粮食柔性包装智能化成套装备研制与产业化应用	郑 磊	中国粮油学会科学技术奖一等奖	2021
17	蛋制品品质提升关键技术与产业化	李述刚	中国畜产品加工研究会科学技术奖（科技进步奖）一等奖	2022
18	发酵面制品加工品质提升关键技术创新与应用	陶 晗	中国商业联合会科学技术奖（全国商业科技进步奖）一等奖	2022
19	巨型框架悬挂结构混合体系的设计理论与建造技术	王静峰	中国钢结构协会科学技术奖一等奖	2022
20	复杂产品全生命周期数字化网络化智能化管理理论及应用	杨善林	第三届成思危全球奖	2023
21	肉类预制菜冷链物流品质控制关键技术与装备创新及应用	徐宝才	中国轻工业联合会科学技术进步奖一等奖	2023
22	大型光伏电站用并网逆变器关键技术及其工程应用	张 兴	中国电源学会科学技术奖（科技进步奖）特等奖	2023
23	第八届中国科协青年人才托举工程（个人奖）	赵 爽	第八届中国科协青年人才托举工程	2023
24	中国感光学会青年科技奖（个人奖）	吴思竹	中国感光学会青年科技奖	2023
25	科学探索奖（个人奖）	汪 萌	科学探索奖	2024
26	吴文俊人工智能优秀青年奖（个人奖）	刘 羽	吴文俊人工智能优秀青年奖	2024
27	中国技术市场协会金桥奖（个人奖）	范之国	中国技术市场协会金桥奖一等奖	2024

（续表）

序号	项目名称	牵头完成人	获奖情况	获奖年度
28	乳品生产全链条生物危害因子靶向筛查与安全控制关键技术创制	叶应旺	中国产学研合作促进会科技创新奖（科技成果奖）一等奖	2024
29	中国管理科学学会管理科学特殊贡献奖（个人奖）	杨善林	中国管理科学学会管理科学特殊贡献奖	2024
30	第十届中国科协青年人才托举工程（个人奖）	薛建议	第十届中国科协青年人才托举工程	2024
31	超分辨率工业相机关键技术及应用	夏豪杰	中国仪器仪表学会科学技术奖（技术发明奖）一等奖	2025
32	多星协同区域覆盖任务规划关键技术及应用	胡笑旋	中国指挥与控制学会（CICC）科学技术奖（科学技术进步奖）一等奖	2025

注：此表只计入以学校为第一完成单位且获得一等奖及以上级别的获奖项目。

后　记

2025 年，合肥工业大学迎来建校 80 周年华诞。回望过去十年，学校在人才培养、科学研究、社会服务、文化传承创新、国际交流合作等领域实现跨越式发展。

为系统梳理并留存 2015 年至 2025 年的发展足迹，学校特成立校史编委会，在《合肥工业大学校史（2005—2015）》基础上续编本书。于祥成同志、郑磊同志担任编委会主任，严福平同志担任主编，统筹推动编纂工作开展。学校领导和各单位负责人给予了悉心指导；学校档案馆提供了珍贵的校史资料；学校相关单位、离退休老同志及师生员工提出了宝贵的意见建议；学校出版社领导及责任编辑为本书出版付出了辛勤劳动。同时，本书得到了合肥工业大学精品文化传承创新专项"底蕴底色底气精神挖掘与传承"（2025WHCC001）、2024 年高校"三全育人"综合改革和思想政治能力提升计划项目"合肥工业大学校史馆基地"（sztsjh-2024-9-1）的大力支持。

在校史编委会领导下，学校组建 20 余人的编写团队，按照"底蕴·底色·底气"三大篇章的脉络，坚持"史料为基、叙事为体、客观为要"的原则，全面梳理学校在党建思政、战略规划、人才培养、学科建设、科学研究等领域的创新实践（其中，2025 年的史料和数据收集截至 9 月 10 日）。从承担校史编纂以来，编委会成员深感使命光荣、责任重大，在参考此前校史体例的基础上，数易其稿，反复修改。但由于时间紧、史料多，特别是编委会成员能力水平所限，书中疏漏和不足之处在所难免，敬请广大师生、校友及读者批评指正。

编　者

2025 年 9 月